CARAVAL

STEPHANIE GARBER

CARAVAL

3ª edição

TRADUÇÃO: Lavínia Fávero

GUTENBERG

Copyright © 2022 Stephanie Garber
Copyright desta edição © 2025 Editora Gutenberg

Título original: *Caraval*

Todos os direitos reservados pela Editora Gutenberg. Nenhuma parte desta publicação poderá ser reproduzida, seja por meios mecânicos, eletrônicos, seja via cópia xerográfica, sem a autorização prévia da Editora.

EDITORA RESPONSÁVEL
Flavia Lago

EDITORAS ASSISTENTES
Natália Chagas Máximo
Samira Vilela

PREPARAÇÃO DE TEXTO
Fernanda Marão

REVISÃO FINAL
Claudia Barros Vilas Gomes

CAPA ORIGINAL
Alexandra Allden

ADAPTAÇÃO DE CAPA
Alberto Bittencourt

DIAGRAMAÇÃO
Christiane Morais de Oliveira

Dados Internacionais de Catalogação na Publicação (CIP)
Câmara Brasileira do Livro, SP, Brasil

Garber, Stephanie
  Caraval / Stephanie Garber ; tradução Lavínia Fávero. -- 3. ed.;
-- São Paulo, SP : Gutenberg, 2025. -- (Trilogia Caraval; 1)

  Título original: *Caraval.*

  ISBN 978-85-8235-839-9

  1. Ficção de fantasia 2. Ficção norte-americana I. Título. II. Série.

22-117972   CDD-813

Índices para catálogo sistemático:
1. Ficção : Literatura norte-americana 813

Eliete Marques da Silva - Bibliotecária - CRB-8/9380

A **GUTENBERG** É UMA EDITORA DO **GRUPO AUTÊNTICA**

São Paulo
Av. Paulista, 2.073 . Conjunto Nacional
Horsa I . Salas 404-406 . Bela Vista
01311-940 . São Paulo . SP
Tel.: (55 11) 3034 4468

www.editoragutenberg.com.br
SAC: atendimentoleitor@grupoautentica.com.br

Belo Horizonte
Rua Carlos Turner, 420
Silveira . 31140-520
Belo Horizonte . MG
Tel.: (55 31) 3465 4500

*Para meu pai e minha mãe,
por terem me ensinado o que
significa "amor incondicional".*

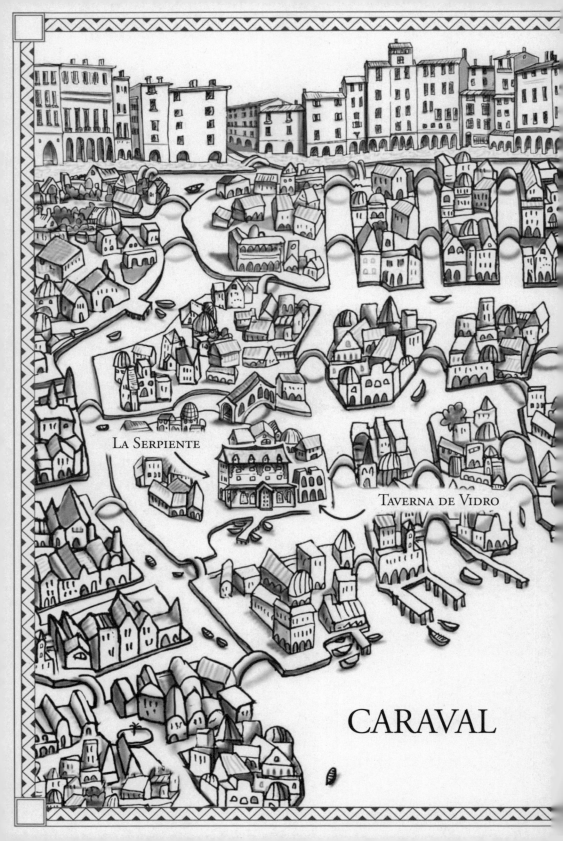

A ILHA
DE TRISDA

Foram sete anos até acertar a carta.

Ano 50, Dinastia Elantine

Caro Senhor Mestre do Caraval,

Meu nome é Scarlett, mas estou escrevendo esta carta pela minha irmã, Donatella. O aniversário dela está se aproximando, e minha irmã gostaria muito de ver o senhor e os incríveis artistas do Caraval. O aniversário de Donatella é no 37º dia da Estação Germinal. E, se o senhor viesse, seria o aniversário mais maravilhoso de todos os tempos.

Com toda a esperança,
Scarlett, da Ilha Conquistada de Trisda

Ano 51, Dinastia Elantine

Caro Senhor Mestre do Caraval,

É Scarlett novamente. O senhor chegou a receber minha última carta? Minha irmã diz que, este ano, já não tem mais idade para comemorar o aniversário, mas acho que ela só está chateada porque o senhor nunca veio a Trisda. Nesta Estação Germinal, ela fará 10 anos, e eu, 11. Minha irmã não quer admitir, mas ainda gostaria muito de assistir ao senhor e aos maravilhosos artistas do Caraval.

Com toda a esperança,
Scarlett, da Ilha Conquistada de Trisda

Ano 52, Dinastia Elantine

Caro Mestre-Lenda do Caraval,

Desculpe ter escrito seu nome errado nas cartas anteriores. Espero que não seja essa a razão para o senhor nunca ter vindo a Trisda. O aniversário da minha irmã mais nova não era o único motivo para eu querer trazer o senhor e os incríveis artistas do Caraval para cá. Eu também adoraria assisti-los.

Desculpe por esta carta ser tão curta. Meu pai ficará bravo se me pegar escrevendo para o senhor.

Com toda a esperança,
Scarlett, da Ilha Conquistada de Trisda

Ano 52, Dinastia Elantine

Caro Mestre-Lenda do Caraval,

Acabei de receber a notícia e queria expressar minhas condolências. Mesmo que o senhor ainda não tenha vindo para Trisda nem respondido a nenhuma das minhas cartas, sei que não é um assassino. Fiquei muito triste de saber que o senhor passará um tempo sem sair em turnê.

Com todo o carinho,
Scarlett, da Ilha Conquistada de Trisda

Ano 55, Dinastia Elantine

Caro Mestre-Lenda,

O senhor se lembra de mim? É Scarlett, da Ilha Conquistada de Trisda. Sei que já faz alguns anos desde a última vez que lhe escrevi. Ouvi dizer que o senhor e seus artistas começaram a se apresentar de novo. Minha irmã me disse que o senhor nunca se apresenta no mesmo lugar duas vezes, mas muita coisa mudou desde a última vez que o senhor veio para cá, há cinquenta anos, e eu realmente não acredito que exista alguém que gostaria mais de assistir a uma de suas apresentações do que eu.

Com toda a esperança,
Scarlett

Ano 56, Dinastia Elantine

Caro Mestre-Lenda,

Ouvi dizer que o senhor visitou a capital do Império do Sul ano passado e mudou a cor do céu. É verdade? Eu até tentei comparecer ao evento com minha irmã, mas não podemos sair de Trisda. Às vezes, acredito que jamais irei além das Ilhas Conquistadas. Suponho que seja por isso que quero tanto que o senhor e seus artistas venham para cá. É provável que seja um esforço vão pedir de novo, mas tenho esperança de que o senhor considerará a possibilidade de vir.

Com toda a esperança,
Scarlett, da Ilha Conquistada de Trisda

Ano 57, Dinastia Elantine

Caro Mestre-Lenda,

Esta será minha última carta. Logo irei me casar. Então, por conta disso, seria melhor que o senhor e seus artistas não viessem para Trisda este ano.

Scarlett Dragna

Ano 57, Dinastia Elantine

Cara Scarlett Dragna,
da Ilha Conquistada de Trisda

Parabéns pelo futuro casamento.
Lamento não poder levar meus artistas para Trisda.
Não sairemos em turnê este ano.
Nossa próxima apresentação será apenas para
convidados, mas gostaria muito de conhecer você
e seu noivo, caso você consiga sair da ilha e vir ao
nosso encontro.

Por favor, aceite o que envio: é um presente.

Da pena do Mestre-Lenda do Caraval

Os sentimentos de Scarlett não afloraram em preto e branco, mas em cores, ainda mais vivas que de costume. O vermelho aflito dos carvões em brasa. O verde afoito dos brotos de grama nova. O amarelo frenético das penas de um pássaro batendo as asas.

Lenda finalmente respondera a uma carta sua.

Ela leu a carta de novo. E depois mais uma vez. E mais outra. Seus olhos absorveram cada traço firme de nanquim, cada contorno do selo de cera prateada do Mestre do Caraval – um sol com uma estrela dentro e uma lágrima dentro da estrela. O mesmo selo estava gravado, em marca d'água, nos papéis que vieram no envelope.

Aquilo não era uma brincadeira.

– Donatella!

Scarlett desceu correndo a escada que levava à adega, em busca da irmã mais nova. Os aromas tão conhecidos de melaço e carvalho serpentearam pelo seu nariz, mas nem sinal da peste da sua irmã.

– Tella... Cadê você?

Lampiões a óleo projetavam uma luz cor de âmbar nas garrafas de rum e nos diversos barris de madeira recém-abastecidos. Scarlett ouviu um gemido quando passou por eles e também percebeu uma certa respiração ofegante. Depois da última briga que teve com o pai, Tella, provavelmente, havia bebido demais e agora estava cochilando no chão.

– Dona...

Ela engoliu o restante do nome da irmã.

– Oiê, Scar.

Tella deu um sorriso babado para Scarlett, mostrando todos os dentes brancos e os lábios inchados. Seus cachos cor de mel estavam bagunçados, e o xale havia caído no chão. Mas foi o fato de ter visto o jovem marinheiro, com as mãos enlaçando a cintura da irmã, que fez Scarlett gaguejar.

– Por acaso interrompi alguma coisa?

– Nada que não possamos recomeçar – disse o marinheiro, com um sotaque arrastado do Império do Sul.

Um jeito de falar muito mais delicado do que as línguas ríspidas do Império Meridiano, com as quais Scarlett estava acostumada.

Tella deu uma risadinha. Mas, pelo menos, teve a decência de ficar levemente corada.

– Você já conhece Julian, né, Scar?

– Que bom ver você, Scarlett.

Julian deu um sorriso, tão frio e sedutor quanto um fiapo de sombra durante a Estação Quente.

Scarlett sabia que a resposta educada seria dizer algo do tipo "É bom ver você também". Mas só conseguia pensar nas mãos do marinheiro, ainda enroscadas nas saias cor de hortênsia de Tella, mexendo nos pingentes das anquinhas, como se a garota fosse um pacote que ele mal podia esperar para abrir.

Julian só estava na ilha de Trisda havia cerca de um mês. Quando desembarcou, todo empertigado, do navio que o trouxera, alto e belo, com sua pele dourada, atraiu os olhares de quase todas as mulheres da ilha. Até Scarlett parou para observar por um momento, mas sabia que não devia olhar por muito tempo.

– Posso te roubar por alguns instantes, Tella?

Scarlett conseguiu balançar a cabeça educadamente, cumprimentando Julian. Mas, assim que as duas se afastaram de uma quantidade de barris suficiente para o rapaz não conseguir ouvi-las, falou:

– O que você está fazendo?

– Você vai se casar, Scar. Acho que já tem uma ideia do que acontece entre um homem e uma mulher.

Tella cutucou o ombro da irmã, de brincadeira.

– Não é disso que estou falando. Você sabe o que vai acontecer se nosso pai pegar você no flagra.

– E é por isso que não pretendo ser pega no flagra.

– Por favor, fale sério.

– Estou falando sério. Se o pai nos pegar no flagra, eu simplesmente vou dar um jeito de pôr a culpa em você. – Tella deu um sorriso mordaz. – Mas acho que você não me procurou para falar disso.

Ela dirigiu o olhar para a carta que Scarlett tinha em mãos.

A luz enevoada de um lampião foi refletida pelas bordas metalizadas do papel, fazendo-as arder com um dourado cintilante, da cor da magia, dos desejos e das promessas das coisas que estão por vir. O endereço escrito no envelope também reluziu, com um brilho semelhante.

Srta. Scarlett Dragna
Aos cuidados do confessionário dos padres
Trisda
Ilhas Conquistadas do Império Meridiano

Tella aguçou o olhar quando percebeu a escrita reluzente. A irmã de Scarlett sempre gostou de coisas bonitas, como o rapaz que ainda esperava por ela, atrás dos barris. Não raro, quando Scarlett perdia algum de seus pertences mais belos, o encontrava escondido no quarto da irmã mais nova.

Só que Donatella não fez menção de pegar aquela carta. Suas mãos permaneceram nas laterais do corpo, como se ela não quisesse ter nada a ver com aquilo.

– Por acaso é mais uma carta do conde?

A garota falou o título nobiliárquico com desdém, como se ele fosse o demônio.

Scarlett chegou a pensar em defender o noivo, mas a irmã já havia expressado claramente o que pensava do noivado. Não fazia diferença o fato de casamentos arranjados estarem muito na moda por todo o restante do Império Meridiano, nem que, durante meses, o conde tivesse mandado, lealmente, as mais gentis das cartas para Scarlett. Tella se recusava a entender como a irmã podia se casar com alguém que jamais conhecera em carne e osso. Mas Scarlett tinha menos medo de se casar com um homem que jamais havia visto do que de ficar em Trisda.

– Bom – insistiu Tella –, você vai me contar o que é, então?

– Não é do conde. – Scarlett falou baixo, porque não queria que o amigo marinheiro de Tella ouvisse. – É do Mestre do Caraval.

– Ele respondeu suas cartas? – Tella arrancou o envelope da mão da irmã. – Pelos dentes do Altíssimo!

– *Shhh*! – Scarlett empurrou a irmã de volta para trás dos barris. – Alguém pode ouvir.

– E por acaso estou proibida de comemorar?

Tella pegou os três cartões escondidos dentro do convite. A luz do lampião iluminou a marca d'água. Por um instante, os cartões ficaram com um brilho dourado, como o das bordas da carta, e então mudaram para um tom perigoso de carmesim sangrento.

– Você está vendo isso?

Donatella soltou um suspiro de assombro, porque os contornos de letras prateadas se materializaram no papel e dançaram lentamente, até formar algumas palavras: *Válido para uma pessoa: Donatella Dragna, das Ilhas Conquistadas.*

O nome de Scarlett apareceu no outro.

O terceiro só continha as palavras *Válido para uma pessoa*. Como os demais convites, as palavras estavam impressas acima do nome de uma ilha da qual ela nunca ouvira falar: *Isla de los Sueños*.

Scarlett imaginou que aquele convite sem nome era para seu noivo e, por um instante, pensou que poderia ser muito romântico vivenciar o Caraval com ele, assim que tivessem se casado.

– Ah, veja, tem mais!

Tella soltou um gritinho, porque novas frases apareceram nos convites.

Deve ser usado uma única vez, para ter acesso ao Caraval.

Os portões principais serão fechados à meia-noite, no 13º dia da Estação Germinal, durante o 57º ano da Dinastia Elantine. Quem chegar depois não poderá participar dos jogos nem ganhar o prêmio deste ano, que consiste em ter um desejo realizado.

– É daqui a apenas três dias – comentou Scarlett, e as cores vivas que havia sentido se tornaram os costumeiros tons de cinza da decepção.

Deveria ter adivinhado que não poderia pensar, nem por um instante, que aquilo daria certo. Talvez se o Caraval fosse dali a três meses ou até três semanas – *em qualquer momento* depois do casamento. O pai de Scarlett estava mantendo a data exata do casamento em segredo, mas a garota sabia que não seria em menos de três dias. Partir antes disso seria impossível – e perigoso demais.

– Mas olha só o prêmio deste ano – disse Tella. – Ter um desejo realizado.

– Achei que você não acreditava em desejos que se realizam.

– E eu achei que você ficaria mais feliz com isso – retrucou Donatella. – Sabe quantas pessoas seriam capazes de matar para pôr a mão nesses convites?

– Por acaso você não viu a parte em que ele disse que teremos que sair da ilha? – Não fazia diferença o quanto Scarlett ansiava ir ao Caraval, casar era mais importante. – Para conseguir chegar em três dias provavelmente teríamos que partir amanhã.

– E por que você acha que estou tão empolgada?

O brilho nos olhos de Tella ficou ainda mais intenso: quando Donatella ficava feliz, o mundo se tornava cintilante, e Scarlett tinha vontade de brilhar com a irmã e dizer "sim" a tudo o que ela desejasse. Só que havia aprendido, até bem demais, o quanto era traiçoeiro depositar esperança em algo tão ilusório quanto ter um desejo realizado.

Scarlett falou com um tom mais ríspido, odiando-se por ser obrigada a acabar com a alegria da irmã. Mas era melhor que ela fizesse isso do que alguém que poderia destruir muito mais que a alegria de Tella.

– Por acaso você também estava bebendo rum? Esqueceu o que nosso pai disse da última vez que tentamos fugir de Trisda?

Tella se encolheu toda. Por um instante, ficou parecendo a garota frágil que se esforçava tanto para não parecer. E então, com a mesma rapidez, sua expressão mudou, os lábios rosados tornaram a esboçar um sorriso, e Donatella se transformou, de derrotada, em invencível.

– Isso já foi há dois anos. Agora somos mais espertas.

– E também temos mais a perder – insistiu Scarlett.

Era mais fácil para Tella ignorar o que havia acontecido da outra vez que tentaram ir ao Caraval. Scarlett nunca contou para a irmã a história completa do que o pai fez para se vingar das filhas. Não queria que Tella vivesse com tamanho medo, que ficasse constantemente desconfiada, que soubesse que existem coisas piores do que os castigos que o pai costumava empregar.

– Não me diga que é porque está com medo de que essa viagem atrapalhe seu casamento.

Tella apertou os convites na mão.

– Não faça isso. – Scarlett arrancou os cartões da mão da irmã. – Você vai amassar as pontas.

– E você está fugindo da minha pergunta, Scarlett. É por causa do casamento?

– É claro que não. É porque não teremos como sair da ilha amanhã. Nem sabemos onde fica esse lugar. Nunca ouvi falar da Isla de los Sueños, mas sei que não é uma das Ilhas Conquistadas.

– Eu sei onde fica.

Julian saiu de trás dos diversos barris de rum, exibindo um sorriso que deixava claro que o marinheiro não iria se desculpar por estar ouvindo uma conversa particular.

– Isso não é da sua conta.

Scarlett fez sinal para ele ir embora.

Julian olhou para ela de um jeito estranho, como se jamais tivesse sido dispensado por uma garota, e falou:

– Só estou tentando ajudar. Você nunca ouviu falar desta ilha porque ela não faz parte do Império Meridiano. Não é governada por nenhum dos cinco Impérios. A Isla de los Sueños é a ilha particular de *Lenda*, fica a apenas uns dois dias de viagem. E, se vocês quiserem ir para lá, posso dar uma carona em meu navio, como passageiras clandestinas, mas tem um preço.

Julian dirigiu o olhar para o terceiro convite. Seus olhos castanho-claros eram emoldurados por cílios grossos, feitos especialmente para convencer garotas a levantar as saias e abrir os braços.

O que Tella disse, que certas pessoas seriam capazes de matar para ter aqueles convites, ecoou na cabeça de Scarlett. Julian podia até ter um rosto charmoso, mas também tinha aquele sotaque do Império do Sul, e todo mundo sabia que o Império do Sul era um lugar sem lei.

– Não – declarou Scarlett. – Se descobrirem, será perigoso demais.

– Tudo o que fazemos é perigoso. Estaremos encrencadas se nos pegarem aqui embaixo, com um garoto – retrucou Tella. Julian fez cara de ofendido por ter sido chamado de "garoto", mas Tella continuou falando antes que ele pudesse discutir. – Nada do que fazemos é livre de perigo. Mas vale a pena a gente se arriscar por essa oportunidade. Você esperou a vida inteira por isso, fez pedidos para cada estrela cadente, torceu para que cada navio que chegasse ao porto fosse o navio mágico que traria os misteriosos artistas do Caraval. Você quer isso mais do que eu.

"Independentemente do que tenham ouvido falar a respeito do Caraval, as histórias não se comparam à realidade. É mais do que um simples jogo ou uma apresentação. É o mais perto que se pode chegar de encontrar magia neste mundo." As palavras da avó surgiram na cabeça de Scarlett enquanto ela olhava para os papéis que tinha em mãos. As histórias do Caraval, que adorava ouvir quando era menina, nunca pareceram tão reais quanto naquele momento. Scarlett sempre via lampejos de cor associados às suas emoções mais fortes. E, por um instante, um desejo amarelo como a flor de vara-de-ouro se acendeu dentro dela. Por breves instantes, Scarlett se permitiu imaginar como seria ir para a ilha particular de Lenda, participar do jogo e ganhar o desejo realizado. Liberdade. Escolhas. Maravilhas. Magia.

Uma bela e ridícula fantasia.

E era melhor que continuasse assim. Desejos que se realizam são tão reais quanto unicórnios. Quando era mais nova, Scarlett acreditava nas histórias que a avó contava sobre a magia do Caraval. Mas, à medida que amadurecia, foi deixando esses contos de fadas para trás. Nunca viu nenhuma prova de que magia existe. Agora, lhe parecia muito mais provável que as histórias da vovó fossem exageros de uma velha.

Em parte, Scarlett ainda queria, loucamente, vivenciar o esplendor do Caraval. Mas sabia que não devia acreditar que a magia do evento mudaria sua vida. A única pessoa que podia dar uma vida novinha em folha para Scarlett e a irmã era o noivo dela, o conde.

Agora que os cartões não estavam mais sob a luz do lampião, o que estava escrito nos convites sumira, e os papéis voltaram a ficar com uma aparência quase comum.

– Não podemos fazer isso, Tella. É arriscado demais. Se tentarmos sair da ilha...

Scarlett deixou a frase no ar, porque ouviu um estalo na escada da adega. Em seguida, ouviu passos pesados, de botas. Pelo menos três pares de pés.

Ela lançou um olhar de pânico para a irmã.

Donatella soltou um palavrão e logo fez sinal para Julian se esconder.

– Não se retire por minha causa – declarou o governador Dragna.

Ele terminou de descer a escada, e o odor penetrante de seu traje perfumado em excesso estragou os aromas pungentes da adega.

Scarlett enfiou rapidamente as cartas no bolso do vestido.

Atrás do pai, três guardas acompanhavam cada passo que ele dava.

– Acho que não nos conhecemos.

Ignorando as filhas, o governador Dragna estendeu uma das mãos enluvadas para Julian. Estava com suas luvas cor de ameixa, a cor dos hematomas e do poder.

Mas, pelo menos, ainda estava de luvas, um verdadeiro retrato da civilidade. O governador Dragna gostava de se vestir com esmero: usava uma sobrecasaca preta, feita sob medida, e colete listrado roxo. Tinha cerca de 45 anos, mas não permitira que seu corpo se transformasse em um poço de gordura, como os outros homens. Sempre na última moda, usava o cabelo loiro preso, com um belo laço preto, em um rabo de cavalo, deixando à mostra as sobrancelhas desenhadas à pinça e a barbicha loira escura.

Julian era mais alto do que ele. Mas, mesmo assim, o governador o observou de cima a baixo, com desdém. Scarlett podia ver o pai julgando o casaco marrom remendado do marinheiro e suas pantalonas justas, enfiadas nas botas gastas que iam até os joelhos.

O fato de Julian não titubear antes de estender a mão sem luvas para o governador dizia muito sobre a autoconfiança do marinheiro.

– Prazer em conhecê-lo, senhor. Julian Marrero.

– Governador Marcello Dragna.

Os dois homens apertaram as mãos. Julian tentou puxar a dele, mas o governador a segurou.

– Julian, você não deve ser daqui da ilha.

Desta vez, Julian titubeou:

– Não, senhor. Sou marinheiro. Primeiro imediato do *El Beso Dorado*.

– Então está apenas de passagem. – O governador deu um sorriso. – Gostamos de marinheiros por aqui. É bom para nossa economia. As pessoas estão dispostas a pagar um bom dinheiro para atracar aqui e gastam ainda mais dinheiro durante a visita. Agora, diga-me, o que achou do meu rum? – Ele sinalizou, com a outra mão, para a adega. – Imagino que seja isso que você estava provando, aqui embaixo... – Como Julian não respondeu de imediato, o governador apertou sua mão com mais força e insistiu: – Não estava do seu agrado?

– Não, senhor. Quer dizer, sim, senhor – corrigiu-se Julian. – Tudo o que provei é muito bom.

– Incluindo minhas filhas?

Scarlett ficou rígida.

– Posso sentir, pelo seu hálito, que você não estava bebericando rum – declarou o governador Dragna. – E sei que não estava aqui embaixo jogando cartas nem rezando. Então, diga-me, qual de minhas duas filhas você estava provando?

– Ah, não, senhor. O senhor entendeu errado. – Julian sacudiu a cabeça, e seus olhos foram ficando arregalados, como se ele jamais fosse capaz de fazer algo tão desonroso.

– Foi a Scarlett – interrompeu Donatella. – Vim aqui embaixo e peguei os dois no flagra.

Não. Scarlett xingou a tola da irmã.

– Ela está mentindo, pai. Foi Tella, não eu. Eu é que peguei os dois no flagra.

O rosto de Donatella ficou com um vermelho ardente.

– Não minta, Scarlett. Você só vai piorar as coisas.

– Não estou mentindo! Foi Tella, pai. O senhor realmente acha que eu faria uma coisa dessas, semanas antes do meu casamento?

– Não dê ouvidos a ela, pai – interrompeu Donatella. – Eu a ouvi cochichando, dizendo que achava que isso ajudaria a acalmar os nervos antes do casamento.

– Isso também é mentira...

– Já chega! – O governador se virou para Julian, ainda apertando firmemente, com sua luva perfumada cor de ameixa, a mão dourada do marinheiro. – Minhas filhas têm o péssimo hábito de mentir. Mas tenho certeza de que você será mais sincero. Agora, rapaz, me diga com qual de minhas duas filhas você estava aqui embaixo?

– Eu acho que houve um engano...

– Eu não me engano – interrompeu o governador Dragna. – Vou lhe dar mais uma chance de me dizer a verdade, senão...

Todos os guardas do governador deram um passo à frente.

Julian lançou um olhar para Donatella.

Sacudindo a cabeça veementemente, Tella disse o nome, sem emitir som: *Scarlett.*

Scarlett tentou chamar a atenção do marinheiro, tentou dizer que ele estava cometendo um erro, mas viu a determinação no rosto de Julian mesmo antes de ele responder:

– Foi Scarlett.

Rapaz imprudente. Ele, sem dúvida, acreditava que estava fazendo um favor a Donatella, só que, na verdade, estava fazendo exatamente o contrário.

O governador soltou a mão do marinheiro e tirou as luvas perfumadas cor de ameixa.

– Eu avisei – disse para Scarlett. – Você sabe o que acontece quando desobedece.

– Por favor, pai, foi só um beijo muito rápido.

Scarlett tentou ficar na frente de Donatella, mas um guarda a arrastou até os barris, segurando-a com força pelos cotovelos e prendendo seus braços atrás do corpo dela, enquanto Scarlett se debatia para proteger a irmã. Porque não seria ela que receberia o castigo por esse crime. Toda vez que Scarlett ou a irmã desobedeciam, o governador Dragna fazia algo terrível com a outra, como forma de punição.

Na mão direita, o governador usava dois anéis grandes, um com uma ametista quadrada e outro com um diamante roxo pontudo e afiado. Ele alinhou ambos, levou a mão para trás e deu um tapa no rosto de Donatella.

– Não! A culpa é minha! – gritou Scarlett.

Um erro que ela sabia que não deveria cometer.

O pai deu mais um tapa em Tella.

– Isso foi por ter mentido – falou.

O segundo tapa foi mais forte do que o primeiro e fez Donatella cair de joelhos. Linhas vermelhas escorriam pelo seu rosto.

Satisfeito, o governador Dragna deu um passo para trás. Limpou o sangue da mão no colete de um dos guardas. Depois se virou para Scarlett. Sabe-se lá como, parecia estar mais alto do que realmente era, e Scarlett ficou com a impressão de que havia murchado e encolhido. Não havia nada que o pai pudesse fazer para magoá-la mais do que obrigá-la a assistir enquanto batia na irmã.

– Não volte a me decepcionar.

– Desculpe, pai. Cometi um erro bobo. – Essa foi a frase mais verdadeira que Scarlett havia dito durante toda aquela manhã. Ela podia até não ser a irmã que Julian havia *provado*. Só que, mais uma vez, não conseguira proteger a irmã. – Isso não vai se repetir.

– Espero que você esteja dizendo a verdade. – O governador calçou as luvas de novo, pôs a mão no bolso da sobrecasaca e tirou dele uma carta dobrada. – Provavelmente, eu nem deveria lhe entregar isso, mas talvez a faça lembrar de tudo o que você tem a perder. O casamento será daqui a dez dias, no fim da próxima semana, no vigésimo dia da estação. Se qualquer coisa atrapalhar o evento, o rosto de sua irmã não será a única coisa que sangrará.

3

Scarlett ainda sentia o perfume do pai. Era um cheiro da cor das luvas dele: anis, lavanda e algo que lembrava ameixa podre. O aroma permaneceu por muito tempo depois que ele foi embora, empesteando o ar ao redor de Tella enquanto Scarlett, sentada ao lado da irmã, esperava que uma criada trouxesse bandagens limpas e remédios.

— Por que você não me deixou contar a verdade? – censurou Scarlett. – O pai não bateria em mim tão forte assim para castigar você. Meu casamento está marcado para daqui a dez dias.

— Talvez não tivesse batido na sua cara, mas teria feito outra coisa tão cruel quanto, tipo quebrar um dos seus dedos, para você não conseguir terminar sua colcha de casamento. – Donatella fechou os olhos e se recostou em um barril de rum. Agora, seu rosto estava quase da cor das malditas luvas do pai. – E eu é que merecia apanhar, não você.

— Ninguém merece isso – declarou Julian. Era a primeira vez que falava desde que o governador Dragna tinha ido embora da adega. – Eu...

— Pode parar – interrompeu Scarlett. – Seu pedido de desculpas não vai cicatrizar os ferimentos dela.

— Eu não ia pedir desculpas. – O marinheiro ficou em silêncio por alguns instantes, como se estivesse escolhendo com cuidado as próximas palavras que iria dizer. – Estou mudando meu preço para tirar vocês duas da ilha. Farei isso de graça, se resolverem que querem ir embora daqui. Meu navio sai do porto amanhã, ao amanhecer. Venham me procurar, se mudarem de ideia.

Ele dividiu um olhar entre Scarlett e Donatella, subiu a escada e desapareceu.

— Não — falou Scarlett, já pressentindo o que Tella queria antes que a irmã dissesse uma palavra sequer em voz alta.

— Se fugirmos, as coisas serão ainda piores quando a gente voltar.

— Não pretendo voltar.

Donatella abriu os olhos. Estavam cheios de lágrimas, mas expressavam determinação. Não era raro Scarlett ficar irritada com a impulsividade da irmã mais nova, mas também sabia que, quando Tella finalmente se resolvia a fazer algo, não havia como fazê-la mudar de ideia. A garota se deu conta de que a irmã já tinha tomado uma decisão antes mesmo de a carta do Mestre-Lenda do Caraval chegar. Era por isso que estava ali com Julian. A julgar pelo modo como ignorou o rapaz quando ele foi embora, era óbvio que não se importava com ele. Só queria um marinheiro que pudesse levá-la para bem longe de Trisda. E agora Scarlett havia lhe dado o motivo que precisava para ir embora.

— Você também deveria ir, Scar — disse Tella. — Sei que você acha que o casamento vai ser sua salvação e servirá de proteção. Mas... e se o conde for tão mau quanto nosso pai ou coisa pior?

— Não é, não — insistiu Scarlett. — Você saberia disso se lesse as cartas dele. O conde é um perfeito cavalheiro e prometeu levar nós duas embora daqui.

— Ah, minha irmã... — Tella deu um sorriso, mas não foi um sorriso alegre. Foi o tipo de sorriso que alguém dá antes de dizer algo que preferia não ter que dizer. — Se ele é tão *cavalheiro* assim, por que é tão cheio de segredos? Por que só te contaram qual é o título nobiliárquico dele, mas não o nome?

— Não é culpa dele. Manter a identidade do conde um mistério é outro jeito que o pai tem de nos controlar. — A carta nas mãos de Scarlett era uma prova disso. — Veja com seus próprios olhos. — Ela entregou a carta para a irmã.

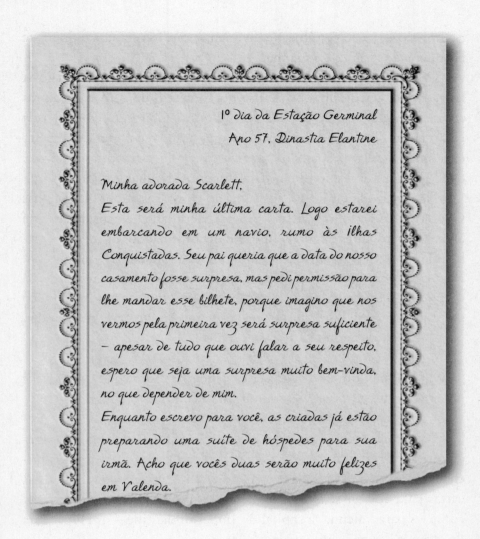

1º dia da Estação Germinal
Ano 57, Dinastia Elantine

Minha adorada Scarlett,
Esta será minha última carta. Logo estarei embarcando em um navio, rumo às Ilhas Conquistadas. Seu pai queria que a data do nosso casamento fosse surpresa, mas pedi permissão para lhe mandar esse bilhete, porque imagino que nos vermos pela primeira vez será surpresa suficiente – apesar de tudo que ouvi falar a seu respeito, espero que seja uma surpresa muito bem-vinda, no que depender de mim.
Enquanto escrevo para você, as criadas já estão preparando uma suíte de hóspedes para sua irmã. Acho que vocês duas serão muito felizes em Valenda.

O restante da carta estava rasgado. Não eram apenas as palavras do noivo de Scarlett que haviam sido cortadas: o governador fizera a gentileza de cortar qualquer traço do selo de cera da carta, que poderia dar uma pista a respeito da pessoa com quem Scarlett iria se casar.

Mais um dos joguinhos perversos do pai.

Às vezes, Scarlett tinha a sensação de que Trisda inteira estava debaixo de uma cúpula, um grande pedaço de vidro que mantinha as pessoas presas na ilha, e que o pai dela olhava do alto e movia – ou removia – quem não estivesse em seu devido lugar. O mundo de Scarlett era um enorme jogo de tabuleiro, e o governador acreditava que aquele casamento seria seu penúltimo movimento, que iria colocar tudo o que ele queria ao alcance de sua mão.

O governador Dragna tinha uma fortuna maior do que a maioria das autoridades da ilha, por causa do comércio de rum e de outras transações que fazia no mercado clandestino. Contudo, como Trisda era uma das Ilhas Conquistadas, faltava ao homem o poder e o respeito que tanto desejava. Por mais riqueza que o governador amealhasse, os regentes e nobres do restante do Império Meridiano o ignoravam.

Não fazia diferença o fato de a ilha de Trisda e as outras quatro Ilhas Conquistadas fazerem parte do Império Meridiano há mais de sessenta anos. Os habitantes das ilhas ainda eram considerados os mesmos plebeus ignorantes e incultos de quando foram subjugados pelo Império. Mas, de acordo com o pai de Scarlett, aquela união mudaria tudo, já que o uniria à família nobre que, por fim, iria lhe conferir um pouco da própria respeitabilidade – e, é claro, também lhe daria mais poder.

– Isso não prova nada – disse Tella.

– Mas mostra que ele é bondoso, atencioso e...

– Qualquer um pode parecer cavalheiro em uma carta. Mas você sabe que só uma pessoa vil faria um trato com nosso pai.

– Pare de falar essas coisas.

Scarlett arrancou a carta da mão da irmã. Donatella estava enganada. Até a caligrafia do conde transmitia cuidado, com suas curvas caprichadas e traços suaves. Se ele fosse indiferente, não teria escrito tantas cartas para aplacar seus receios nem teria prometido levar Donatella com eles para Valenda, a capital do Império Elantine – um lugar fora do alcance das mãos do pai das duas.

No fundo, Scarlett sabia que existia a possibilidade de o conde não ser tudo o que esperava que fosse, mas viver com ele só podia ser melhor do que viver com o pai. E a garota não podia correr o risco de desafiar o pai, até porque a ameaça cruel que o governador fizera ainda ecoava em sua cabeça: "Se qualquer coisa atrapalhar o evento, o rosto de sua irmã não será a única coisa que irá sangrar".

Scarlett não colocaria o casamento em risco por uma mera chance de ter um desejo realizado durante o Caraval.

– Tella, se tentarmos ir embora daqui sozinhas, o pai vai nos caçar até o fim do mundo.

– Então, pelo menos, teremos conhecido o fim do mundo – disse Tella. – Prefiro morrer lá a viver aqui ou ficar presa na casa do seu conde.

– Você não pode estar falando sério – censurou Scarlett.

Odiava quando Donatella fazia tais declarações irresponsáveis. Não raro, temia que a irmã tivesse vontade de morrer. As palavras "prefiro morrer" saíam de sua boca com muita frequência. E, pelo jeito, Tella também se esquecia de que o mundo pode ser muito perigoso. Além dos contos sobre o Caraval, a avó de Scarlett também contava histórias sobre o que acontecia com as moças que não tinham família para protegê-las. Garotas que tentaram vencer na vida sozinhas, acharam que estavam aceitando empregos respeitáveis e, quando viram, haviam sido vendidas para bordéis ou para oficinetas de condições deploráveis.

– Você se preocupa demais – declarou Donatella.

E, em seguida, ficou de pé, com as pernas bambas.

– O que você está fazendo?

– Não vou mais esperar pela criada. Não quero que alguém fique mexendo na minha cara por uma hora e depois me obrigue a ficar na cama, deitada, o dia inteiro. – Tella pegou o xale que estava caído no chão e enrolou em volta da cabeça, como se fosse um lenço, escondendo o lado machucado do rosto. – Se eu quiser embarcar no navio de Julian amanhã, preciso providenciar muita coisa, incluindo mandar avisá-lo que irei encontrá-lo amanhã de manhã.

– Espere! Você não pensou direito.

Scarlett foi correndo atrás da irmã, mas Donatella voou escada acima e passou pela porta antes que Scarlett pudesse alcançá-la.

Lá fora, o ar estava denso feito sopa, e o pátio aberto tinha cheiro de tarde – um odor úmido, salgado e pungente. Dava para supor que a cozinha tivesse recebido um carregamento de peixe poucas horas atrás. Enquanto Scarlett caçava Tella debaixo das arcadas brancas desgastadas pelo tempo e percorria os corredores de lajotas, encontrou o odor pútrido por todos os cantos.

O pai de Scarlett nunca achou que seu palacete era grande o suficiente. Como a mansão ficava nos limites da cidade e tinha um terreno maior do que a maioria das casas, o governador estava sempre mandando construir mais cômodos e ampliando o imóvel. Mais quartos de hóspedes. Mais pátios. Mais corredores secretos para escamotear garrafas de bebidas alcoólicas ilegais e sabe-se lá mais o quê. Scarlett e a irmã eram proibidas de entrar nas alas mais novas. E, se o pai as pegasse correndo daquele jeito, não pensaria duas vezes antes de mandar chicotearem os pés das duas. Só que tornozelos e dedos machucados não seriam nada comparados ao que o governador Dragna faria se descobrisse que Donatella estava tentando fugir da ilha.

A neblina da manhã ainda não havia se dissipado. Scarlett perdeu a irmã de vista diversas vezes, porque Tella se embrenhou pelos corredores mais enevoados. Por um instante, Scarlett imaginou que a havia perdido de vez. Então avistou o lampejo de um vestido azul subindo a escadaria que levava ao ponto mais alto da mansão Dragna: o confessionário dos padres. Uma torre alta, construída com pedras brancas que brilhavam ao sol e de forma que todos da cidade pudessem vê-la. O governador queria que as pessoas acreditassem que ele era um homem devoto. Só que, na verdade, ele jamais confessaria seus pecados para alguém, o que tornava o confessionário um dos poucos lugares da ilha onde ele raramente se aventurava. Ou seja, era o lugar perfeito para contrabandear cartas secretas.

Scarlett apressou o passo quando terminou de subir a escada e por fim alcançou a irmã no pátio em semicírculo que havia logo diante das portas de madeira entalhada do confessionário.

– Pare – gritou. – Se você escrever para aquele marinheiro, vou contar tudo para o pai!

O vulto parou imediatamente. E, aí, foi a vez de Scarlett congelar, porque a neblina se dissipou, e a garota virou para trás. A luz dura do sol se espalhou pelo pátio minúsculo, iluminando uma noviça jovem, de roupa azul. Com a cabeça coberta por um lenço, apenas parecia ser Donatella.

Scarlett teve que reconhecer que sua irmã rebelde sabia fugir muito bem. Com suor escorrendo pela nuca, imaginou Tella afanando suprimentos em algum outro canto do palacete, fazendo os preparativos para fugir com Julian no dia seguinte.

Scarlett precisava encontrar outro modo de detê-la.

Donatella a odiaria por um tempo, mas Scarlett não podia permitir que a irmã pusesse tudo a perder por causa do Caraval. Até porque seu casamento poderia salvar as duas – ou destruí-las, caso não ocorresse.

Seguiu a noviça, que entrou no confessionário. O lugar era pequeno e arredondado, sempre tão silencioso que Scarlett podia ouvir a chama bruxuleante das velas. Velas grossas, que pingavam cera, contornavam as paredes de pedra, iluminando tapeçarias de santos em vários estágios de agonia, ao passo que a poeira e as flores secas criavam um aroma azedo. Ela sentiu coceira no nariz quando passou por uma fileira de bancos de madeira típicos de igreja. Passando os bancos, em cima de um altar, havia papéis para que as pessoas escrevessem seus pecados.

Antes de a mãe desaparecer, há sete anos, Scarlett nunca havia entrado naquele lugar. Nem sequer sabia que, para se confessar, as pessoas escreviam suas faltas no papel e depois o entregavam para os padres, que ateavam fogo nos escritos. Como o governador, Paloma, mãe de Scarlett, não era religiosa. Mas, depois que Paloma sumiu de Trisda, as duas irmãs ficaram desesperadas. E, como não tinham outro lugar para ir, começaram a aparecer por ali, onde rezavam pelo retorno da mãe.

É claro que essas preces nunca foram atendidas, mas os padres não foram de todo inúteis: Scarlett e a irmã descobriram que eles entregavam mensagens com muita discrição.

Scarlett pegou uma folha de papel para confessar pecados e escreveu um bilhete com todo o capricho.

> *Preciso ver você hoje à noite.*
> *Encontre-me na praia Del Ojos.*
> *Uma hora depois da meia-noite.*
> *É importante.*
>
>

Antes de entregá-lo para um dos padres, acompanhado de uma doação generosa, Scarlett pôs o nome do destinatário do bilhete, mas não assinou. Em vez de escrever o próprio nome, desenhou um coração. E rezou para que isso bastasse.

Quando Scarlett tinha 8 anos, para impedir que ela fosse à praia, os guardas do pai contaram uma história a respeito da areia preta e cintilante da praia Del Ojos, que a assustou.

– É preta porque, na verdade, são restos carbonizados de esqueletos de pirata – disseram.

E, como tinha 8 anos, e, naquela época, era um tanto mais tola, acreditou no que disseram.

Durante pelo menos um ano, ela não se aventurou a chegar perto da praia nem de onde pudesse avistar a areia. Por fim, Felipe, o filho mais velho de um dos guardas mais gentis do pai, revelou a verdade: a areia era só areia, não tinha nada a ver com ossos de pirata. Só que a mentira já havia se enraizado em Scarlett, como não raro acontece com as mentiras que são contadas para as crianças. Não importava quantas outras pessoas confirmassem a verdade. Na cabeça de Scarlett, a areia preta da praia Del Ojos sempre seria restos de esqueletos de pirata carbonizado.

Naquela noite, enquanto caminhava pela praia, com a lua azul sarapintada lançando sua luz misteriosa na areia anômala, a garota pensou mais uma vez naquela mentira. Sentia os grãos se enfiando em seus sapatinhos e se movimentando entre os dedos do pé à medida que se aproximava da enseada de rochas escuras da praia Del Ojos. À sua direita, a praia terminava em um penhasco escuro, irregular. À esquerda, um deque quebrado despontava na água, feito uma enorme língua, passando por pedras que lembravam Scarlett de dentes tortos. Era o tipo de noite em que se conseguia sentir o cheiro da lua, cheia e reluzente, um cheiro de cera de velas grossas, dançando com o aroma salgado do mar.

Ela pensou nos misteriosos convites que tinha no bolso, porque a lua ardente a fez lembrar que as letras metalizadas tinham também brilhado, ainda naquele dia. Por um instante, ficou tentada a mudar de ideia, a ceder ao plano da irmã, ceder àquela parte minúscula de seu ser que ainda era capaz de sonhar.

Só que Scarlett já havia feito isso antes.

Felipe reservara lugar para as duas em uma escuna.

Ela e Tella só conseguiram chegar à prancha do barco, e isso custara tão caro às duas. Um dos guardas foi especialmente bruto com Donatella, a nocauteou e a arrastou até a mansão. Só que Scarlett permaneceu consciente enquanto era tirada à força do deque. Foi obrigada a ficar na beira da praia rochosa, com os pés nas poças deixadas pela maré azul, a água cintilante encharcando suas botas, e observando o pai levar Felipe para o meio do mar.

Scarlett é que deveria ter morrido afogada naquela noite. O pai deveria ter segurado a cabeça dela debaixo d'água. Segurado até os braços e as pernas pararem de se debater, e o corpo ficar tão imóvel e sem vida quanto as algas marinhas que chegavam à praia. Depois, as pessoas acreditaram que o afogamento de Felipe fora um acidente. Scarlett era a única que sabia a verdade.

— Se você fizer algo assim de novo, sua irmã terá o mesmo destino — ameaçou o pai.

Scarlett nunca contou para ninguém. Defendeu Donatella, fazendo a irmã acreditar que só havia se tornado extremamente superprotetora. Scarlett era a única pessoa que sabia que as duas jamais poderiam fugir de Trisda em segurança, a menos que ela tivesse um marido que as levasse embora de barco.

As ondas batiam na areia, abafando o som dos passos, mas Scarlett os ouviu.

— Não era essa irmã que eu esperava encontrar.

Julian se aproximou. Na escuridão, parecia mais um pirata do que um marinheiro comum e se movimentava com a desenvoltura ensaiada de alguém em quem — Scarlett sentia — não seria prudente confiar. A noite tingia seu casaco comprido de um preto-nanquim, e as sombras delineavam suas maçãs do rosto, tornando-as afiladas como lâminas.

Scarlett agora refletia se era ou não prudente sair escondida do palacete para encontrar Julian, tão tarde da noite, em um trecho tão ermo da praia. Era o tipo de comportamento rebelde e irresponsável pelo qual sempre censurava Donatella.

– Suponho que você tenha mudado de ideia em relação à minha oferta – disse Julian.

– Não, mas tenho uma contraproposta.

Scarlett tentou parecer ousada e pegou os elegantes convites do Mestre-Lenda do Caraval. Seus dedos não queriam soltá-los, mas ela precisava fazer aquilo por Tella. Quando voltou para o próprio quarto, no início daquela noite, Scarlett o encontrou de pernas para o ar. A bagunça era tanta que ela não conseguiu discernir exatamente o que a irmã havia tirado dali. Mas ficou óbvio que Donatella havia roubado coisas que pretendia levar naquela malfadada viagem.

Scarlett mostrou os convites para Julian e disse:

– Pode ficar com os três. Você pode usar para ir ao Caraval ou pode vender para alguém, só precisa ir embora daqui o quanto antes, e sem Donatella.

– Ah, então é um suborno.

Ela não gostava dessa palavra. Scarlett a associava demais ao próprio pai. Mas, quando se tratava de Tella, faria qualquer coisa que fosse necessária, até mesmo desistir da última coisa com a qual ainda sonhava.

– Minha irmã é impulsiva. Quer ir embora com você, mas não faz ideia do quanto isso é perigoso. Se nosso pai a pegar, fará algo muito pior com ela do que fez hoje.

– Mas Tella estará em segurança se continuar aqui?

A voz de Julian era grave, com um leve tom de deboche.

– Quando eu me casar, pretendo levá-la comigo.

– E Donatella quer ir com você?

– Ela vai acabar me agradecendo por isso.

Julian exibiu um sorriso lupino, seus dentes brancos reluziram à luz do luar. E comentou:

– Sua irmã me disse exatamente a mesma coisa, sabe?

Os instintos de alerta de Scarlett foram ativados tarde demais. Virou para trás, porque ouviu outros passos. A irmã estava atrás dela, o corpo miúdo coberto por uma capa escura que a fazia parecer parte da noite.

– Lamento ter que fazer isso, mas foi você quem me ensinou que nada é mais importante do que cuidar de uma irmã – disse Tella.

Do nada, Julian cobriu o rosto de Scarlett com um pano. A garota tentou se livrar do tecido com movimentos frenéticos. Seus pés chutavam, levantando nuvens escuras de areia. Mas a poção potente que umedecia o tecido, seja qual fosse, fez efeito rápido, como em um passe de mágica. O mundo girou em volta de Scarlett até ela não saber mais se seus olhos estavam abertos ou fechados.

Estava caindo
caindo
caindo.

5

Antes de Scarlett perder completamente a consciência, uma mão suave acariciou seu rosto.

— Vai ser melhor assim, minha irmã. Segurança não é tudo na vida.

As palavras de Tella fizeram Scarlett entrar em um mundo que só existia na delicada terra dos sonhos lúcidos.

Um recinto todo de janelas entrou em seu campo de visão, e ela ouviu a voz da avó. Uma lua cheia de crateras piscava através do vidro, iluminando as silhuetas que estavam no cômodo com um brilho azul granulado.

Versões mais novas de Scarlett e de Donatella, com mãos minúsculas e sonhos inocentes, se aninhavam na cama, enquanto a avó puxava as cobertas. Apesar de a mulher passar mais tempo com as duas depois que a mãe delas foi embora, Scarlett não conseguia se lembrar de outra noite em que a avó as tivesse colocado na cama: normalmente, isso era tarefa dos criados.

— A senhora vai contar do Caraval? — questionou a mini-Scarlett.

— Eu quero saber do Mestre-Lenda — pediu Tella. — A senhora pode contar como ele recebeu esse nome?

A avó estava de frente para a cama, empoleirada em uma poltrona capitonê que parecia um trono. Usava fios de pérolas pretas em volta do pescoço elegante, e mais fios de pérolas tapavam os braços, dos pulsos até os cotovelos, como se fossem luvas extravagantes. O vestido engomado cor de lavanda não tinha uma ruga, em contraste com as rugas que sulcavam seu belo rosto.

— Lenda era da família Santos, uma família de artistas — começou a contar. — Eram dramaturgos e atores, e todos tinham o azar de não ter talento. O único motivo para alcançarem certo sucesso foi o fato de serem belos como anjos. E um dos filhos, Lenda, tinha a fama de ser o mais belo de todos.

— Mas eu achei que Lenda não era o nome verdadeiro dele — disse Scarlett.

— Não posso falar qual o nome verdadeiro dele — falou vovó. — Mas posso dizer que, como todas as grandes e terríveis histórias, a história de Lenda começou pelo amor. O amor pela elegante Annalise. De cabelos dourados e palavras feitas de açúcar. Annalise o enfeitiçou, como Lenda havia feito com tantas garotas antes dela: com elogios, beijos e promessas, nas quais o rapaz não deveria ter acreditado. Lenda não era rico na época. Basicamente, vivia de seu charme e dos corações que roubava, e Annalise dizia que isso bastava para ela, mas que o pai, um mercador rico, jamais permitiria que a filha se casasse com um pobretão.

— Aí eles se casaram? — perguntou Tella.

— Você vai descobrir se ficar quietinha e ouvir — censurou vovó.

Lá fora, do outro lado da janela, uma nuvem passou por cima da lua, cobrindo tudo, com exceção de dois minúsculos pontos de luz, que pairaram atrás da cabeça grisalha da avó, parecendo chifrinhos.

— Lenda bolou um plano — continuou vovó. — Elantine seria coroada imperatriz do Império Meridiano. E ele acreditava que, se ele pudesse se apresentar na coroação, isso lhe traria a fama e a fortuna de que precisava para se casar com Annalise. Só que Lenda foi dispensado, de um jeito vergonhoso, por causa de sua falta de talento.

— Eu deixaria Lenda entrar — comentou Tella.

— Eu também — concordou Scarlett.

Vovó fez uma careta e alertou:

— Se vocês duas não pararem de me interromper, não vou terminar a história.

Scarlett e Tella fizeram biquinho, formando minicorações rosados com os lábios.

— Lenda não possuía nenhuma magia na época — continuou vovó —, mas acreditava nas histórias que seu pai havia lhe contado. Ouvira dizer que todo mundo realiza um desejo impossível, apenas um, se quiser isso mais do que tudo e puder contar com a ajuda de um pouco de magia. E aí Lenda foi procurar uma mulher que tinha estudado encantamentos.

— Ela quis dizer "bruxa" — sussurrou Scarlett.

Vovó parou de contar a história, e os olhos da mini-Tella e da pequena Scarlett ficaram do tamanho de um pires, porque o cômodo de vidro se transformou nas paredes de madeira de uma cabana triangular. A história que vovó contava estava criando vida diante das duas. Havia velas de cera amarela penduradas no teto, de cabeça para baixo, soltando uma fumaça cremosa na direção contrária.

No meio de tudo, uma mulher de cabelo vermelho como a fúria estava sentada diante de um jovem todo esguio, com a cabeça escondida por uma cartola escura. *Lenda.* Mesmo sem conseguir ver o rosto dele claramente, Scarlett reconheceu o chapéu simbólico.

— A mulher perguntou para o rapaz o que ele mais queria na vida — continuou vovó —, e Lenda falou que queria ser líder da maior trupe de artistas que o mundo já viu, para conseguir conquistar seu verdadeiro amor, Annalise. Mas a mulher advertiu que ele não poderia ter as duas coisas. Ele teria que escolher uma delas.

— Lenda era orgulhoso na mesma medida que era belo, e acreditou que a mulher estava enganada. Convenceu-se de que, se fosse famoso, poderia se casar com Annalise. E foi isso que desejou. Disse que queria que suas apresentações fossem lendárias. Mágicas.

Um vento atravessou o cômodo, apagando todas as velas, com exceção da que iluminava Lenda. Scarlett não conseguiu ver o rosto do Mestre do Caraval direito, mas podia jurar que algo nele mudou. Como se, de repente, Lenda tivesse adquirido uma sombra a mais.

— A transformação começou de imediato — explicou vovó. — A magia era alimentada pelos verdadeiros desejos de Lenda, que eram mesmo poderosos. A bruxa disse que as apresentações dele seriam transcendentais, misturando fantasia e realidade de um jeito que o mundo jamais havia visto. Mas também alertou que todo desejo cobra um preço para se realizar. E, quanto mais Lenda se apresentasse, mais se transformaria nos papéis que representasse. Se representasse um vilão, passaria a ser um na vida real.

— Então quer dizer que ele é um vilão? — perguntou Donatella.

– E Annalise? – quis saber Scarlett, bocejando.

Vovó soltou um suspiro e respondeu:

– A bruxa não mentiu quando disse que Lenda não poderia ter fama e Annalise ao mesmo tempo. Depois que se tornou Lenda, não era mais o rapaz pelo qual ela se apaixonou. Annalise se casou com outro homem e partiu o coração de Lenda. Ele se tornou tão famoso quanto desejava, mas se convenceu de que fora traído por Annalise e jurou que jamais amaria de novo. Certas pessoas, provavelmente, diriam que ele é um vilão. Outras, diriam que a magia que Lenda possui faz dele quase um deus.

Tanto a mini-Tella quanto a pequena Scarlett estavam quase pegando no sono. As pálpebras das duas estavam mais fechadas do que abertas, mas os lábios formaram meias-luas. Tella fez careta ao ouvir a palavra "vilão", mas Scarlett sorriu quando vovó comentou sobre a magia de Lenda.

6

Scarlett acordou com a sensação de que havia perdido algo importante. Ao contrário da maioria dos dias, em que seus olhos se abriam com relutância e ela se espreguiçava, com toda a calma, alongando pernas e braços antes de sair da cama e olhar em volta com cautela, Scarlett se sentou no mesmo instante em que seus olhos se abriram.

Debaixo dela, o mundo balançava.

– Cuidado aí – disse Julian.

O marinheiro foi logo segurando a garota, antes que ela tentasse ficar de pé dentro do barco – se é que aquela banheira minúscula em que estavam poderia ser chamada de barco. "Bote" seria um nome mais apropriado. Mal cabiam os dois lá dentro.

– Por quanto tempo fiquei dormindo?

Scarlett se agarrou nas beiradas da embarcação, enquanto o restante de seus arredores foi ficando mais nítido.

De frente para Scarlett, Julian mergulhou dois remos na água, com cuidado para não respingar nela, singrando um mar desconhecido. A água era quase cor-de-rosa, com pequenos veios turquesa, que foram inchando à medida que o sol acobreado subia no céu.

Era manhã, mas a garota pensou que havia se passado mais de um amanhecer desde que pegara no sono. O rosto de Julian estava lisinho da última vez que o vira, mas agora o maxilar e o queixo estavam cobertos do que lhe pareceu uma barba por fazer há, pelo menos, dois dias. O rapaz tinha uma aparência ainda mais duvidosa do que quando estampou aquele sorriso lupino, lá na praia.

– Seu canalha! – exclamou Scarlett, já dando um tapa na cara do marinheiro.

– Ai! Pra que isso? – Um inchaço cor de rubi brotou no rosto dele. Da cor da raiva e do castigo.

Scarlett ficou horrorizada com o que acabara de fazer. De vez em quando, tinha dificuldade de controlar a língua, mas jamais havia batido em alguém.

– Desculpe! Não queria te bater!

Ela se agarrou à beirada do banco em que estava sentada, preparando-se para o momento em que Julian revidasse.

Mas o tapa que Scarlett esperava não foi dado.

O rosto do marinheiro ardia em um tom raivoso de vermelho, o maxilar se resumia a uma série de rugas finas. Mas, mesmo assim, Julian não encostou um dedo em Scarlett.

– Você não precisa ter medo de mim. Nunca bateria em uma mulher.

Julian parou de remar e olhou Scarlett nos olhos. Ao contrário do olhar de cobiça que ele havia lançado dentro da adega e do olhar predador que testemunhara na praia, agora Julian não tentava seduzi-la nem amedrontá-la. Scarlett podia ver, por baixo da cara de durão, um resquício da expressão que o marinheiro fizera quando viu o governador bater em Donatella. Julian ficara espantado na mesma proporção que Scarlett havia ficado apavorada.

A marca da mão de Scarlett no rosto de Julian estava sumindo. E, quando desapareceu, parte do pavor que a garota sentia se dissipou. Nem todo mundo reagia do mesmo jeito que seu pai.

Ela se soltou do banco, mas suas mãos ainda estavam um pouco trêmulas.

– Mil desculpas – conseguiu dizer, mais uma vez. – Mas você e Tella jamais deveriam... Espere aí. – Scarlett parou de falar. A terrível sensação de que tinha perdido algo crucial a inundou novamente. E esse algo tinha cabelo cor de mel, rosto de anjo e sorriso de demônio. – Cadê a Tella?

Julian tornou a mergulhar os remos na água. E, desta vez, a água respingou em Scarlett. Gotas geladas de água se espalharam por todo o colo da garota.

– Se você fez alguma coisa com ela, juro que...

– Relaxe, Carmim... – disse ele, fazendo um trocadilho com o nome dela e a cor "escarlate".

– É Scarlett.

– Dá na mesma. E sua irmã está bem. Você vai encontrar com ela na ilha. – Julian apontou, com o remo, para o destino dos dois.

Scarlett estava preparada para continuar brigando. Mas, quando seus olhos vislumbraram o local para o qual o marinheiro havia apontado, tudo o que ela tinha intenção de falar derreteu, feito manteiga quente, em sua língua.

A ilha que despontava no horizonte não era nada parecida com a tão conhecida Trisda. Trisda se resumia a areia preta, enseadas rochosas e arbustos mortiços, e aquele pedaço de terra era verdejante e cheio de vida. Uma névoa cintilante se enroscava em montanhas de um verde vibrante – todas cobertas de árvores – que se erguiam em direção ao céu feito enormes esmeraldas. No topo do pico mais alto, uma cachoeira de um azul iridescente corria, feito penas de pavão derretidas, e sumia no meio do anel de nuvens, tingidas pelo raiar do sol, que fazia piruetas em volta daquela ilha surreal.

Isla de los Sueños.

A ilha dos sonhos. Scarlett nunca tinha ouvido falar da ilha até ver seu nome impresso nos ingressos do Caraval. E, mesmo assim, sabia, sem precisar perguntar para ninguém, que estava olhando para ela naquele exato momento. *A ilha particular de Lenda.*

– Você teve sorte de ter dormido até chegarmos aqui. A viagem não foi tão idílica assim.

Julian disse isso como se tivesse feito um favor a Scarlett. Só que, por mais cativante que fosse aquela ilha, a lembrança de outra ilha pesava na consciência dela.

– A que distância estamos de Trisda? – questionou ela.

– Estamos em algum ponto entre as Ilhas Conquistadas e o Império do Sul – respondeu o marinheiro, com toda a calma, como se os dois estivessem apenas passeando na praia que havia ao lado do palacete do pai da garota.

Na verdade, Scarlett nunca havia estado tão longe de casa. Seus olhos arderam, porque respingos de água salgada entraram neles.

– Há quantos dias partimos? – insistiu.

– Hoje é o 13º dia da estação. Mas, antes de bater em mim de novo, fique sabendo que a sua irmã ganhou tempo, simulando que vocês duas foram sequestradas.

Scarlett se lembrou de como Donatella tinha revirado suas coisas, deixando o quarto de pernas para o ar, e questionou:

– É por isso que o meu quarto estava tão bagunçado?

– Ela também deixou um pedido de resgate – completou Julian. – Então, quando voltarem para casa, vai conseguir se casar com o seu conde, e vocês viverão *felizes para sempre*.

Scarlett admitiu que a irmã era esperta. Mas, se o pai descobrisse a verdade, ficaria furioso – ainda mais que faltava apenas uma semana para o casamento. A imagem de um dragão roxo, soltando fogo pelas ventas, lhe veio à cabeça, cobrindo a paisagem com tons cinzentos de ansiedade.

Mas talvez valha a pena correr o risco para fazer uma visita a esta ilha. Parecia que o vento sussurrava essas palavras, fazendo-a lembrar de que o 13º dia da estação era a data que constava no convite de Lenda. "Quem chegar depois não poderá participar dos jogos nem ganhar o prêmio deste ano, que consiste em ter um desejo realizado."

Scarlett tentou não ficar maravilhada, mas a criança que havia dentro dela absorvia aquele novo mundo com avidez. As cores eram mais vivas, mais densas, mais nítidas. Comparados a elas, todos os tons que a garota já vira na vida pareciam fracos e malnutridos.

As nuvens ficaram com um brilho de bronze queimado à medida que os dois se aproximaram mais da ilha, como se estivessem prestes a pegar fogo e não a derramar chuva. Essa visão fez Scarlett pensar na carta do Mestre-Lenda do Caraval, em suas bordas douradas que pareciam quase estar em chamas quando refletiam a luz. Scarlett sabia que precisava voltar para casa imediatamente, mas a promessa do que poderia encontrar na ilha particular de Lenda a tentava, como aqueles preciosos instantes do amanhecer, em que ela podia tanto acordar e encarar a realidade impiedosa do dia ou ficar de olhos fechados e continuar sonhando com coisas encantadoras.

Mas a beleza engana, e uma prova disso estava diante dela, remando com suavidade para movimentar o bote pela água, como se sequestrar garotas fosse algo que fizesse todos os dias.

– Por que Tella já está na ilha? – questionou Scarlett.

– Porque só cabem duas pessoas por vez neste bote. – Julian respingou água em Scarlett de novo, com o remo. – Você deveria me agradecer por ter voltado para te buscar depois de ter deixado Tella lá na ilha.

– Nunca pedi para você me trazer para cá, para começo de conversa.

– Mas você passou sete anos escrevendo para *Lenda*, não passou?

A garota sentiu um calor no rosto. O jeito debochado como Julian pronunciou o nome de Lenda e o fato de aquelas cartas serem, de certa forma, íntimas, a fizeram sentir-se uma tola, algo que tinha mesmo sido por todos aqueles anos: uma criança que ainda não tinha se dado conta de que a maioria dos contos de fadas não têm final feliz.

– Você não tem do que se envergonhar – falou o marinheiro. – Tenho certeza de que muitas garotas escrevem cartas para ele. Você já deve ter ouvido falar que Lenda não envelhece. E eu ouvi dizer que tem o dom de fazer as pessoas se apaixonarem por ele.

– Não era nada disso – retrucou Scarlett. – Minhas cartas não tinham nada de romântico. Eu só queria poder sentir o gostinho da magia.

Julian espremeu os olhos, como se não acreditasse nela, e questionou:

– Se o que diz é verdade, por que não quer mais participar do Caraval?

– Não sei o que mais minha irmã falou, mas acho que anteontem, na adega, você *viu* quais são os riscos que corremos. Quando eu era mais nova, queria ter a experiência de participar do Caraval. Agora só quero que eu e minha irmã fiquemos fora de perigo.

– E você não acha que a sua irmã quer a mesma coisa? – Julian parou de remar e deixou o barco ficar à deriva, em uma onda suave. – Posso até não conhecer Tella muito bem, mas não acho que ela tenha vontade de morrer.

Scarlett discordava.

– Acho que você se esqueceu de viver, e sua irmã está tentando lembrá-la de como é – prosseguiu o marinheiro. – Mas, se você só quer saber de *segurança*, posso te levar de volta.

Julian inclinou a cabeça para um pontinho ao longe, que parecia um barco de pesca pequeno. Provavelmente, era a embarcação que os levara até ali, já que o bote em que estavam, obviamente, não fora feito para singrar os mares.

– Mesmo que você não saiba nada de velejar, não deve demorar até alguém aparecer e te levar de volta para sua preciosa Trisda. Ou... – O marinheiro ficou em silêncio por alguns instantes e balançou a cabeça, fazendo sinal para a ilha branca e enevoada – ...se você é tão corajosa quanto sua irmã vive dizendo, continuarei remando. Passe esta semana com ela na ilha e veja se ela tem razão quando diz que certas coisas valem mais do que a segurança.

Quando eles se aproximaram do anel de nuvens geladas da ilha, uma onda balançou o bote, fazendo a água turquesa bater em suas laterais. Os pelos da nuca de Scarlett ficaram arrepiados, e as mechas castanho-escuras de Julian ondularam.

– Você não entende – disse ela. – Se demorar para voltar a Trisda, meu pai vai me destruir. Vou me casar com um conde dentro de uma semana, e esse casamento é nossa oportunidade de ter outra vida. Eu adoraria participar do Caraval, mas não estou disposta a arriscar a única chance que tenho de ser feliz.

– Esse é um jeito muito dramático de ver as coisas. – O canto da boca de Julian se retorceu, como se ele estivesse segurando um sorriso sarcástico. – Posso estar enganado, mas a maioria dos casamentos não são um mar de rosas.

– Não foi isso que eu disse. – Scarlett odiava o fato de Julian sempre distorcer suas palavras.

O marinheiro mergulhou o remo na água, só o suficiente para molhar a garota de novo.

– Pare com isso!

– Paro quando você me disser aonde quer ir.

Julian respingou água em Scarlett mais uma vez. O barco se aproximou mais da praia, e as nuvens de latão começaram a enferrujar, ganhando tons de verde e de azul gelado.

Ela sentiu um cheiro no ar que jamais havia sentido. Trisda sempre fedia a peixe, mas o ar daquele lugar era quase doce, com uma pitada cítrica. Scarlett imaginou que o ar poderia estar envenenado com alguma droga. Porque, apesar de saber o que precisava fazer – chegar à ilha, encontrar Tella e voltar para casa o mais breve possível –, estava com dificuldade para comunicar isso a Julian. De repente, tinha 9 anos de novo, ingênua e esperançosa ao ponto de acreditar que uma carta poderia realizar seus desejos.

A primeira vez que escreveu para Lenda foi depois que Paloma, sua mãe, abandonou as filhas. Scarlett queria proporcionar um aniversário feliz para Donatella. A irmã mais nova foi quem ficou mais arrasada quando a mãe foi embora. Scarlett tentara compensar a ausência de Paloma. Mas era muito nova, e Tella não era a única desesperada de saudade da mãe.

Teria sido mais fácil esquecer da mãe se Paloma, pelo menos, tivesse se despedido, deixado um bilhete ou uma pista de onde ou do porquê foi embora. Mas simplesmente desapareceu e não levou nada com ela. Sumiu feito uma estrela partida, deixando o mundo intocado, com exceção dos fragmentos de luz que ficaram faltando e que ninguém jamais verá de novo.

Scarlett poderia ter deduzido que o pai havia batido na mãe, mas ele só se tornou violento depois que foi abandonado por Paloma. O governador revirou a mansão inteira atrás dela. Ordenou que os guardas fizessem batidas nas cidades vizinhas, sob o pretexto de estarem procurando um criminoso, já que o governador Dragna não queria que ninguém descobrisse que a esposa havia fugido. Paloma poderia ter sido sequestrada, mas não havia sinais de luta, e o pai de Scarlett nunca recebeu um pedido de resgate. Parecia que ela havia ido embora de livre e espontânea vontade, o que deixava tudo ainda pior.

E, apesar de tudo, Scarlett sempre achou que a mãe era uma pessoa mágica, cheia de sorrisos reluzentes, de uma risada musical e palavras adocicadas. Quando Paloma morava em Trisda, havia alegria no mundo de Scarlett, e seu pai não era tão duro. O governador Dragna nunca havia sido violento com a família antes de ser abandonado pela esposa.

A avó das garotas demonstrou mais interesse pelas meninas depois disso. Não era especialmente carinhosa. Scarlett sempre suspeitou que, na verdade, a avó não gostava de crianças pequenas, mas ela contava histórias excepcionais. Encantava as duas irmãs com suas lendas do Caraval. Dizia que era um lugar onde a magia ganhava vida, e Scarlett se apaixonou por essa ideia, ousou acreditar que, se Lenda e seus artistas fossem para a ilha de Trisda, devolveriam um pouco de alegria à sua vida, pelo menos por alguns dias.

Por alguns instantes, Scarlett considerou a possibilidade de vivenciar não apenas um pouco de felicidade, mas a magia. Imaginou como seria participar do Caraval apenas por um dia e passear pela ilha particular de Lenda antes de fechar completamente a porta para suas fantasias.

Ainda faltava uma semana para o casamento de Scarlett. Não era hora de embarcar em uma aventura irrefletida. Donatella havia revirado o quarto da irmã, e Julian contara que ela também havia deixado um pedido de resgate. Mas, uma hora, o pai das duas se daria conta de que tudo era uma farsa. Ficar ali era a pior das ideias.

Mas, se as irmãs ficassem apenas para o primeiro dia do Caraval, conseguiriam voltar para casa em tempo para o casamento de Scarlett. A garota duvidava que o pai fosse descobrir tão rápido onde realmente tinham estado. Não correriam perigo, desde que ela e Donatella ficassem na ilha apenas durante as primeiras 24 horas, e o governador Dragna jamais descobrisse por onde as irmãs de fato andaram.

— Está quase na hora, Carmim.

A nuvem que encerrava os dois se dissipou, e os contornos da ilha ficaram visíveis. Scarlett viu uma areia tão fofinha e branca que, de longe, parecia glacê por cima de um bolo. Quase conseguia enxergar Tella passando os dedos naquela areia — e insistindo para a irmã fazer a mesma coisa — para descobrir se a areia tinha mesmo o gosto de açúcar que sua aparência evocava.

— Se eu for com você, promete que não vai haver mais nenhuma tentativa de sequestro se eu quiser voltar para Trisda com Tella amanhã?

Julian pôs a mão no coração e declarou:

— Juro pela minha honra.

Scarlett não sabia se acreditava que o marinheiro tivesse lá tanta honra assim. Achava que, no instante em que os três conseguissem entrar no Caraval, Julian, provavelmente, daria as costas para elas, de qualquer jeito.

— Pode começar a remar de novo. Só tome cuidado para não respingar em mim.

Julian fez uma careta e mergulhou os remos na água de novo. E, desta vez, os sapatinhos de Scarlett ficaram encharcados de água gelada.

— Já falei para você parar de respingar água em mim.

— Não fui eu.

O marinheiro movimentou os remos de novo, com mais cuidado desta vez, mas ainda havia água ensopando os pés da garota. Uma água mais gelada até que a da costa gélida de Trisda.

— Acho que o barco está furado.

Julian soltou um palavrão, porque a água chegou aos tornozelos dos dois, e perguntou:

– Você sabe nadar?

– Eu moro em uma ilha. É claro que sei nadar.

Julian tirou o casaco e o atirou no mar, pela lateral do barco.

– Se você tirar a roupa, fica mais fácil. Está usando algum tipo de roupa de baixo, certo?

– Tem certeza de que não podemos simplesmente ir remando até a praia? – insistiu Scarlett.

Apesar de estar com os pés gelados, suas mãos suavam. A Isla de los Sueños parecia estar a quase cem metros de distância: ela jamais havia nadado tanto assim.

– Podemos tentar, mas esse bote não vai resistir. – Julian tirou as botas. – É melhor aproveitarmos o tempo que temos para tirar a roupa. A água é gelada: vai ser impossível chegar lá completamente vestidos.

Scarlett vasculhou a água coberta de nuvens com os olhos, procurando sinal de algum barco ou bote.

– Mas o que vamos vestir quando chegarmos à ilha?

– Acho que nós só precisamos nos preocupar com chegar até a ilha. E, com "nós", quero dizer "você".

Julian desabotoou a camisa, revelando uma fileira de músculos dourados que deixaram bem claro que o marinheiro não teria nenhum problema dentro d'água.

E aí, sem dizer mais nem uma palavra, mergulhou no mar.

Julian não olhou para trás. Os braços fortes cortavam a corrente gelada com facilidade, enquanto a água polar subia pelo corpo de Scarlett, até que a parte de baixo de seu vestido começou a flutuar na altura da panturrilha. A garota tentou remar, mas só conseguiu afundar o barco mais ainda.

Não tinha escolha, a não ser pular.

O ar foi expulso de seus pulmões, algo gelado e irrespirável tomou seu lugar. Ela só conseguia ver a cor branca. Tudo era branco. Até o tom da água havia mudado, de tons de rosa e turquesa para nuances aterrorizantes de um branco gelado. Scarlett balançou a cabeça para tentar chegar à superfície e engoliu um ar que queimava ao descer pela garganta.

Tentou enfrentar a correnteza com a mesma facilidade de Julian, mas o marinheiro tinha razão. O espartilho que espremia o peito de Scarlett estava apertado demais; o tecido pesado em volta de suas pernas não parava de se enroscar. Ela chutou a água freneticamente, mas não adiantou. Quanto mais Scarlett se debatia, mais o oceano revidava. Ela mal conseguia manter a cabeça fora d'água. Uma onda gelada arrebentou em sua cabeça, arrastando-a para o fundo. Tão gelado e tão pesado. Os pulmões de Scarlett ardiam, enquanto ela lutava para voltar à superfície. Felipe deve ter se sentido assim quando o pai de Scarlett o afogou. *Você merece o que está acontecendo*, disse uma parte dela. Feito mãos, a água a empurrava para baixo

para baixo

para baixo...

– Achei que você sabia nadar. – Julian puxou Scarlett para cima até a cabeça dela emergir. – Respire. Devagar – orientou. – Não tente pegar muito ar de uma vez só.

O ar ainda queimava, mas Scarlett conseguiu pronunciar as palavras:

– Você me abandonou.

– Porque achei que você sabia nadar.

– É o meu vestido... – Scarlett deixou a frase no ar porque sentiu que o vestido a puxava para baixo de novo.

O marinheiro respirou fundo e perguntou:

– Você acha que consegue boiar por um minuto sem minha ajuda?

Então brandiu uma faca com a outra mão e, antes que Scarlett pudesse concordar ou protestar, mergulhou na água.

A garota teve a sensação de que uma eternidade havia se passado até sentir a pressão dos braços de Julian em volta de sua cintura. Em seguida, sentiu a pressão da ponta da faca contra o peito. Ficou sem ar quando o marinheiro soltou o espartilho, com um corte em linha reta decidido, que foi da barriga até a metade dos quadris. O braço apertou a cintura de Scarlett, que também sentiu um aperto no peito. Jamais havia ficado em uma situação como aquela com um rapaz. Tentou não pensar no que Julian estava vendo ou sentindo enquanto terminava de estraçalhar o vestido pesado e arrancá-lo do corpo dela, deixando Scarlett apenas com a combinação molhada, grudada na pele.

Julian estava ofegante quando emergiu, respingando água no rosto de Scarlett.

– Você consegue nadar agora? – perguntou.

As palavras saíram com mais dificuldade do que antes.

– E você, consegue? – retrucou Scarlett, meio rouca.

Sua capacidade de falar também havia diminuído. Ela tinha a sensação de que algo muito íntimo acabara de acontecer. Ou, talvez, tenha sido intenso apenas para Scarlett. Ela imaginou que o marinheiro já deveria ter visto muitas garotas, em diversos estágios de falta de roupa.

– Falando, estamos desperdiçando energia – disse ele.

Julian começou a nadar, mas desta vez ficou mais perto de Scarlett. Ela não soube dizer se era porque estava preocupado com a segurança dela ou se tinha ficado fraco depois de ajudá-la.

Scarlett ainda conseguia sentir o mar se esforçando para afundá-la. Mas, sem o vestido pesado, poderia enfrentá-lo. Aproximou-se da costa branca e reluzente de Sueños ao mesmo tempo que Julian. De perto, a areia parecia mais fofinha. Mais fofinha e, agora que parava para pensar, lembrava muito mais neve. Mais neve do que ela jamais vira em Trisda. Nuvens paradas de um branco mágico, um tapete gelado estendido por toda a costa.

Tudo estranhamente intocado.

– Nada de desistir agora. – Julian pegou Scarlett pela mão e a arrastou para aqueles tufos brancos e perfeitos. – Ande, precisamos continuar nos movimentando.

– Espere aí... – Scarlett olhou em volta, vasculhando a neve gélida pela segunda vez. A paisagem a fez lembrar, novamente, de um bolo coberto de glacê. Do tipo que já vira na vitrine das padarias, perfeito e lisinho. Não havia uma pegada sequer do tamanho do pé de Tella naquela neve.

– Cadê minha irmã?

7

As nuvens diáfanas da ilha haviam migrado para uma posição que encobria o sol e lançava uma névoa de sombras cinza azuladas na costa. A neve intocada aos pés de Scarlett, que não estava mais branca, piscou para ela com faíscas cor de hortênsia, como se estivesse contando uma piada interna.

— Cadê minha irmã? — insistiu.

— Talvez eu a tenha deixado em outra parte da praia. — Julian quis pegar a mão de Scarlett de novo, mas ela se esquivou. — A gente precisa continuar se movimentando, senão vamos congelar. Assim que nos esquentarmos, podemos procurar a sua irmã.

— Mas e se ela também estiver congelando? Tellaaaa! — gritou Scarlett, batendo os dentes de frio. Por causa da neve debaixo dos dedos dos pés e do tecido molhado, grudado na pele gelada, estava com mais frio do que havia sentido na noite em que o pai a obrigou a dormir ao relento, depois de descobrir que Donatella havia beijado um garoto pela primeira vez. Apesar disso, Scarlett não iria embora sem antes encontrar a irmã. — Donatella!

— Você está desperdiçando fôlego. — Pingando água e sem camisa, Julian parecia ainda mais perigoso do que de costume e olhava feio para Scarlett. — Quando deixei sua irmã na praia, ela estava seca. De casaco e de luvas. Onde quer que esteja, Tella não vai congelar. Mas nós vamos, se continuarmos aqui. A gente devia ir para o meio daquelas árvores.

Mais adiante de onde o manto de neve da praia encontrava as fileiras de árvores verdes e frondosas, uma espiral de fumaça laranja pôr do sol se retorcia em direção ao céu. Scarlett podia jurar que não estava lá um minuto antes. Nem sequer se lembrava de ter visto as árvores. Diferentes dos arbustos esqueléticos de Trisda, os troncos de todas aquelas árvores pareciam tranças grossas entrelaçadas entre si e cobertas de um limo nevado azul e verde.

– Não... – Scarlett tremeu de frio. – Nós...

– Não podemos continuar andando em círculos desse jeito – interrompeu Julian. – Seus lábios estão ficando roxos. Precisamos localizar a fumaça.

– Não ligo nem um pouco. Se minha irmã ainda está por aí...

– Sua irmã, provavelmente, foi tentar encontrar a entrada do jogo. Só temos até o fim do dia para entrar no Caraval. Ou seja: é melhor seguir a fumaça e depois fazer a mesma coisa.

O marinheiro foi indo na frente, esmagando a neve com os pés descalços.

Scarlett vasculhou a praia intocada com os olhos uma última vez. Donatella nunca fora de ficar esperando, paciente ou impacientemente. Mas, se entrara mesmo no Caraval, por que não havia nenhum sinal dela?

A contragosto, Scarlett entrou na floresta atrás de Julian. Pedaços de agulhas de pinheiro se enfiaram nos dedos dos pés que ela não conseguia mais sentir, porque uma trilha de terra castanha substituiu a neve. Os pés da garota deixavam pegadas úmidas, mas ela não viu nem uma marca das botas de salto alto de Tella.

– Ela deve ter feito outro caminho, vindo da praia.

Julian não batia os dentes, mas sua pele dourada estava ficando com um tom de índigo, combinando com as sombras distorcidas das árvores.

Scarlett teve vontade de discutir, mas o tecido molhado de suas roupas estava se transformando em gelo. Na floresta, fazia ainda mais frio do que na costa. Ela cruzou os braços gélidos em cima do peito, mas isso só aumentou o frio que sentia.

Uma faísca de preocupação surgiu na expressão de Julian, que disse:

– A gente precisa levar você para um lugar aquecido.

– Mas minha irmã...

– ...é esperta o suficiente para já estar dentro do jogo. Se você congelar aqui fora, não vai conseguir encontrá-la.

O marinheiro passou o braço pelos ombros da garota.

Ela ficou rígida.

As sobrancelhas castanho-escuras de Julian formaram uma linha ofendida.

– Só estou tentando te aquecer – falou.

– Mas você também está gelado...

E praticamente nu.

Scarlett se afastou de Julian, meio cambaleando. A floresta de árvores chegou ao fim, e o chão de terra macio se transformou em uma estrada mais firme, pavimentada com pedras opalescentes, lisas feito vidro marinho polido. A via calçada se estendia muito além do que a garota conseguia enxergar, multiplicando-se em um labirinto de ruas tortuosas. Ao longo de todas elas, havia lojas arredondadas, cada uma de uma cor, pintadas com tons pastel ou de pedras preciosas, feito caixas de chapéu que foram empilhadas de qualquer jeito.

O ambiente tinha algo de charmoso e encantador, mas também estático, de um jeito muito pouco natural. Todos os estabelecimentos estavam fechados, e a neve no teto deles estava estagnada, feito poeira em cima de livros de história abandonados. Scarlett não sabia que tipo de lugar era aquele, mas não era assim que havia imaginado o Caraval.

A fumaça cor de pôr do sol ainda se dissipava no ar, mas parecia ainda tão longe quanto estava quando os dois a avistaram da praia.

– A gente precisa continuar andando, Carmim.

Julian a fez apressar o passo naquela rua curiosa.

Scarlett não sabia se o frio causava alucinações ou se era simplesmente sua cabeça que tinha algo de errado. Além de tudo estar estranhamente quieto, nenhuma das placas das lojas em forma de caixa de chapéu fazia sentido. Estavam todas escritas em diversas línguas. Algumas diziam *Abertura: lá pela meia-noite.* Em outras, estava escrito *Volte ontem.*

– Por que está tudo fechado? – questionou. Suas palavras saíram em lufadas fracas. – E cadê todo mundo?

– Só precisamos seguir em frente. Não pare de andar. A gente tem que encontrar um lugar mais quente.

O marinheiro forçou que caminhassem rápido, passando pelas lojas mais insólitas que Scarlett já vira na vida.

Chapéus-coco enfeitados com corvos empalhados. Coldres para sombrinha. Tiaras femininas incrustadas de dentes humanos. Espelhos que podiam refletir a escuridão da alma. O frio estava, sem dúvida, embaralhando sua visão. Ela torceu para Julian ter razão quando disse que Donatella deveria estar em algum lugar aquecido. Scarlett continuou procurando, tentando vislumbrar o cabelo cor de mel da irmã, prestando atenção aos ruídos, tentando ouvir ecos da risada vibrante de Tella, mas todas as lojas estavam vazias e silenciosas.

Julian tentou girar algumas maçanetas: nada se mexeu.

O próximo grupo de lojas abandonadas exibia uma série de coisas fantásticas. Estrelas cadentes. Sementes para cultivar desejos. A Ótica Odete vendia óculos que viam o futuro (*disponíveis em quatro cores*).

– Isso seria legal – murmurou a garota.

Ao lado da Ótica Odete, uma faixa dizia que o dono do estabelecimento consertava imaginações quebradas. A mensagem flutuava acima de vidrinhos contendo sonhos, pesadelos e algo chamado "pesacordados". Scarlett pensou que deveria ser isso que estava vivenciando naquele momento, porque pingentes de gelo já se formavam em seu cabelo castanho-escuro.

Ao seu lado, Julian soltou um palavrão. Mais adiante, depois de várias outras quadras com lojas em forma de caixa de chapéu, os dois quase conseguiram enxergar de onde vinha a fumaça. Ela tinha se retorcido até formar um sol com uma estrela dentro e uma lágrima dentro da estrela – o símbolo do Caraval. Só que o frio havia chegado aos ossos e aos dentes de Scarlett. Até suas pálpebras estavam cobertas de geada.

– Pera... o que... mais ou menos ali! – Com a mão trêmula, ela fez sinal para o marinheiro, apontando a Relojoaria Casabian. Em princípio, achou que fosse apenas a esquadria de metal. Mas, atrás do vidro, depois de uma floresta de pêndulos, pesos e armários de madeira reluzentes, ardia uma lareira. E havia uma placa na porta, com os dizeres: *Sempre aberto.*

Um coro de *tique-taques*, cucos, ponteiros de segundos e mecanismos de corda deu as boas-vindas à dupla congelada, que entrou correndo. Os braços e as pernas que Scarlett havia parado de sentir formigaram com o aquecimento súbito, e o ar morno queimou seus pulmões na primeira inspiração.

Suas cordas vocais congeladas estalaram quando ela disse:

– Olá?

Tique-taque.

Taque-tique.

Apenas os mecanismos e as engrenagens denteadas responderam.

O estabelecimento era redondo, como um mostrador de relógio. O chão era formado por um mosaico de diferentes estilos de números, e diversos relógios cobriam quase toda e qualquer superfície. Alguns funcionavam no sentido anti-horário, outros tinham engrenagens e alavancas à mostra. Na parede dos fundos, engrenagens se movimentavam feito quebra-cabeças, com peças que iam se encaixando à medida que a hora cheia se aproximava. Havia uma caixa de vidro pesado, trancada a chave, no meio do salão aberto, com um aviso dizendo que o relógio de bolso guardado por ela retrocedia o tempo. Se fosse qualquer outro dia, Scarlett ficaria curiosa. Mas naquele momento só queria se aproximar do círculo flamejante de calor que vinha da lareira.

Ela teria derretido ali de bom grado, até virar uma poça diante da lareira. Julian tirou a grade, remexeu a lenha com um atiçador que estava ali perto e declarou:

– A gente deveria tirar a roupa.

– Eu...

Scarlett interrompeu seu protesto, porque Julian foi até um relógio de pé, feito de jacarandá. Havia dois pares de botas na base do relógio e dois cabides com roupas, pendurados, um de cada lado do frontão.

– Pelo jeito, tem *alguém* de olho em você. – O tom de deboche havia voltado à voz do marinheiro.

A garota tentou ignorá-lo e foi se aproximando, bem devagar. Ao lado das roupas, em cima de uma mesa folheada a ouro coberta de relógios de lua, havia um vaso sinuoso, com rosas vermelhas, ao lado de uma bandeja com pão de figo, chá de canela e um cartão.

Para Scarlett Dragna e seu acompanhante,

Fiquei tão feliz por você ter conseguido vir.

Lenda

A mensagem estava escrita no mesmo papel de bordas douradas da carta que Scarlett havia recebido em Trisda. Ela ficou imaginando se Lenda tinha esse cuidado com todos os convidados. Scarlett tinha dificuldade de acreditar que era alguém especial, mas tampouco conseguia imaginar o Mestre do Caraval agraciando cada visitante com bilhetes personalizados e rosas vermelho-sangue.

Julian tossiu e disse:

– Com licença? – O marinheiro estendeu o braço por cima de Scarlett, partiu um pedaço de pão e arrancou do cabide o traje destinado a ele. Em seguida, começou a abrir o cinto que segurava suas calças. – Você vai me ver tirar a roupa, porque eu não ligo.

Scarlett virou o rosto, imediatamente envergonhada. Julian não tinha um pingo de decência.

Ela também precisava se trocar, mas não havia nenhum lugar em que pudesse fazer isso completamente escondida. Parecia impossível que o recinto tivesse diminuído de tamanho desde que entraram ali, mas agora Scarlett conseguia ver que era realmente minúsculo. Menos de três metros a separavam da porta de entrada.

– Se você ficar de costas para mim, nós dois podemos trocar de roupa – sugeriu Scarlett.

– Também podemos trocar de roupa de frente um para o outro – retrucou Julian.

E agora havia um sorriso em sua voz.

– Não foi isso que eu quis dizer – insistiu Scarlett.

Julian soltou uma risadinha disfarçada. Mas, quando a garota ergueu a cabeça, o marinheiro estava de costas para ela. Scarlett tentou não ficar olhando. Cada centímetro do corpo dele era musculoso, assim como o torso, que a jovem já vira, mas essa não foi a única parte que prendeu a atenção de Scarlett. Uma cicatriz grossa desfigurava o trecho de pele entre as duas escápulas de Julian. Havia mais duas, atravessando a base da coluna. Parecia que o marinheiro havia sido esfaqueado diversas vezes.

Scarlett engoliu um suspiro de assombro e se sentiu instantaneamente culpada. Não deveria ficar olhando. Pegou, de um jeito brusco, os trajes destinados a ela e se concentrou em trocar de roupa. Tentou não imaginar o que poderia ter acontecido com Julian. Scarlett não gostaria que alguém visse suas cicatrizes.

Na maioria das vezes, o pai só deixava hematomas. Mas, por anos, Scarlett trocou de roupa sem a ajuda de uma criada, para que ninguém visse. Imaginou que essa experiência lhe seria útil agora, mas o vestido que Lenda havia enviado para ela não exigia que alguém a ajudasse: era meio sem graça, decepcionante. O oposto dos trajes do Caraval que Scarlett havia imaginado. Não tinha espartilho. O tecido do corpete era de um tom nada atraente de bege, e a saia era murcha. Nada de anáguas, saias de baixo ou anquinhas.

– Já posso me virar? – perguntou Julian. – Não tem nada aí que eu nunca vi.

A firmeza com que o marinheiro agarrou sua cintura enquanto destroçava seu vestido veio à cabeça de Scarlett na mesma hora, causando um formigamento que começava no osso externo e descia até seus quadris.

– Obrigada por me lembrar disso – resmungou a garota.

– Eu não estava falando de você. Eu mal vi seu...

– Isso não está ajudando em nada. Mas pode se virar. Já estou abotoando as botas.

Quando Scarlett ergueu a cabeça, Julian já estava diante dela. Lenda, definitivamente, não havia enviado um traje sem graça para o marinheiro.

Scarlett o observou de cima a baixo, do lenço azul-noite em volta do pescoço até o colete justo cor de vinho que prendia o acessório no lugar. Uma casaca azul-escura realçava os ombros fortes e a cintura fina. A única coisa que restava do marinheiro era a guaiaca onde levava a faca, pendurada na altura dos quadris das calças retas.

– Você está... diferente – comentou Scarlett. – Não está mais com aquela aparência de quem acabou de sair de uma briga.

Julian ficou um pouco mais empertigado, como se tivesse sido elogiado, mas Scarlett não sabia ao certo se havia feito isso ou não. Não lhe parecia justo alguém tão irritante ter uma aparência tão próxima da perfeição. Só que, mesmo com o traje elegante, o marinheiro ainda estava longe de ser um cavalheiro – e não apenas por causa da barba por fazer ou das ondas revoltas do cabelo castanho. Julian simplesmente tinha algo de selvagem, que não podia ser domado pelos trajes dados por Lenda. Os traços pronunciados do seu rosto, aquele brilho sagaz em seus olhos castanhos, não foram minimizados porque ele estava de lenço no pescoço nem... pelo relógio de bolso?

– Por acaso você roubou isso? – perguntou Scarlett.

– Peguei emprestado – corrigiu Julian, enrolando a corrente do relógio em volta do dedo. – Assim como as roupas que você está usando. – O marinheiro olhou para a garota de cima a baixo e ficou balançando a cabeça, em um gesto de aprovação. – Agora entendi por que Lenda mandou ingressos para *você*.

– O que você quer diz...

Scarlett deixou a frase no ar ao ver o próprio reflexo no mostrador de um relógio espelhado. O vestido perdera seus enfadonhos tons de sem graça e agora era de um cereja intenso – da cor da sedução e dos segredos. Uma fileira estilosa de laços descia pela metade do corpete justo, de decote redondo, destacado por uma anquinha de babados da mesma cor. As saias de baixo eram justas no corpo e tinham bainha em ondas: cinco camadas finas de diferentes tecidos, alternando entre seda e tule cereja e partes de renda preta. Até as botas haviam mudado, de um marrom sem graça para uma elegante combinação de couro e renda pretos.

Ela passou as mãos no tecido do vestido para se certificar de que aquilo não era só um efeito do espelho ou da luz. Ou, quem sabe, em seu estado de congelamento, Scarlett apenas tivesse ficado com a impressão de que o vestido era sem graça. Mas, lá no fundo, sabia que só havia uma explicação possível. Lenda lhe dera um vestido encantado.

Magia como aquela só deveria existir em contos de fadas, mas aquele vestido era muito real, e a jovem ficou sem saber o que pensar. A criança que havia dentro dela adorou. A Scarlett adulta não sabia se estava se sentindo à vontade dentro dele – fosse mágico ou não. O pai jamais permitiria que ela usasse algo tão chamativo e, apesar de o governador Dragna não estar ali, sua filha ainda não gostava de chamar atenção.

Scarlett era uma garota bonita, mas não raro gostava de esconder sua beleza. Havia herdado o cabelo castanho-escuro e grosso da mãe, que realçava sua pele cor de oliva. O rosto era mais oval do que o de Tella, com um nariz pequeno e olhos castanho-claros tão grandes que ela sempre tinha a impressão de que deixavam transparecer coisas demais.

Por um instante, ela quase quis a túnica bege e sem graça de volta. Ninguém repara nas garotas de roupa feia. Talvez, se pensasse nele, o vestido mudaria de novo. Mas, mesmo visualizando um corte mais simples e uma cor mais discreta, o vestido cereja continuava vibrante e justo, abraçando as curvas que Scarlett preferia ter escondido.

As palavras enigmáticas de Julian lhe vieram à cabeça – "Agora entendi por que Lenda mandou ingressos para *você*." –, e a garota ficou se perguntando se, por acaso, não havia encontrado um jeito de escapar dos jogos mortais que o pai fazia em Trisda para se tornar uma peça bem-vestida de um outro jogo de tabuleiro.

– Caso você já estiver cansada de admirar seu próprio reflexo – disse Julian –, não acha que deveríamos procurar aquela tal irmã que você queria tanto encontrar?

– Achei que você também estaria preocupado com ela – respondeu Scarlett.

– Desconfio que você ache que sou uma pessoa melhor do que realmente sou.

Julian foi se dirigindo à porta e, bem nessa hora, todos os alarmes da loja dispararam.

– Acho melhor você não sair por esta porta – declarou uma voz desconhecida.

8

O homem rotundo que havia acabado de entrar na relojoaria era bem parecido com um relógio. O bigode no rosto redondo e sombrio era espichado, lembrando os ponteiros da hora e do minuto às 15h45. O sobretudo acinturado marrom cintilante fez Scarlett pensar em madeira polida, e os suspensórios metálicos, em roldanas.

— Não estamos roubando – disse Scarlett. – Estamos...

— Você deveria falar apenas por si mesma.

A voz de barítono do homem desceu várias oitavas, e ele fixou os olhos espremidos em Julian.

De tanto lidar com o pai, Scarlett sabia que era melhor não fazer cara de culpada.

Não olhe para Julian.

Só que a garota não conseguiu se segurar e olhou de relance para o marinheiro.

— Eu sabia! – exclamou o homem.

Julian esticou o braço para Scarlett, como se quisesse arrastá-la até a porta.

— Ah, não. Não fujam! Estou brincando – gritou o desconhecido. – Não me chamo Casabian, não sou o dono daqui! Meu nome é Algie, e podem até encher os bolsos de relógios, não me importo.

— Então por que está tentando nos impedir de sair? – Julian estava com as mãos no cinto. Uma delas, em cima da faca.

– Este sujeito é meio paranoico, né?

Algie se virou para Scarlett, mas a garota também estava sentindo os escuros tons de verde da desconfiança. Será que era coisa da cabeça dela ou os relógios de parede estavam tiquetaqueando mais rápido do que antes?

– Vamos – disse, para Julian. – A esta altura, Tella deve estar morrendo de preocupação.

– Você vai encontrar quem está procurando mais rápido se sair por aqui.

Algie foi até o relógio de pé feito de jacarandá, abriu a porta de vidro e puxou um de seus pesos. Quando fez isso, os relógios de metal em forma de quebra-cabeça que estavam na parede mudaram de posição. *Clique. Cleque.* As peças se encaixaram, transformando-se em uma magnífica porta marchetada que tinha uma engrenagem de relógio no lugar da maçaneta.

Algie abriu um dos braços, em um gesto dramático, e declarou:

– Somente hoje! Vocês dois podem usar esta entrada, um atalho para o coração do Caraval, por uma pechincha.

– E como vamos saber que não é apenas a entrada do seu porão? – perguntou Julian.

– E por acaso esta porta tem cara de porta de despensa? Olhe com todos os sentidos. – Algie encostou na engrenagem da porta e, na mesma hora, todos os relógios da relojoaria ficaram em silêncio. – Se vocês saírem daqui pela outra saída, terão que enfrentar o frio e passar pelos portões. Com esta porta, podem ganhar um tempo precioso.

O homem soltou a maçaneta, e todos os relógios voltaram a se movimentar.

Tique-taque. Taque-tique.

Scarlett não sabia se acreditava em Algie, mas era óbvio que aquele portal na parede tinha algo de mágico. Algo parecido com o vestido que estava usando, como se ocupasse um pouco mais de espaço do que as coisas que estavam ao seu redor. E, se fosse mesmo um atalho para o Caraval, ela encontraria a irmã mais rápido.

– Quanto isso vai nos custar? – perguntou.

As sobrancelhas escuras de Julian se ergueram de supetão.

– Você está mesmo pensando em aceitar essa proposta? – indagou o marinheiro.

– Se for para encontrar minha irmã mais rápido, sim.

Scarlett teria deduzido que o marinheiro certamente seria cem por cento a favor de atalhos, mas ele ficou olhando em volta, quase nervoso.

– Você não acha que é uma boa ideia? – perguntou. – Acho que a fumaça que vimos é a entrada do Caraval e prefiro não gastar nada agora.

Então foi abrindo a porta da frente.

– Mas você nem sabe o preço – falou Algie.

Julian lançou um olhar para Scarlett que durou um *clique* de um movimento do ponteiro dos segundos. Uma expressão indecifrável se esboçou em seus olhos. E, quando o marinheiro tornou a falar, ela poderia jurar que foi com um tom irritado.

– Faça o que você bem entender, Carmim, mas só um conselho de amigo, para quando você conseguir entrar: cuidado com quem você confia. A maioria das pessoas que estão aqui não é o que aparenta ser.

Uma sineta tocou, porque Julian saiu da relojoaria.

Scarlett não esperava que aquele marinheiro fosse ficar com ela para sempre, mas se deu conta de que a partida abrupta a deixara um tanto desconcertada.

– Espere... – chamou Algie, já que ela foi atrás de Julian. – Sei que você acredita em mim. Vai simplesmente ir atrás desse rapaz e deixar que ele decida por você ou vai fazer sua própria escolha?

A garota sabia que precisava ir embora dali. Se não corresse, jamais encontraria o marinheiro. E, aí, ficaria completamente sozinha. Mas o fato de Algie ter empregado a palavra "escolha" a fez parar para pensar. Como o pai sempre dizia o que Scarlett devia ou não fazer, ela raramente achava que de fato tinha escolha ou poder de decisão. Ou, talvez, tenha parado porque, lá no fundo, não abandonara por completo todas as fantasias de infância e queria acreditar em Algie.

Então se lembrou da facilidade com que a porta se configurou e do fato de todos os relógios terem silenciado quando Algie encostou na insólita maçaneta.

– Mesmo que eu estivesse interessada, não tenho dinheiro.

– E se eu não quiser dinheiro? – O homem alisou as pontas do bigode e completou: – Quando disse "pechincha", quis dizer um trato, uma troca. Apenas gostaria de pegar sua voz emprestada.

Scarlett abafou uma risada nervosa e declarou:

– Isso não me parece uma troca justa.

E por acaso a voz é uma coisa que dá para emprestar?

– Só por uma hora – explicou Algie. – É o mesmo tempo que você vai demorar para seguir o sinal de fumaça, entrar na casa e começar a jogar. Mas posso deixar você entrar agora mesmo. – Ele tirou um relógio do bolso e empurrou ambos os ponteiros para cima, zerando a contagem. – Se disser "sim", este aparato roubará sua voz por sessenta minutos, e minha porta a levará direto ao coração do Caraval.

Scarlett podia encontrar a irmã imediatamente.

Mas e se Algie estivesse mentindo? E se roubasse mais de uma hora? A garota ficava aflita de confiar em um homem que acabara de conhecer, ainda mais depois do conselho de Julian. Só de pensar em ficar sem voz, também ficava apavorada. Os gritos de Scarlett jamais haviam impedido o pai de bater em Donatella. Mas, pelo menos, era possível gritar por socorro. Se aceitasse a proposta de Algie e algo errado acontecesse, ficaria impotente. Se visse Tella ao longe, não poderia gritar o nome da irmã. E se Tella estivesse esperando por Scarlett no portão?

Ela só sabia sobreviver sendo cautelosa. Nos tratos que seu pai fazia, sempre havia algo terrível que não era mencionado. Scarlett não podia correr o risco de isso acontecer agora.

– Vou apostar na entrada normal – disse.

O bigode de Algie murchou.

– Azar o seu. Teria sido uma verdadeira pechincha – resmungou ele.

O homem abriu a porta marchetada. Por um instante reluzente, Scarlett viu de relance o lado de lá: um céu apaixonado, cor de limões derretidos e pêssegos em brasa. Rios estreitos que brilhavam como pedras preciosas lapidadas. Uma garota-risada, com cachos em espiral, cor de mel...

– Donatella! – Scarlett foi correndo até a porta, mas Algie a bateu, fechando-a antes que os dedos dela sequer conseguissem roçar no metal.

– Não!

A jovem segurou a engrenagem e tentou girá-la, mas a peça virou cinzas e formou uma pilha deprimente aos seus pés. Scarlett ficou olhando, desolada, as peças do quebra-cabeça mudarem de posição. Foram se separando com um *clique* até a porta deixar de existir.

Deveria ter feito a troca. Donatella teria feito isso. Na verdade, Scarlett se deu conta de que foi assim que a irmã havia entrado no Caraval, para começo de conversa. Tella nunca se preocupava com o futuro nem com as consequências de seus atos: era obrigação de Scarlett fazer isso pela irmã mais nova. Ela deveria estar se sentindo melhor por saber que Donatella havia entrado mesmo no Caraval. Mas, apesar disso, Scarlett só conseguiu ficar preocupada, pensando nas encrencas em que a irmã iria se meter. Deveria estar lá com Tella. E, além disso, também havia perdido Julian de vista.

Ela saiu correndo da Relojoaria Casabian. O calor que havia sentido lá dentro sumiu imediatamente. Scarlett achava que não passara muito tempo no interior do estabelecimento, mas a manhã já havia desaparecido, assim como o início da tarde. As lojas em forma de caixa de chapéu já estavam escondidas sob uma balbúrdia de sombras plúmbeas.

O tempo deve passar mais rápido nesta ilha. Scarlett temia que, se piscasse, as estrelas apareceriam no céu. Não tinha apenas se perdido de Tella e de Julian, mas também desperdiçara minutos valiosos. O dia estava quase chegando ao fim e, de acordo com o convite de Lenda, ela só tinha até a meia-noite para conseguir passar pelos portões principais do Caraval.

O vento serpenteava nos braços da garota, apertando seus pulsos, onde o vestido não cobria, com dedos brancos e gélidos.

– Julian! – gritou ela, esperançosa.

Mas nem sinal de seu antigo acompanhante. Scarlett estava completamente sozinha. Não sabia se o jogo havia ou não começado, mas já tinha a impressão de estar perdendo.

Por um instante de pânico, pensou que a fumaça também havia desaparecido, mas a avistou de novo, logo em seguida. Pouco adiante das livrarias de ficção às escuras, anéis de fumaça com um cheiro doce ainda subiam em direção ao céu, saídos de uma enorme chaminé de tijolos que pertencia a uma das maiores casas que Scarlett já vira na vida. Quatro andares, com torreões elegantes, sacadas e floreiras repletas de coisas lindas e de cores vivas – ibéris brancas, papoulas magenta, crânios-de-dragão tangerina. Todas, sabe-se lá como, intocadas pela neve, que começara a cair novamente.

Scarlett foi correndo até a casa, e um novo arrepio de frio percorreu sua espinha, porque ouviu barulho de passos se aproximando e uma risadinha grave surgir no meio da precipitação branca.

– Quer dizer que você não aceitou a proposta do relógio de pé, então?

A garota pulou de susto.

– Não precisa ter medo, Carmim. Sou eu. – Julian apareceu em meio às sombras de uma construção próxima, no mesmo instante em que o sol terminou de se pôr.

– Por que você ainda não entrou? – perguntou Scarlett, apontando para o castelinho, meio aliviada por não estar mais sozinha, meio nervosa por ver o marinheiro de novo. Havia poucos minutos, Julian lhe dera as costas e saíra correndo da relojoaria. E agora vinha se aproximando lentamente, como se tivesse todo o tempo do mundo.

– Talvez eu estivesse esperando você aparecer – respondeu, com um tom simpático e carinhoso.

Só que a garota achou difícil de engolir que o marinheiro tivesse simplesmente ficado parado ali, esperando por ela, ainda mais depois de tê-la abandonado daquele jeito abrupto. Julian estava escondendo alguma coisa. Ou talvez Scarlett estivesse paranoica, porque havia perdido Tella de vista na relojoaria. Tentou se convencer de que estaria com a irmã em breve. Mas e se não conseguisse encontrar Donatella lá dentro?

De perto, a mansão de madeira parecia ser ainda maior: esparrama-va-se em direção ao céu, como se os troncos das vigas ainda estivessem crescendo. Scarlett teve que espichar o pescoço para conseguir vê-la por completo, pois uma cerca de ferro com quinze metros de altura serpenteava em volta do castelinho. As curvas da cerca formavam dese-nhos tanto vulgares quanto inocentes: parecia que se movimentavam; que atuavam, até. Meninas saltitantes sendo perseguidas por meninos levados. Bruxas cavalgando tigres e imperadores em cima de elefantes. Carruagens puxadas por cavalos alados. E, no meio de tudo, uma bandeira de um carmim reluzente, bordada com o símbolo prateado do Caraval.

Se Tella estivesse ali, as duas poderiam ter rido juntas, daquele jeito que só as irmãs sabem fazer. Donatella teria fingido que não fica-ra muito impressionada. Mas, em segredo, estaria maravilhada. Não era a mesma coisa vivenciar aquilo na companhia daquele marinheiro desconhecido, que não dava a impressão de estar nem maravilhado nem impressionado.

Como Julian havia ajudado Scarlett naquele dia, ela teve de ad-mitir que ele não era exatamente o patife que parecia ser. Mas Scarlett também duvidava que Julian fosse o reles marinheiro que aparentava ser. O rapaz espiava o portão todo desconfiado, com os ombros tensos, a coluna reta e rígida. Todo aquele ar insolente que Scarlett havia testemunhado no barco desaparecera: agora Julian era uma mola bem apertada dentro de uma caixa, como se estivesse se preparando para pular e sair brigando.

— Acho que a gente devia caminhar mais um pouco e procurar o portão — sugeriu.

— Você viu aquela bandeira? — perguntou Scarlett. — A entrada só pode ser por ali.

— Não, acho que é mais para lá. Confie em mim.

Ela não confiava. Mas, depois da última burrada, tampouco confiava em si mesma. E não queria ficar sozinha de novo. Uns quinze metros mais adiante, encontraram outra bandeira.

— Parece igualzinho ao lugar onde estávamos...

— Sejam bem-vindos! — Uma garota negra, de monociclo, saiu pedalando de trás da bandeira, interrompendo Scarlett. — Vocês chegaram bem na hora.

Ela parou de pedalar e, uma por uma, as chamas dos lampiões de vidro pendurados nas lanças do portão se acenderam. Faíscas reluzentes, de um ouro azulado. *Da cor dos sonhos de infância,* pensou Scarlett.

— Adoro toda vez que isso acontece. — A garota do monociclo bateu palmas. — Agora, antes de eu deixar qualquer uma dessas duas pessoas tão respeitáveis passar, preciso ver os ingressos.

Ingressos. Scarlett havia se esquecido completamente dos ingressos.

— Ah...

— Não se preocupe, amor, estou com eles. — Julian passou o braço na cintura de Scarlett e a puxou para perto de si, do nada. E por acaso havia chamado Scarlett de "amor"?

— Entre na brincadeira, por favor — sussurrou no ouvido dela.

Enquanto isso, pôs a mão no bolso e tirou dele dois pedaços de papel, ambos um tanto murchos e enrugados por terem mergulhado no mar.

Scarlett se segurou para ficar de boca calada, porque seu nome apareceu no primeiro. Aí, a garota do monociclo levantou o outro ingresso, até as velas dos lampiões pendurados no portão iluminarem o papel.

— Que diferente. É raro a gente ver ingressos sem nome escrito.

— Algum problema? — perguntou Scarlett, ficando receosa de repente.

A monociclista olhou para Julian e, pela primeira vez, sua atitude alegre ficou murcha.

Scarlett estava prestes a explicar como havia recebido os ingressos, mas o marinheiro falou primeiro e apertou mais os ombros dela, como se quisesse alertá-la.

– Foi o Mestre-Lenda do Caraval quem enviou. Nós vamos nos casar em breve. Lenda mandou os ingressos de presente para minha noiva, Scarlett.

– Ah! – A garota do monociclo bateu palmas de novo. – Já sei tudo sobre vocês dois! Os convidados especiais do Mestre-Lenda. – Ela olhou para Scarlett com mais atenção e falou: – Eu deveria ter reconhecido seu nome, desculpe. São tantos nomes, às vezes esqueço até do meu.

Então deu risada da própria piada.

Scarlett tentou dar uma risadinha também. Mas só conseguia pensar no braço em volta de seus ombros e no fato de Julian ter usado a palavra "noiva".

– Não percam esses convites. – A monociclista passou a mão no portão, devolveu os ingressos para Julian e, por um instante, fixou o olhar nele, como se quisesse dizer mais alguma coisa. Mas aí, pelo jeito, mudou de ideia. Parou de olhar, pôs a mão no bolso do colete de retalhos e tirou um rolo de papel preto. – Agora, antes de liberar a entrada de vocês, tem mais uma coisinha. – Ela começou a pedalar mais rápido, fazendo voar fatias leitosas de neve do chão. – Este comunicado será repetido quando vocês entrarem. O Mestre-Lenda gosta que todos ouçam duas vezes.

A garota pigarreou e pedalou ainda mais rápido.

– Sejam muito bem-vindos ao Caraval! O maior espetáculo da terra e do mar. Lá dentro, vocês irão testemunhar mais maravilhas do que a maioria das pessoas consegue ver ao longo de toda uma vida. Poderão beber magia de caneca e comprar sonhos engarrafados. Mas, antes de adentrarem em nosso mundo, devem lembrar que tudo não passa de um jogo. O que acontecer atrás desses portões pode assustar ou empolgar, mas não se deixem enganar por ninguém. Tentaremos convencê-los de que tudo isso é real, mas não passa de um teatro. Um mundo de faz de conta. Sendo assim, mesmo querendo que vocês sejam arrebatados pelo Caraval, tomem cuidado para não se deixarem arrebatar demais. Sonhos que se realizam podem ser belos, mas também podem se transformar em pesadelos, se as pessoas não acordarem.

A monociclista, então, ficou em silêncio e foi pedalando cada vez mais rápido, até que os raios da roda desapareceram, sumiram diante dos olhos de Scarlett. E foi nessa mesma hora que o portão de ferro batido se abriu.

– Se vieram jogar, é melhor seguir por este caminho. – À esquerda da garota, uma trilha em curva se acendeu, iluminada por poças de cera prateada em chamas, que a faziam brilhar na escuridão. – Se vieram só assistir...

Nesse instante, ela inclinou a cabeça para a direita. Uma brisa súbita balançou os lampiões pendurados no portão e os acendeu, lançando um brilho abóbora acima de uma trilha em declive.

Julian aproximou ainda mais a cabeça de Scarlett e sussurrou:

– Não me diga que você está pensando em só assistir.

– É claro que não – respondeu ela.

Mas titubeou para dar o primeiro passo na direção contrária. A jovem ficou observando a chama das velas bruxulear no breu da noite, as sombras se escondendo atrás das árvores na penumbra e os arbustos floridos que acompanhavam a trilha reluzente que levava ao jogo.

Só vou ficar um dia, lembrou Scarlett.

NOITE DE ABERTURA DO CARAVAL

9

O céu estava um breu – a lua visitava o outro lado do mundo –, quando Scarlett pôs os pés no Caraval. Apenas umas poucas estrelas rebeldes estavam a postos, observando a garota e o marinheiro atravessarem o limiar do portão de ferro batido e entrarem em um reino que, para certas pessoas, só poderia existir em histórias fantasiosas.

De repente, o restante do universo estava na penumbra, mas a casa grandiosa ardia de luz. Todas as janelas cintilavam, com uma iluminação amanteigada que transformava as floreiras, lá embaixo, em recipientes de poeira estelar. O aroma cítrico de poucos instantes havia desaparecido. Agora, o ar denso parecia uma calda, ainda mais doce do que o ar de Trisda. E, apesar disso, Scarlett só sentiu um gosto amargo.

Sentia a presença de Julian por demais. O peso do braço dele em seus ombros, o modo como o marinheiro usava esse braço para convencê-la de suas mentiras. No portão, Scarlett estava muito nervosa, muito aflita para entrar no Caraval e encontrar a irmã. Mas, agora, estava na dúvida, achando que tinha se metido em outra enrascada.

– O que foi isso? – perguntou, por fim. Havia se desvencilhado de Julian assim que passaram pela garota do monociclo, mas os dois ainda não tinham chegado às enormes portas do castelinho. Scarlett parou bem no limite do círculo de luz tentadora que havia em volta da casa, ao lado de um chafariz, para que a água tilintante abafasse a conversa, caso alguém passasse por ali. – Por que você simplesmente não disse a verdade?

– Que verdade? – Julian soltou um ruído sinistro que não foi bem uma risada. – Tenho quase certeza de que ela não teria gostado nem um pouco.

– Mas você tinha um ingresso...

Scarlett tinha a impressão de que não estava entendendo uma piada.

– Suponho que você tenha achado que aquela garota parecia ser uma pessoa legal e que, uma hora, me deixaria entrar. – Julian deu um passo significativo na direção dela. – Você não pode esquecer do que eu falei na relojoaria: a maioria das pessoas que estão aqui não é o que aparenta ser. Aquela garota fez um teatro, planejado para fazer você baixar a guarda. Eles dizem que não querem que a gente se deixe arrebatar demais, mas esse é o objetivo desse jogo. Lenda gosta de... jogar.

A última palavra saiu com um tom irregular, como se Julian quisesse dizer outra coisa e tivesse mudado de ideia no último instante.

– Nenhum convidado foi escolhido por acaso – continuou ele. – Então, se você está imaginando por que eu menti, é porque o seu ingresso não foi enviado para um reles marinheiro.

Não, foi enviado para um conde.

O vermelhão do pânico estremeceu no peito de Scarlett, quando ela se lembrou que a carta de Lenda fora bem específica. O outro ingresso deveria ser do noivo de Scarlett. Não daquele jovem selvagem que estava diante dela, afrouxando o lenço do pescoço. Scarlett já estava se arriscando demais por decidir ficar e jogar só por um dia. Fingir que estava noiva de Julian lhe deixava com a sensação de que estava pedindo para levar um castigo. Sabe-se lá o que eles poderiam ser obrigados a fazer juntos, por causa do jogo.

Apesar de Julian ter ajudado Scarlett, mentir por ele fora um erro, e esse tipo de coisa sempre tem consequências. A vida dela como um todo era prova disso.

– Precisamos voltar lá e falar a verdade. Isso não vai dar certo. Se meu noivo ou meu pai ficarem sabendo que agi como se nós...

Em um piscar de olhos, a garota ficou com as costas grudadas no chafariz, e com as mãos do marinheiro espalmadas nas laterais de seu corpo, mãos tão maiores que as dela.

– Relaxe, Carmim. – A voz do marinheiro tinha uma suavidade pouco comum. Mas, assim que Julian falou, relaxar parecia impossível para Scarlett. A cada palavra, ele chegava mais perto, até que a casa e as luzes desapareceram, e ela só conseguia enxergar Julian. – Nada disso vai chegar aos ouvidos de seu pai nem de seu devotado conde. Depois que entrarmos naquela casa, a única coisa que importa é o jogo. Ninguém aqui liga para quem as pessoas são fora dessa ilha.

– Como você sabe disso? – perguntou Scarlett.

Julian deu um sorriso maldoso:

– Porque eu já joguei.

Em seguida, afastou-se do chafariz. As luzes brilhantes do castelinho voltaram a aparecer, mas Scarlett sentiu um arrepio descer pelos seus ombros.

Não era para menos que o marinheiro sabia de tanta coisa. A garota não deveria ter ficado chocada. No instante em que pôs os olhos nele, lá em Trisda, sentiu que não dava para confiar completamente em Julian. Mas tinha a impressão de que, por baixo das roupas feitas sob medida de Lenda, o marinheiro estava escondendo muito mais do que ela havia imaginado.

– Então é por isso que você nos ajudou a vir para esta ilha? Por que queria jogar de novo?

– Se eu disser que não, que fiz isso porque queria salvar vocês duas das garras do seu pai, você acreditaria em mim?

A garota fez que não.

Julian deu de ombros, se inclinou para trás, tirou o lenço do pescoço e o atirou por cima do ombro de Scarlett. A água fez um ruído suave quando o acessório caiu dentro do chafariz.

Agora fazia mais sentido Julian ser tão seguro de si. O fato de ter atravessado a ilha com determinação e não com maravilhamento.

– Você está me olhando como se eu tivesse feito algo de errado – disse ele.

Scarlett sabia que não deveria estar chateada, que não eram nada um do outro, mas desprezava pessoas que a enganavam. Já fora enganada o suficiente por uma vida inteira.

– E qual é o seu motivo para voltar ao Caraval?

– E por acaso preciso ter um objetivo? Quem não quer assistir aos magníficos artistas do Caraval? Ou ganhar um dos prêmios que oferecem?

– Não sei por que, mas não acredito nisso.

Scarlett poderia até pensar que Julian estava ali pelo prêmio daquele ano – *ter um desejo realizado* –, mas algo no fundo de seu ser lhe dizia que não era por isso. Desejos que se realizam são coisas do reino das maravilhas, que exigem certa dose de fé, e o marinheiro, pelo jeito, era do tipo que só acreditava no que via.

O jogo mudava todos os anos, mas diziam que certas coisas continuavam iguais. Sempre era uma espécie de caça ao tesouro envolvendo um objeto supostamente mágico – uma coroa, um cetro, um anel, uma tabuleta ou um pingente. E os vencedores dos anos anteriores sempre eram convidados a jogar de novo, com direito a acompanhante. Só que Scarlett não conseguia imaginar que Julian precisasse disso, já que ele era bom em encontrar pessoas que podiam ajudá-lo a entrar no jogo.

Ela nem sequer sabia se acreditava ou não em desejos que se realizam e não conseguia imaginar que Julian estava ali atrás de um. Não, não foi o sonho de realizar um desejo, a magia ou a fantasia que atraíra o marinheiro até aquela ilha.

– Diga o verdadeiro motivo para você estar aqui – declarou Scarlett.

– Pode acreditar quando digo que é melhor você não saber. – Julian ficou com uma expressão preocupada e completou: – Só vai estragar a sua diversão.

– Você está falando isso só porque não quer me contar a verdade.

– Não, Carmim. Desta vez, estou falando a verdade.

Julian olhou bem nos olhos de Scarlett, imóvel e impassível, um olhar que exigia o mais absoluto controle. Com um arrepio, ela percebeu que o marinheiro insolente que vira no bote era, em parte, um teatro. A garota se deu conta de que, se assim desejasse, Julian poderia continuar atuando, continuar representando o papel do sujeito que topara com ela, a irmã e todo aquele jogo por acaso. Mas o marinheiro dava a impressão de querer que Scarlett percebesse que a história não estava bem contada, por mais que se recusasse a revelar o que estava escondendo.

– Não vou discutir isso com você, Carmim. – Julian se empertigou, ficando até mais alto de tanto que espichou as costas e os ombros, como se tivesse chegado a uma conclusão súbita. – Pode acreditar quando falo que tenho bons motivos para querer entrar naquela casa. Se você quiser me denunciar, não vou te impedir nem recriminar você por isso. Por mais que eu tenha, sim, salvado sua vida hoje.

– Você só fez isso para me usar de ingresso e entrar no jogo.

A expressão de Julian se anuviou.

– É isso mesmo que você pensa?

Por um instante, ele pareceu sinceramente magoado.

Scarlett sabia que Julian estava tentando manipulá-la. Tinha experiência suficiente para reconhecer os sinais. Infelizmente, apesar de ser usada pelo pai ter sido uma constante ao longo de toda a sua vida – ou, talvez, justamente *por isso* –, nunca foi fácil para ela fugir desse tipo de situação. Por mais que quisesse se afastar de Julian, não podia ignorar o fato de que o rapaz *havia* salvado sua vida.

– E minha irmã? Essa mentira pode afetar seu relacionamento com ela.

– Eu não chamaria o que aconteceu entre nós de "relacionamento". – O marinheiro deu um piparote em um fiapo solto no ombro da casaca, como se fosse assim que visse Tella, e completou: – Sua irmã me usou tanto quanto eu a usei.

– E agora você está fazendo a mesma coisa comigo.

– Não faça essa cara tão desconcertada. Eu já participei desse jogo. Posso te ajudar. E nunca se sabe: você pode até gostar. – A voz de Julian adotou um ritmo mais sedutor, e ele voltou a ser o marinheiro displicente de sempre. – Muitas garotas gostariam de ter a sua sorte.

Dito isso, passou o dedo gelado no rosto de Scarlett.

– Pare. – Ela se afastou, e a pele da garota ficou formigando onde o marinheiro encostou. – Se formos continuar com essa farsa, não pode mais acontecer... *isso*, a menos que seja absolutamente necessário. Eu ainda tenho um noivo de verdade. Só porque vamos falar que estamos noivos, não quer dizer que precisamos nos comportar como tal se não tiver ninguém olhando.

Ele esboçou um sorriso e perguntou:

– Quer dizer então que você não vai me denunciar?

Julian era a última pessoa com quem Scarlett queria fazer uma aliança. Mas ela tampouco queria se arriscar a ficar na ilha por mais de um dia. O marinheiro já havia participado do jogo antes, e a jovem tinha a sensação de que precisaria da ajuda dele se quisesse encontrar logo a irmã.

Bem nessa hora, um grupo de pessoas chegou ao portão. Mesmo longe, dava para ouvir o ruído abafado das conversas e o eco das palmas da garota do monociclo.

Dentro da casa, um som de violino, mais intenso que o mais amargo dos chocolates, começou a tocar. A música alcançou o lado de fora e sussurrou nos ouvidos de Scarlett enquanto Julian lançava um sorriso sedutor, com contornos desavergonhados e promessas imorais. Era um convite para ir a lugares nos quais jovens damas decentes nem sequer pensam, muito menos conhecem. Scarlett não queria imaginar as coisas que aquele sorriso havia convencido outras garotas a fazer.

— Não me olhe assim — disse. — Isso não funciona comigo.

— E é por isso que é tão divertido.

10

Scarlett amava a avó, mas a via como uma daquelas mulheres que nunca superou completamente o fato de ter envelhecido. Passara os últimos anos de sua vida aproveitando-se da grandiosidade de sua juventude. Do quanto fora bonita. Do quanto fora adorada pelos homens. Da vez em que usou um vestido roxo durante o Caraval que causou inveja em todas as garotas.

Ela mostrou o vestido para Scarlett em várias ocasiões. Quando a jovem ainda era pequena – antes de começar a odiar a cor roxa –, acreditava que era mesmo o vestido mais lindo que já vira na vida.

– Posso usar? – pediu, certo dia.

– É claro que não! Este vestido não é brinquedo.

Depois disso, vovó escondeu o traje. Mas ele permaneceu na lembrança de Scarlett.

Naquela noite, quando as portas do castelinho se escancararam, a garota pensou no vestido. E duvidou de que sua avó tivesse de fato vivenciado uma apresentação do Caraval, porque não conseguia imaginar o tal vestido roxo se destacando em um lugar tão espetacular.

Um carpete vermelho e fofo amortecia seus passos, suaves luzes douradas lambiam seus braços com delicados e calorosos beijos. O calor estava por toda parte, sendo que, há um piscar de olhos, o mundo estava coberto de frio. O ar tinha gosto de luz, borbulhou na língua e ficou açucarado ao descer pela garganta, fazendo tudo formigar, da ponta dos dedos dos pés até as pontas dos dedos da mão.

– Que...

Scarlett ficou sem palavras. Queria dizer "lindo" ou "maravilhoso". Mas essas impressões, de repente, lhe pareceram comuns demais para descrever uma visão tão incomum.

O castelinho não era o que parecia ser do lado de fora. As portas pelas quais Scarlett e Julian entraram não levaram os dois para o interior de uma casa, mas para uma sacada – e olhe que a sacada devia ser, provavelmente, do tamanho de uma casa pequena. Era coberta por uma copa de lustres de cristal, forrada por tapetes fofos cor de amora e ladeada por corrimões folheados a ouro e balaustradas arqueadas que cercavam pesadas cortinas de veludo vermelho.

As cortinas se fecharam por um instante depois que Scarlett e Julian entraram, mas deu tempo de a garota ver, de relance, a grandiosidade do que havia atrás delas.

O marinheiro não parecia impressionado, mas conseguiu dar uma risadinha irônica enquanto Scarlett continuava tentando encontrar as palavras.

– Sempre me esqueço de que você nunca saiu daquela sua ilhazinha – falou.

– Qualquer pessoa acharia isso incrível – retrucou Scarlett. – Você viu quantas sacadas? Tem, pelo menos... dezenas! E, lá embaixo, parece um reino em miniatura.

– Você achava que ia ser só uma casa normal?

– Não, claro que não. Do lado de fora, dava para ver que era bem maior do que uma casa normal.

Mas não tão maior ao ponto de conter o mundo sob a sacada. Sem conseguir controlar a empolgação, a garota se aproximou da beirada, mas se conteve quando chegou mais perto das grossas cortinas vermelhas fechadas.

Julian chegou perto dela e abriu um pouco a cortina.

– Acho que não é para a gente encostar nisso aí – censurou Scarlett.

– Ou talvez seja por isso que fecharam quando a gente entrou, porque querem que a gente abra – insistiu o marinheiro, abrindo ainda mais a cortina.

Scarlett tinha certeza de que Julian estava infringindo alguma regra, mas não conseguiu se conter, teve que chegar mais perto e se maravilhar com o reino inacreditável que havia lá embaixo, a mais de trinta metros de distância. Lembrava as ruas pavimentadas nas quais Scarlett e Julian tinham acabado de se aventurar, só que aquele lugarejo não estava abandonado: parecia um livro ilustrado que ganhou vida. Ela olhou para baixo e viu telhados pontudos e brilhantes, torres cobertas de limo, casinhas de biscoito de gengibre, pontes douradas reluzentes, ruas de tijolos azuis, chafarizes borbulhantes, tudo iluminado por lustres de velas pendurados por toda parte, dando a impressão de que não era nem dia nem noite.

Era, mais ou menos, do mesmo tamanho que o vilarejo de Scarlett, lá em Trisda, mas parecia espetacularmente maior, assim como uma palavra parece maior quando tem um ponto de exclamação grudado nela. As ruas pareciam tão cheias de vida que a garota jurou que se movimentavam.

– Não consigo entender como fizeram um mundo inteiro caber aqui dentro – comentou.

– Não passa de um teatro muito bem planejado.

O marinheiro disse isso com um tom seco, desviou o olhar da cidadela e o dirigiu para as dezenas de sacadas, todas com vista para a mesma paisagem curiosa.

Até então, Scarlett não havia se dado conta, mas Julian tinha razão. As sacadas formavam um círculo – um enorme círculo. Ficou significativamente desanimada. Às vezes, levava um dia inteiro para localizar Tella na mansão do pai. Como é que ia encontrar a irmã ali?

– Olhe tudo com atenção enquanto pode – avisou Julian. – Vai ajudar quando tivermos que andar lá embaixo. Depois, não voltaremos para cá, a menos que...

– *Hãn-hãn.* – No fundo da sacada, alguém pigarreou. – Vocês precisam se afastar e fechar essas cortinas.

Scarlett se virou imediatamente, apavorada. Por um instante, teve medo de serem expulsos por terem desobedecido a alguma regra. Mas Julian foi soltando a cortina com toda a calma e perguntou:

– E você é quem mesmo?

O marinheiro olhou feio para o intruso, como se fosse o jovem cavalheiro recém-chegado que estivesse fazendo algo de errado.

– Pode me chamar de Rupert.

O rapaz olhou para Julian com igual desdém, como se soubesse que Julian não deveria estar ali. De um jeito pomposo, ajeitou a cartola. Sem ela, provavelmente, devia ser mais baixo do que Scarlett.

À primeira vista, parecia um cavalheiro usando calças cinza impecáveis e casaca. Mas, quando se aproximou de Scarlett, ela percebeu que era apenas um garoto vestido com trajes de adulto. Ele tinha aquelas bochechas fofas de criança, e os braços e as pernas, pelo jeito, ainda não haviam terminado de crescer, apesar de cobertos com roupas sofisticadas. Scarlett pensou que a fantasia de Rupert poderia ser uma homenagem a Lenda, famoso pelas cartolas e pelos trajes finos.

— Estou aqui para repassar as regras e responder às perguntas que vocês possam ter antes de entrarem oficialmente no jogo.

Sem nenhum floreio, Rupert repetiu o mesmo discurso da garota do monociclo.

Scarlett só queria que a deixassem entrar logo no jogo. Conhecendo Donatella, ela já deveria ter se apaixonado por algum tipo novo de encrenca.

Julian cutucou suas costelas e avisou:

— Você precisa ouvir.

— Já ouvimos esse discurso.

— Tem certeza? — sussurrou o marinheiro.

— Quando entrarem, serão apresentados a um mistério que precisa ser solucionado — explicou Rupert. — As pistas estarão escondidas por todo o jogo, para ajudá-los ao longo da investigação. Queremos que vocês sejam arrebatados, mas tomem cuidado para não se deixarem arrebatar demais — repetiu o garoto.

— O que acontece se alguém se deixar arrebatar demais? — questionou Scarlett.

— Normalmente, é aí que as pessoas morrem ou enlouquecem — respondeu Rupert, com tamanha calma que Scarlett pensou que ele não havia entendido a pergunta. Com igual compostura, o garoto tirou a cartola e, de dentro dela, sacou dois pergaminhos. Entregou os papéis cor de creme para Scarlett e Julian, como se fosse para os dois lerem, mas a letra era absurdamente pequena. — Preciso que cada um assine com uma gota de sangue.

— Para quê? — questionou Scarlett.

— O documento confirma que vocês ouviram as regras, duas vezes, e que nem a Organização do Caraval nem o Mestre-Lenda podem ser responsabilizados caso aconteça algum acidente inesperado, loucura ou morte.

– Mas você disse que nada do que acontece lá dentro é real – argumentou Scarlett.

– Às vezes, as pessoas confundem fantasia e realidade. E isso pode resultar em acidentes. É raro de acontecer – completou Rupert. – Se está com medo, não precisa jogar. Pode apenas assistir.

Ele parecia quase entediado quando terminou de falar, e a jovem teve a sensação de que estava se preocupando à toa.

Scarlett podia enxergar Tella dizendo, se estivesse ali: "Você só vai ficar por um dia. Se passar esse tempo sentada, apenas assistindo, vai se arrepender".

Só que era difícil de engolir a ideia de assinar um contrato com sangue.

Mas, se Tella estivesse jogando e Scarlett resolvesse não jogar, a garota talvez não conseguisse encontrar a irmã. E, se isso acontecesse, seria impossível ir embora no dia seguinte e chegar em casa em tempo de se casar com o conde. Mesmo com a explicação de Rupert, Scarlett ainda estava meio confusa em relação aos detalhes do jogo. Tentou descobrir tudo o que podia com a avó, mas a mulher sempre foi vaga. Em vez de fatos, passou para a neta impressões romantizadas, que estavam começando a parecer meio equivocadas. Imagens pintadas por uma idosa que via o próprio passado como queria que tivesse sido e não como realmente foi.

Scarlett olhou para Julian. Sem pensar duas vezes, o marinheiro deixou Rupert furar seu dedo com uma espécie de espinho e pressionar a ponta que estava sangrando na parte inferior de um dos contratos. A garota se lembrou de quando o Caraval parou de sair em turnê por um tempo, há alguns anos. Uma mulher foi assassinada. Ela não sabia detalhes nem por quê. Sempre supôs que havia sido apenas um trágico acidente, sem nenhuma relação com o jogo. Só que, agora, Scarlett desconfiava que a mulher poderia ter se deixado levar, além da conta, pela ilusão do Caraval.

Mas Scarlett havia participado dos joguinhos distorcidos do pai por muitos anos. Sabia quando estava sendo enganada e não conseguia se imaginar ficando tão confusa em relação à realidade ao ponto de perder a vida ou de enlouquecer. Ainda assim, isso não significava que não estivesse nervosa quando estendeu a mão. Sabia que qualquer tipo de jogo tem um custo.

Rupert furou seu dedo anelar, tão rápido que a garota mal percebeu. Mas, quando apertou o dedo na parte inferior do delicado papel, teve a impressão de que todas as luzes se apagaram por um instante. Quando tirou o dedo, o mundo ficou com cores ainda mais vivas. Ela teve a sensação de que podia sentir o gosto do vermelho das cortinas. Bolo de chocolate encharcado de vinho.

Scarlett só tomara um golinho de vinho na vida, mas pensou que nem sequer uma garrafa inteira poderia causar uma euforia tão iridescente quanto aquela. Apesar dos medos, sentiu um instante de puro júbilo, algo com o qual não estava acostumada.

– O início oficial do jogo é amanhã, ao pôr do sol. O término é ao raiar do sol do 19º dia da estação. Todos têm cinco noites para jogar – prosseguiu Rupert. – Cada um de vocês receberá uma pista para começar a jornada. Depois, terão que encontrar as outras pistas sozinhos. Recomendo que ajam rápido. Há apenas um prêmio, e muitas pessoas estarão procurando por ele.

Dito isso, se aproximou e entregou um cartão para cada um.

Estava escrito *La Serpiente de Cristal*.

A Serpente de Cristal.

– O meu diz a mesma coisa – falou Julian.

– Essa é nossa primeira pista? – questionou Scarlett.

– Não – respondeu Rupert. – Esse é o endereço das acomodações que foram preparadas para vocês. Em seus quartos encontrarão a primeira pista, mas só se conseguirem dar entrada na estalagem antes de o sol raiar.

– O que acontece quando o sol raiar? – indagou Scarlett.

Como se não tivesse ouvido a pergunta, o garoto puxou um cordão que havia perto da beirada da sacada e abriu as cortinas. Pássaros cinzentos voaram pelos céus, e, debaixo deles, as ruas coloridas tinham mais gente do que antes, ao passo que as sacadas tinham menos – os anfitriões haviam permitido que todos saíssem ao mesmo tempo.

Outra onda de empolgação prateada tomou conta de Scarlett. Estava no Caraval. Imaginara o evento mais do que havia sonhado com o próprio casamento. Apesar de só poder ficar por um dia, já sentia que seria difícil ir embora.

Rupert se despediu tirando a cartola e dizendo:

– Não se esqueçam: não se deixem enganar pelos seus olhos nem pelos seus sentimentos.

Em seguida, subiu no parapeito da sacada e pulou.

– Não! – gritou Scarlett, ficando sem cor ao vê-lo cair.

– Não se preocupe – falou Julian. – Olhe lá. – O marinheiro apontou para o parapeito, e a casaca do garoto se transformou em asas. – Rupert está bem, só fez uma saída teatral.

Resumido a uma faixa de tecido cinzento, o garoto continuou planando, até ficar parecido com um dos grandes pássaros que voavam pelos céus.

Pelo jeito, Scarlett já estava se deixando enganar pelos próprios olhos.

– Vamos lá. – Julian foi saindo da sacada, com passos determinados, dando a entender que esperava que Scarlett o seguisse. – Caso tenha prestado atenção, deve ter ouvido Rupert dizer que tudo fecha ao amanhecer. O horário do jogo é reverso. As portas se fecham com o nascer do sol e só são abertas depois do pôr do sol. Não temos muito tempo para encontrar nossas acomodações.

O marinheiro parou de andar. Aos seus pés, havia um alçapão aberto. Devia ter sido por ali que Rupert entrou sem ser visto. O alçapão dava acesso a uma enorme escadaria de mármore preto, que descia em espiral, feito o interior de uma concha escura, iluminada por arandelas de velas cristalinas, que pingavam cera.

– Carmim... – Julian a fez parar na soleira da porta. Por um instante, ficou com uma expressão dividida, parecida com a que fez durante os tensos segundos que antecederam sua partida da relojoaria, deixando Scarlett para trás.

– Que foi? – perguntou ela.

– Temos que nos apressar.

O marinheiro deixou a garota ir na frente. Mas, depois de alguns lances de escada, Scarlett se arrependeu por não ter deixado Julian ir na frente ou que ele simplesmente a tivesse deixado sozinha. Ela até achava que Julian faria isso quando terminassem de descer a escada. De acordo com o marinheiro, todos os passos que ela dava eram lentos demais.

– Não temos a noite toda – repetiu. – Se não chegarmos à Serpente antes do amanhecer...

– Ficaremos na rua, no frio, até amanhã à noite. Sei disso. Estou indo o mais rápido que posso.

Scarlett achou que a sacada tinha uns trinta metros de altura, mas agora pareciam cem. Jamais conseguiria encontrar Donatella.

Tudo poderia ser bem diferente se seu vestido não fosse tão justo. Ela tentou mais de uma vez fazê-lo mudar de forma com a força do pensamento, mas o vestido continuou determinado a permanecer imutável. Quando Scarlett finalmente saiu da escadaria na companhia de Julian, suas pernas tremiam, e uma fina camada de suor cobria suas coxas.

Lá fora, o ar era ainda mais gelado e um tanto úmido. Mas não havia neve em nenhuma das ruas, ainda bem. A umidade vinha dos canais. Scarlett não havia reparado, quando estava lá em cima, que uma a cada duas ruas era composta de água. Gôndolas listradas, em forma de meia-lua, iam e vinham, com cores vivas como as dos peixes tropicais, todas conduzidas por rapazes ou garotas mais ou menos da sua idade.

Mas nem sinal de Donatella.

Julian foi logo fazendo sinal para uma das embarcações parar. Era azul-piscina, com listras vermelhas, capitaneada por uma jovem gondoleira vestida com as mesmas cores. Seus lábios também estavam pintados de vermelho, e Scarlett reparou que se entreabriram bastante quando Julian se aproximou.

— O que posso fazer por vocês, meus encantos? — perguntou a gondoleira.

— Oh, acho que encantadora é você. — Julian passou as mãos no cabelo e lançou para a garota um olhar que era pura mentira e outras coisas pecaminosas. — Você consegue nos levar até a La Serpiente de Cristal antes de o sol raiar?

— Posso levá-los aonde quiserem, desde que estejam dispostos a pagar.

A garota de lábios vermelhos enfatizou a palavra "pagar", reforçando o que Scarlett já havia concluído, lá na relojoaria: o dinheiro não era a principal moeda usada naquele jogo.

Julian permaneceu inabalado.

— Disseram que a primeira condução da noite seria grátis. Minha noiva aqui é convidada especial do Mestre-Lenda — declarou.

— É mesmo? — A garota espremeu um dos olhos, como se não acreditasse em Julian. Mas, para surpresa de Scarlett, fez sinal para os dois subirem na gôndola. — Eu é que não vou decepcionar os convidados especiais de Lenda.

O marinheiro subiu rapidamente na embarcação, com movimentos ágeis, e fez sinal para sua acompanhante subir também. A gôndola parecia ser mais robusta do que o bote que haviam usado e tinha bancos com almofadas em capitonê. Só que Scarlett não conseguia criar coragem para sair da rua calçada.

— Este barquinho não vai afundar — disse Julian.

— Não é disso que tenho medo. E se a minha irmã estiver por aqui procurando pela gente?

— Bom, espero que alguém avise Tella que o sol já vai nascer.

— Você não se importa nem um pouco com ela, né?

— Se eu não me importasse, não torceria para alguém avisá-la que o sol já vai nascer. — O marinheiro, impaciente, fez sinal para Scarlett entrar no barco. — Você não precisa se preocupar, *amor*. Devem ter reservado um quarto para Donatella na mesma estalagem.

— E se não tiverem feito isso?

— Nesse caso, a probabilidade de encontrá-la indo de barco continua sendo maior. De gôndola, iremos mais rápido.

— Ele tem razão — disse a gondoleira. — O dia logo vai raiar. Mesmo que você encontrasse sua irmã, não conseguiria chegar andando à La Serpiente antes de o sol nascer. Me fale como é sua irmã, para eu ficar de olho durante o trajeto.

Scarlett queria discutir. Mesmo que não conseguisse encontrar Tella antes de o sol nascer, queria fazer tudo o que estivesse ao seu alcance. Imaginava que aquele era o tipo de lugar onde alguém poderia se perder e jamais ser encontrado.

Só que Julian e a gondoleira tinham razão: iriam mais rápido se utilizassem a embarcação de meia-lua. Scarlett não sabia quanto tempo se passara desde que o curioso sol da ilha havia desaparecido, mas tinha certeza de que, naquele lugar, o tempo passava de um jeito diferente.

— Minha irmã é mais baixa do que eu e muito bonita. Tem um rosto meio redondo e longos cachos loiros.

Scarlett tinha o cabelo mais escuro da mãe, e Tella herdara os cachos claros do pai.

— O cabelo mais claro deve ser mais fácil de encontrar — declarou a gondoleira.

Só que, até onde Scarlett pôde perceber, a garota passou mais tempo olhando para o belo rosto de Julian do que procurando Tella.

O marinheiro foi igualmente inútil. Enquanto singravam as águas azul-noite, Scarlett teve a sensação de que o rapaz estava procurando algo que não era sua irmã mais nova.

– Você pode remar mais rápido? – perguntou Julian. Um músculo de seu maxilar estremeceu.

– Para quem não está pagando, você é bem exigente. – A gondoleira deu uma piscadela para ele, mas a expressão séria de Julian não mudou.

– Qual é o problema? – indagou Scarlett.

– Nosso prazo está acabando.

Uma sombra se abateu sobre o marinheiro, porque diversos dos lampiões enfileirados na água se apagaram. A gôndola avançou, e mais velas se apagaram. A fumaça exalada por elas foi se dissipando, lançando uma névoa na água e nas poucas pessoas que ainda estavam nas ruas.

– É assim que vocês sabem que horas são por aqui? Os lampiões vão se apagando à medida que o amanhecer se aproxima?

Scarlett olhou em volta, ansiosa, e Julian fez que sim, com uma expressão de pesar. Mais um conjunto de velas perdeu a chama e se transformou em fumaça.

A gôndola finalmente parou, sacolejando, na frente de um deque comprido e bambo. Passando o deque, uma porta verde berrante observava Scarlett, feito um olho reluzente. As paredes ao redor da porta eram cobertas de heras. E, apesar de boa parte da construção ter sido engolida pela noite, havia dois lampiões moribundos iluminando a placa em cima da entrada: uma serpente branca enroscada em um cacho de uvas escuras.

Julian já havia saído da gôndola. Segurou o pulso de Scarlett e a ajudou a subir no deque.

– Ande mais rápido! – disparou.

Um dos lampiões acima da entrada se apagou, com um suspiro, e a cor da porta também pareceu ficar mais apagada. Mal dava para ver Julian abrindo a porta e empurrando Scarlett lá para dentro.

Ela entrou cambaleando. Mas, antes que o marinheiro também pudesse entrar, a porta se fechou com um estrondo. Fez um ruído de madeira batendo em madeira, e um ferrolho pesado deslizou até a tranca, deixando-o do lado de fora, ao relento.

11

— **N**ão!

Scarlett tentou abrir a porta, mas uma mulher corpulenta, de touca, já estava colocando um cadeado pesado no ferrolho.

— Você não pode fazer isso. Meu...

Scarlett ficou em dúvida. Por algum motivo, tinha a impressão de que a mentira seria mais verdadeira se a dissesse em voz alta. Aquilo lhe dava a sensação de estar traindo o conde, de certo modo. Julian prometera que nada que transcorresse durante o jogo chegaria aos ouvidos do pai ou do verdadeiro noivo da garota. Mas como ela poderia ter certeza disso? Até porque, o marinheiro não iria de fato passar *a noite* ao relento.

Só que, pelo jeito, os dias naquela ilha poderiam ser piores do que as noites. Scarlett se lembrou do vilarejo abandonado e gélido pelo qual haviam passado, antes de chegar ao castelinho. Se Julian ficasse mesmo ao relento, seria porque deixou Scarlett ir na frente, lá na escada. O rapaz correra o risco de perder o que queria para que ela pudesse ficar bem. Scarlett não podia abandoná-lo.

— ...meu noivo. Está lá fora, a senhora precisa deixá-lo entrar.

— Sinto muito — disse a estalajadeira. — Regras são regras. Quem não consegue entrar antes de a primeira noite chegar ao fim perde o direito de jogar.

Perde o direito de jogar?

— Não foram essas as regras que eu ouvi.

Só que Scarlett não ouvira todas as regras com atenção. E aí se deu conta de que era por isso que Julian estava tão ansioso lá na gôndola.

— Sinto muito, querida. — Na verdade, a estalajadeira não parecia estar tão chateada assim. — Odeio separar os casais, mas não posso desobedecer às regras. Quando o sol nasce e a porta é trancada, ninguém pode entrar nem sair naquele dia, até o sol...

— Mas o sol não raiou ainda! — argumentou Scarlett. — Ainda é noite. Você não pode deixá-lo ao relento.

A mulher continuou lançando um olhar de pena para a garota, mas a expressão dura de sua boca não mudou. Era óbvio que não iria mudar de ideia.

Scarlett tentou pensar no que Julian faria se estivesse em seu lugar. Por alguns instantes, imaginou que, talvez, o marinheiro nem ligasse. Mas, apesar de ter abandonado Scarlett no bote e na relojoaria, também havia voltado — e, mesmo que tenha sido só para poder usá-la e entrar no jogo, a garota ainda estava agradecida por ele ter voltado.

Criando a coragem que reservava para proteger a irmã, Scarlett endireitou a postura e declarou:

— Acho que a senhora está cometendo um erro. Eu me chamo Scarlett Dragna, e somos convidados especiais do Mestre-Lenda do Caraval.

Os olhos da estalajadeira se arregalaram quase com a mesma rapidez que suas mãos abriram a tranca.

— Ah, você deveria ter dito isso antes!

A porta se escancarou. Lá fora, a noite estava com aquele tom desesperançado de preto que só aparece quando o sol está prestes a raiar.

— Julian! — Scarlett achou que iria vê-lo do outro lado da porta, mas só viu aquele breu implacável. Seu coração bateu acelerado. — Julian!

— Carmim?

Não conseguia enxergar o marinheiro, mas ouviu as botas de Julian batendo no deque, no mesmo ritmo acelerado da pulsação dela.

Seu coração continuou acelerado mesmo depois de o rapaz ter entrado na estalagem. O fogo da lareira que iluminava o vestíbulo era fraco, os poucos tocos de lenha em brasa mal emitiam luz suficiente para enxergar. Mas ela podia jurar que Julian estava com uma expressão perturbada, como se os instantes passados ao relento tivessem lhe custado algo valioso. Scarlett conseguia sentir a noite que ainda pairava sobre ele, umedecendo as pontas do cabelo castanho-escuro.

Ao longe, sinos começaram a dobrar, sinalizando o raiar do dia. Se Scarlett tivesse esperado mais alguns segundos, teria sido tarde demais para salvar a pele de Julian. Ela resistiu ao inesperado impulso de abraçá-lo. Aquele marinheiro até podia ser um patife e um mentiroso. Mas era tudo o que ela tinha no jogo até encontrar a irmã.

– Você me assustou – disse.

E, pelo jeito, Scarlett não era a única que havia ficado assustada.

O rosto da estalajadeira estava ainda mais pálido quando ela trancou a porta pela segunda vez.

Julian se aproximou de Scarlett, colocou a mão na base da sua coluna, com delicadeza, e perguntou:

– Como foi que você convenceu essa mulher a me deixar entrar?

– *Áhn...* – Scarlett não queria contar o que realmente havia dito. – Só falei que o sol ainda não tinha raiado.

Julian ergueu as sobrancelhas, cético.

– Talvez eu também tenha falado que vamos nos casar – completou Scarlett.

"Mi-nha men-ti-ro-si-nha", falou Julian, sem emitir som. Seus lábios se entreabriram de leve, e ele foi se aproximando devagar.

Scarlett ficou rígida. Por um instante, achou que o marinheiro fosse beijá-la, mas Julian apenas sussurrou "Obrigado". E ficou com os lábios bem perto do seu ouvido, fazendo cócegas em sua pele. Então pressionou suas costas com um pouco mais de força, fazendo-a estremecer.

Por algum motivo, aquele gesto parecia muito íntimo.

Scarlett foi se afastando bem devagar, mas Julian continuou com as mãos em sua cintura, impedindo que ela se afastasse. Em seguida, se virou para a estalajadeira. Ela foi logo se escondendo atrás da grande mesa verde-oliva que ocupava boa parte daquele cômodo de pé-direito alto.

– Também lhe agradeço – disse Julian. – Muito obrigado pela gentileza que a senhora nos fez essa noite.

– Ah, não foi nada – respondeu a estalajadeira. Mas Scarlett jurou que ela ainda estava abalada. Seus dedos tremiam quando ajeitou a touca. – Como falei para sua noiva, odeio separar os casais. Na verdade, tenho acomodações especiais para vocês dois.

A estalajadeira ficou mexendo na mesa até encontrar duas chaves de vidro. Uma tinha o número oito gravado, e a outra, o número nove.

– É fácil de achar, é só subir a escada da esquerda.

Dito isso, entregou as chaves com uma piscadela.

Scarlett torceu para aquela piscadela ser apenas um tique nervoso. Nunca foi muito fã de piscadelas. O pai gostava de piscar. Normalmente, depois de fazer algo condenável. A garota achava que aquela estalajadeira robusta não havia feito nada de nefasto com os quartos dos dois, mas aquelas chavezinhas de vidro, combinadas com aquele gesto pequeno e fortuito, deixaram Scarlett com uma vibração nervosa, azul-gelo.

Ela tentou se convencer de que era coisa de sua cabeça. Talvez as chaves também tivessem alguma relação com o jogo. Talvez abrissem não apenas os quartos oito e nove, mas algo a mais, e tenha sido isso que a estalajadeira quis dizer com "acomodações especiais".

Ou, quem sabe, os dois simplesmente tivessem recebido quartos com uma bela vista dos canais.

A estalajadeira explicou que havia um lavabo e um cômodo com banheira, para tomarem banho, em cada corredor.

– A Taverna de Vidro fica à direita. Fecha uma hora depois do amanhecer e abre uma hora antes do entardecer.

De dentro da taverna emanava uma luz cor de jade, vinda de lustres de esmeralda pendurados acima das mesas de vidro, que tilintavam com os cálices e as conversas enfadonhas dos fregueses. O lugar cheirava a cerveja azeda e conversas mais azedas ainda. Já estava fechando. Só restava um punhado de fregueses, de diferentes tons de pele e traços variados. Parecia que havia gente de todos os continentes ali. Mas nenhuma delas tinha cabelo loiro cacheado.

– Tenho certeza de que você vai encontrar Tella amanhã – disse Julian.

– Ou, talvez, minha irmã já esteja no quarto dela. – Scarlett se virou para a estalajadeira e perguntou: – A senhora poderia nos dizer se uma moça chamada Donatella Dragna está hospedada aqui?

A mulher hesitou. Scarlett podia jurar que ela reconheceu o nome da irmã.

– Lamento, queridos, não posso dar informações sobre os outros hóspedes.

– Mas é minha irmã.

– Mesmo assim, não posso ajudar. – A mulher lançou um leve olhar de pânico, dividido entre Julian e Scarlett. – São as regras do jogo. Se ela estiver aqui, vocês mesmos é que terão de encontrá-la.

– A senhora não pode...

Julian pressionou as costas de Scarlett, e então os lábios do marinheiro estavam mais uma vez encostados nos ouvidos da garota.

– Ela já nos fez um favor por hoje – alertou.

– Mas...

Scarlett começou a discutir, mas parou ao ver a expressão de Julian. Algo em seu rosto ia além da cautela, era bem mais parecido com medo.

O cabelo castanho-escuro do marinheiro caiu sobre seus olhos, porque ele se aproximou de Scarlett novamente e sussurrou:

– Sei que você quer encontrar sua irmã. Mas, nesta ilha, segredos são valiosos. Cuidado para não revelar os seus a troco de nada. Se souberem o que você mais deseja, as pessoas podem usar isso contra você. Vamos.

Dito isso, Julian se dirigiu à escada.

Scarlett sabia que já era dia, mas os corredores em curva da La Serpiente tinham cheiro de fim de noite, de suor e fumaça de lareira prestes a apagar, misturado com o bafo persistente das palavras cujos fantasmas ainda assombravam o ar. Pelo jeito, a numeração das portas não seguia nenhuma ordem específica. O quarto dois ficava no segundo andar, e o um, no terceiro. A porta verde-petróleo do quarto cinco vinha depois da porta framboesa do quarto onze.

Todos os corredores do quarto andar eram revestidos por um papel de parede aveludado, com listras grossas pretas e cor de creme. Scarlett e Julian finalmente encontraram os quartos, no meio do corredor. Vizinhos um do outro.

Scarlett parou diante da porta arredondada do quarto oito, e Julian ficou esperando que ela entrasse.

Parecia que os dois tinham passado mais do que apenas um dia juntos. Até que o marinheiro não havia sido uma companhia tão terrível. A garota sabia que não teria chegado até ali sem a ajuda dele.

– Estava pensando, amanhã...

– Se eu encontrar com a sua irmã, aviso que você está procurando por ela.

Julian falou com um tom educado, mas ficou óbvio que estava dispensando Scarlett.

Então era isso.

Ela sabia que não devia ficar surpresa nem chateada porque a parceria dos dois chegara ao fim. O marinheiro tinha prometido que a ajudaria, mas Scarlett já o conhecia o suficiente para saber que, quando Julian queria alguma coisa, dizia o que fosse necessário para alcançar seu objetivo. Ela não sabia quando começara a esperar mais daquele rapaz. Nem por quê.

Lembrou-se do que Julian havia dito na relojoaria, quando Scarlett pensou que ele se importava com Tella. "Desconfio que você ache que sou uma pessoa melhor do que realmente sou". Julian usava as pessoas. O fato de ter usado Scarlett foi vantajoso para os dois. Mas, ainda assim, ele a usou. A garota também se lembrou da primeira impressão que teve do marinheiro: alto, de uma beleza rústica. E perigoso, feito veneno disfarçado em um frasco atraente.

Era melhor ficar longe dele. Mais seguro. Julian podia até ter ajudado Scarlett naquele dia, mas ela não podia baixar a guarda: é claro que o marinheiro estava ali para conquistar seus próprios objetivos. E, depois que encontrasse a irmã, na noite seguinte, Scarlett não estaria mais sozinha. Nem ficaria ali por muito tempo.

– Adeus – disse, curta e grossa como Julian fora poucos instantes atrás.

E, sem dizer mais nada, virou-se e entrou no quarto.

A lareira já estava acesa, transmitindo luz e calor, lançando tons acobreados nas paredes revestidas de papel florido – rosas brancas com as pontas cor de rubi em vários estágios de seu desabrochar. A lenha crepitava ao queimar, uma cantiga de ninar suave, que empurrou Scarlett para a enorme cama de dossel, a mais gigantesca que já vira na vida. Talvez fosse por isso que o quarto era considerado especial. Escondida por cortinas diáfanas e brancas, que pendiam dos pilares de madeira entalhada, a cama estava repleta de travesseiros de pena com capas de seda e colchas grossas de matelassê, amarrados com laços de um vermelho-groselha vibrante. Scarlett mal podia esperar para cair no colchão de plumas da cama e...

A parede se mexeu.

Scarlett ficou petrificada. O quarto, de repente, ficou mais quente e menor.

Por um instante, ela torceu para que fosse apenas coisa de sua imaginação.

– Não – falou, ao observar Julian entrar por uma porta estreita, ao lado do guarda-roupa, que ficara camuflada pelo papel de parede do quarto.

– Como foi que você entrou aqui? – questionou ela.

Mas, mesmo antes de Julian responder, Scarlett sabia exatamente o que havia acontecido. A piscadela. As chaves. As acomodações especiais.

– A mulher nos deu o mesmo quarto de propósito.

– Você a convenceu mesmo de que estamos apaixonados.

Julian lançou um olhar para a cama esplendorosa.

As bochechas de Scarlett arderam em vermelho, da cor dos corações, do sangue e da vergonha.

– Não falei que estamos apaixonados. Só falei que estamos noivos. – O marinheiro deu risada, mas a garota estava horrorizada. – Isso não tem a menor graça. Não podemos dormir na mesma cama. Se alguém descobrir, estarei completamente arruinada.

– Pronto, lá vai você fazer drama de novo. Você acha que tudo vai destruir a sua vida.

Mas, se alguém descobrisse, o noivado com o conde estaria destruído.

– Você conhece meu pai. Se ele descobrir, eu...

– Ninguém vai descobrir. Imagino que seja por isso que existam duas portas, com números diferentes.

Julian foi até a cama imensa e se atirou em cima dela.

– Você não pode dormir nesta cama – protestou Scarlett.

– Por que não? É muito confortável.

O marinheiro tirou as botas e as atirou no chão, causando um barulho alto. Em seguida, tirou o colete e começou a desabotoar os botões da camisa.

– O que você está fazendo? Você não pode fazer isso.

– Olhe, Carmim. – Julian parou de desabotoar a camisa. – Eu já disse que não vou encostar um dedo em você e juro que vou cumprir minha palavra. Mas não vou dormir no chão nem naquele divã minúsculo só porque você é mulher. A cama é grande, nós dois cabemos nela.

– Você acha mesmo que vou deitar na mesma cama que você? Por acaso enlouqueceu?

Uma pergunta ridícula, porque era óbvio que aquele rapaz havia enlouquecido. Julian continuou a desabotoar a camisa, e Scarlett teve certeza de que estava fazendo aquilo só porque sabia que ela ficaria constrangida. Ou, talvez, porque gostasse de exibir o próprio corpo.

Quando deu meia-volta e se dirigiu à porta, Scarlett viu de relance, mais uma vez, os músculos lisinhos do marinheiro.

– Vou voltar lá embaixo para ver se ela tem outro quarto – declarou.

– E se não tiver? – disse Julian, erguendo a voz.

– Vou dormir no corredor.

Um cavalheiro teria protestado, mas Julian não era um cavalheiro. Ela ouviu o som de algo caindo suavemente no chão. Provavelmente, a camisa dele.

Scarlett pôs a mão na maçaneta de vidro.

– Espere aí...

Um objeto quadrado com bordas douradas pousou nos pés dela. Um envelope. Seu nome estava escrito na frente, com uma letra elegante.

– Achei isso na cama. Imagino que seja a sua primeira pista.

12

A avó de Scarlett vivia dizendo que o mundo do Caraval era o grande parquinho onde o Mestre-Lenda tinha por hábito brincar. Nenhuma palavra podia ser dita sem que ele ouvisse. Nem mesmo um sussurro escapava aos seus ouvidos, nem uma sombra deixava de ser avistada por seus olhos. Nunca ninguém viu Lenda – ou, se viu, não sabia que era ele –, mas Lenda via tudo durante o Caraval.

Scarlett poderia jurar que sentiu o olhar de Lenda em cima dela quando pôs os pés no corredor. Teve essa sensação porque lhe pareceu que os lampiões a vela brilharam com mais intensidade, feito olhos que se abrem, enquanto ela examinava a mensagem que acabara de receber.

O envelope era igual a todos os que Lenda já lhe enviara, dourado e cor de creme, grosso e repleto de mistério.

Quando o abriu, diversas pétalas de rosa vermelhas caíram na palma de sua mão, bem como uma chave. De um delicado vidro verde. Parecida com a que a estalajadeira entregou para abrir o quarto. Só que esta chave tinha um número cinco gravado e um minúsculo laço preto prendia a ela um cartão grande no qual estava escrito apenas um nome: Donatella Dragna.

Scarlett sabia que essa deveria ser sua primeira pista. Mas, na sua cabeça, parecia ser mais um presente de Lenda, como o vestido e os convites para ir à ilha. Na relojoaria, a garota teve dificuldade de acreditar que era uma pessoa especial. Mas, naquele momento, talvez estivesse sentindo os efeitos de uma pitada da magia do Caraval, pois, quando deu por si, havia criado coragem de ter esperança. Talvez Lenda estivesse mesmo lhe dando um tratamento especial, cuidando dela mais uma vez, mostrando onde sua irmã estava. Por um instante, Scarlett teve a impressão de que tudo daria certo, certíssimo.

Saiu voando pelo corredor até chegar à escada que levava ao terceiro andar. O quarto número cinco ficava depois do onze: uma porta quadrada, verde-petróleo, com uma maçaneta de vidro verde que mais parecia uma pedra preciosa gigante. Chamativa e magnífica. A cara de Tella.

A garota enfiou a chave na fechadura, mas a respiração que ouviu do outro lado da porta lhe pareceu um tanto pesada demais para ser da irmã. Encostou a orelha na porta, e um desagradável arrepio cor de gengibre defumado desceu pela sua nuca.

Blam.

Alguma coisa pesada caiu no chão.

Seguida por um gemido.

– Tella... – Scarlett pôs a mão na maçaneta. – Você está bem?

– Scarlett?

A voz de Tella parecia tensa, ofegante.

– Sim! Sou eu, vou entrar!

– Não... Não entre!

Mais um barulho alto, de coisa caindo.

– O que está acontecendo aí dentro, Tella?

– Nada... Apenas... *não* entre.

– Tella, se você está com algum problema...

– Problema nenhum. Só... estou... ocupada...

Donatella não chegou a terminar a frase.

Scarlett não sabia o que fazer. Havia um problema, *sim*. Tella estava falando de um jeito estranho.

– Scarlett! – A voz de Tella saiu em alto e bom som, como se pudesse ver a irmã segurando a maçaneta. – Se abrir esta porta, nunca mais falo com você.

Donatella falou de um jeito bem sério e, desta vez, sua irmã também ouviu ecos de uma voz grave. A voz de um rapaz.

– Você ouviu o que sua irmã disse.

As palavras ricochetearam pelo corredor em curva e atingiram Scarlett em cheio, feito um pé de vento indesejado, que entrou em todos os lugares que as roupas não conseguiam proteger.

Ela se afastou da porta se sentindo tola em cinco tons diferentes de morango. Havia passado aquele tempo todo preocupada com Tella. Mas, obviamente, a irmã não estava preocupada com ela. Era provável que nem sequer tivesse pensado em Scarlett. Ainda mais tendo a companhia de um rapaz, na cama.

A garota não deveria ter ficado surpresa. Sua irmã sempre fora mais rebelde: Tella gostava de sentir o gostinho da encrenca. Mas não foi a rebeldia que a deixou magoada. Para Scarlett, Donatella era a pessoa mais importante do mundo, mas ela sempre ficava arrasada quando se dava conta de que seus sentimentos não eram correspondidos pela irmã.

Quando Paloma, a mãe das duas, abandonou a família, tudo o que o pai tinha de delicado desapareceu, junto com a esposa. As regras do governador foram de rígidas a severas, assim como as consequências para quem não as obedecesse. Tudo seria tão diferente se Paloma tivesse simplesmente ficado em Trisda... Scarlett jurou que jamais abandonaria Tella como a mãe havia feito com as duas. Protegeria a irmã. Apesar de ser apenas um ano mais velha, não confiava em mais ninguém quando o assunto era cuidar de Tella. E, à medida que Donatella crescia, Scarlett foi deixando de acreditar que a irmã pudesse tomar conta de si mesma. Só que, além de ter protegido Tella, Scarlett a mimara. Na maioria das vezes, sua irmã mais nova só pensava em si mesma.

Quando chegou ao fim do corredor, Scarlett se jogou no chão. As tábuas de madeira rústica pinicaram seu corpo. Naquele andar mais baixo fazia mais frio do que lá em cima. Ou talvez ela só estivesse gelada por ter sido dispensada pela irmã, que havia escolhido ficar com outra pessoa e não com Scarlett. Um rapaz do qual Tella, provavelmente, nem sequer sabia o nome. Scarlett sentia medo dos homens. Mas sua irmã mais nova fazia justamente o contrário: sempre se interessava pelos rapazes errados, na esperança de que algum deles lhe desse o amor que o pai se negava a dar.

Ela pensou em voltar para o quarto aquecido pela lareira e cheio de cobertores. Mas nem todo o calor do mundo poderia deixá-la tentada a dormir na mesma cama que Julian. Poderia descer e pedir outro quarto para a estalajadeira, mas algo lhe dizia que isso não seria prudente, muito menos depois de ter feito tamanho escândalo, dizendo que a mulher precisava deixar Julian entrar. O imbecil do Julian.

Imbecil.

Imbecil.

Imbecil...

Scarlett repetiu a palavra em pensamento, até que seus olhos se fecharam sozinhos.

– Senhorita...

Uma mão quente balançou o ombro da garota, fazendo-a voltar ao estado de vigília.

Ela levou um susto, apertou as mãos contra o peito, e seus olhos se abriram no mesmo instante, mas logo se fecharam. O rapaz diante de Scarlett segurava o lampião um pouco perto demais do rosto dela. A garota podia sentir o calor da vela lambendo seu rosto, apesar de o rapaz estar a uma boa distância.

– Acho que ela está bêbada – disse uma jovem.

– Não estou bêbada.

Scarlett abriu os olhos mais uma vez. O rapaz que segurava o lampião parecia ser alguns anos mais velho do que Julian. Mas, ao contrário do marinheiro, usava botas bem engraxadas, e o cabelo estava preso para trás, com capricho. Era atraente e, a julgar pelo cuidado que tinha com a própria aparência, também sabia disso.

Elegante, todo vestido de preto, era o tipo de rapaz que Tella chamaria de "lindo e inútil", enquanto matutava, em segredo, maneiras de chamar a sua atenção. Scarlett reparou em todos os desenhos que cobriam as mãos dele e subiam pelos braços. Tatuagens mundanas e intrincadas, símbolos arcanos, uma máscara mortuária que fazia um biquinho sedutor, garras de pássaros e rosas pretas. Nenhuma combinava com o restante de sua aparência refinada, o que deixou Scarlett mais curiosa do que deveria.

– Fui colocada por engano em um quarto com outra pessoa – explicou. – Eu estava indo pedir outro quarto para a estalajadeira, mas aí...

– Você simplesmente pegou no sono no corredor?

Quem disse isso foi a garota que chamou Scarlett de bêbada. Como estava um pouco mais longe do lampião e as outras luzes do corredor já haviam se apagado, Scarlett não conseguiu enxergar direito o rosto dela. Imaginou que a garota era emburrada e nada atraente.

– É complicado – respondeu Scarlett.

Dito isso, ficou sem palavras. Poderia muito bem ter falado da irmã. Mas, mesmo que aquele casal nunca tivesse visto Donatella na vida, Scarlett não queria expor as indiscrições da irmã. Proteger Tella era obrigação sua. Scarlett não sabia se ligava ou não para o que aquelas duas pessoas poderiam pensar dela, ainda que seus olhos não parassem de procurar o rapaz das tatuagens. O rapaz tinha o tipo de perfil que escultores e pintores tanto gostam de reproduzir. Lábios grossos, maxilar forte, olhos cor de carvão protegidos por sobrancelhas grossas e escuras.

Ela deveria se incomodar por estar encurralada por um rapaz como aquele, em pleno corredor e na penumbra, mas ele estava com uma expressão de preocupação, não de predador.

– Você não precisa explicar nada – disse o rapaz. – Tenho certeza de que você tem um bom motivo para dormir aqui fora. Mas acho que não deveria ficar aqui. Estou no quarto onze. Pode dormir lá.

Pelo jeito que ele disse isso, Scarlett teve quase certeza de que o rapaz não pretendia ficar no quarto com ela – ao contrário de outro garoto que conhecia –, mas estava tão acostumada a perigos camuflados que não pôde evitar desconfiar da oferta.

Examinou o jovem mais uma vez, sob a luz do lampião, e seus olhos recaíram na rosa preta tatuada no dorso da mão dele. Elegante, encantadora e um tanto melancólica. Scarlett não sabia por que, mas teve a impressão de que aquela tatuagem, de certa forma, o definia. O lado elegante e encantador poderia tê-la afugentado – ela havia aprendido que isso, não raro, escondia outras coisas –, mas o lado triste a atraía.

– E onde você vai dormir? – perguntou.

– No quarto da minha irmã. – O rapaz inclinou a cabeça para a garota que estava ao seu lado e completou: – Lá tem duas camas. Ela não precisa de ambas.

– Preciso, sim – retrucou a garota.

Scarlett ainda não estava conseguindo enxergar direito, mas podia jurar que a garota a olhou com desdém.

– Não seja grossa – censurou o rapaz. – Eu insisto – completou, antes que Scarlett pudesse protestar de novo. – Se minha mãe descobrir que deixei uma moça tremendo de frio dormir no chão, vai me deserdar. E eu não poderia nem reclamar. – Então estendeu uma das mãos tatuadas para ajudar Scarlett a levantar e falou: – Eu me chamo Dante, aliás. E esta é minha irmã, Valentina.

– Scarlett. Obrigada – respondeu ela, desconfiada, ainda surpresa com o fato de o rapaz não querer nada em troca. – É muito generoso de sua parte.

– Receio que você esteja me superestimando. – Dante segurou a mão de Scarlett por um instante a mais. Durante alguns segundos, seus olhos castanho-escuros percorreram o pescoço de Scarlett e o que havia um pouco mais abaixo dele, mas ela teve a impressão de que o rapaz corou e ergueu o olhar antes de deixá-la constrangida. – Te vi de longe, na taverna, mas tive a impressão de que você estava com outra pessoa.

– Ah, eu...

Scarlett titubeou. Sabia o que Dante estava perguntando. Mas não conseguia discernir se a curiosidade do rapaz era devida ao jogo ou a outra coisa, envolvendo um verdadeiro interesse por ela. Só sabia que o olhar firme de Dante aquecia as partes geladas de seus braços e de suas pernas. E imaginou que, se Julian estivesse no corredor com uma garota bonita, não diria que Scarlett era sua noiva.

– Então, você estaria livre para jantar comigo ao cair da noite? – perguntou ele.

Valentina soltou um resmungo.

– Pode parar – disse Dante. – Por favor, ignore minha irmã: ela bebeu demais esta noite. O que a deixa um pouco mais desagradável do que o normal. Prometo que, se você vier jantar comigo, Valentina não irá conosco.

O rapaz continuou sorrindo para Scarlett, do jeito que sempre quis que um rapaz sorrisse para ela, como se não estivesse apenas atraído, mas também quisesse protegê-la, cuidar dela. Os olhos de Dante permaneciam fixos em Scarlett, como se fosse impossível para ele desviar o olhar.

O conde vai olhar para mim desse jeito, Scarlett tentou se tranquilizar. Porque, apesar de não ter um verdadeiro envolvimento com Julian, ainda estava noiva de verdade. E agir como se não estivesse era perigoso.

– Desculpe. Eu... não posso. Eu...

– Não tem problema – Dante foi logo interrompendo. – Você não precisa se explicar.

Dito isso, sorriu novamente. Um sorriso mais largo, mas nem de longe tão sincero. O rapaz a acompanhou em silêncio até seu quarto e entregou uma chave de ônix para ela.

Por um instante de tensão, ambos ficaram parados diante da porta – que era estreita e pontuda. Scarlett teve receio de que Dante fosse tentar entrar no quarto com ela, apesar do que havia dito. Mas o rapaz ficou apenas esperando, para garantir que a chave funcionava. Então sussurrou:

– Durma bem.

Scarlett ia se despedir, mas se calou quando entrou no quarto. Em cima do guarda-roupa baixo, um candeeiro a óleo iluminava um espelho que estava mais acima. Mesmo na penumbra, a imagem que Scarlett viu foi clara. O cabelo castanho-escuro caía pelos ombros, mal e mal cobertos por finos babados de um tecido branco e esvoaçante.

Ela soltou um suspiro de assombro. O vestido maligno havia se transformado mais uma vez: estava transparente, rendado e escandaloso demais para ser usado em um corredor público ou para falar com um jovem desconhecido.

Scarlett bateu a porta sem terminar de se despedir. Não era para menos que Dante fora incapaz de tirar os olhos dela.

Scarlett não dormiu bem.

Ao pegar no sono, sonhou com Lenda. Ela estava de novo na sacada folheada a ouro, vestindo apenas um espartilho preto, à mostra, e uma anágua longa. E tentava se tapar com as cortinas.

– O que você está fazendo?

Lenda entrou, todo empertigado, usando a cartola azul de veludo que era a sua marca registrada e com um olhar cheio de más intenções.

– Eu só estava tentando assistir ao jogo.

Scarlett se enrolou nas cortinas, mas Lenda a arrancou do meio delas. Sua mão era fria como a neve e uma sombra ocultava o rosto jovial.

A geada beliscava os ombros nus de Scarlett.

O Mestre do Caraval soltou uma risada e enroscou as duas mãos em volta da cintura da garota.

– Não te convidei para vir aqui só para ficar assistindo, preciosa. – Em seguida, aproximou os lábios dos dela, como se fosse beijá-la. – Quero que você entre no jogo – sussurrou.

E, aí, atirou Scarlett sacada abaixo.

PRIMEIRA NOITE DO CARAVAL

13

Scarlett acordou banhada em um suor gelado que deixou seu couro cabeludo e a parte de trás dos joelhos encharcados.

Sabia que tudo fora um sonho. Mas, por um instante, desconfiou que a magia do Caraval – a magia de *Lenda* – havia, sabe-se lá como, se infiltrado em seus pensamentos.

Ou será que o sonho havia se formado *de* pensamentos dela? Duas pessoas já haviam lhe dito que tais experiências não passavam de um jogo. Mas, mesmo assim, ela vinha agindo como se tudo fosse real. Como se cada atitude sua pudesse ser descoberta, julgada e castigada.

"Não te convidei para vir aqui só para você ficar assistindo."

Só que nem isso Scarlett estava fazendo.

No dia anterior, vira coisas incríveis, mas o medo a controlou o tempo todo. Lembrou-se de que o pai não estava ali. E, se ficasse mesmo só por uma noite, iria se arrepender depois, por ter ficado o tempo todo apavorada demais para aproveitar o que quer que seja. Donatella, provavelmente, dormiria por mais uma hora, pelo menos. Scarlett podia passar esse tempo sem se preocupar com a irmã. E não ia morrer caso se divertisse um pouco nesse meio-tempo.

Dante lhe veio à mente, a rosa preta tatuada na mão, o modo como a fez se sentir aquecida e desejada. Deveria ter aceitado o convite. Era só um jantar – bem menos difamador do que conversar com o rapaz em um corredor escuro, só de camisola. E nem isso foi uma coisa tão terrível quanto Scarlett poderia imaginar.

O quarto emprestado tinha apenas uma janela octogonal minúscula, mas era o suficiente para ver o sol se pondo lentamente, os canais e as ruas voltando à vida. O mundo prestes a entrar no cair da noite. Aquela hora esfumaçada, antes de tudo se tornar um breu completo. Talvez, se corresse até a Taverna de Vidro, não seria tarde demais para encontrar Dante e aceitar o convite para jantar. Só que Scarlett tinha a sensação de que deveria tomar café da manhã. Ajustara-se a dormir durante o dia com uma facilidade surpreendente, mas pensar em acordar e ir jantar ainda não lhe parecia algo natural.

Antes de sair do quarto, deu uma rápida olhada no espelho. Enquanto lavava o rosto, sentiu o vestido se transformando, o tecido fino da camisola foi mudando para pesadas camadas de seda.

Ela torceu para que viesse algo menos chamativo, um modelito que ficasse camuflado pela noite. Mas aquele vestido, definitivamente, tinha personalidade própria.

Um laço cor de vinho gigante surgiu em cima das anquinhas, e suas duas pontas largas desceram pelas costas, até o chão. O restante do vestido era do mais puro branco, com exceção do corpete, tapado de fitas vermelhas, deixando à mostra apenas pedacinhos do tecido nevado que havia por baixo. Os ombros ficavam de fora, mas mangas compridas tapavam os braços de Scarlett. Como o corpete, tinham várias fitas cor de rubi aplicadas e amarradas até o dorso das mãos, com pontas soltas que dançavam entre os dedos finos da garota.

Donatella teria adorado. Scarlett podia até ver a irmã soltando um gritinho ao vê-la em um traje tão ousado.

Por mais que Scarlett tivesse se prometido que não iria se preocupar com a irmã na primeira hora da noite, não conseguiu deixar de pensar em Tella quando passou pelo quarto número cinco.

A porta estava entreaberta. Uma luz verde-esmeralda, da mesma cor da maçaneta em forma de pedra preciosa, vazava de dentro do quarto, feito neblina.

Ela se convenceu a continuar andando. A ir se encontrar com Dante, que realmente queria sua companhia. Mas algo naquela luz, na forma como a porta entreabria-se, somado à incessante atração que a irmã exercia sobre Scarlett, obrigou a garota a se aproximar.

– Tella...

Scarlett bateu de leve. A porta abriu um pouco mais, exalando mais luz verde, do tom das coisas malévolas. O pressentimento ruim que ela tivera voltou.

– Tella? – Scarlett abriu a porta por completo. – Ai, meu...

E então tapou a boca com a mão.

O quarto estava em frangalhos. Havia penas espalhadas por cima de toda aquele massacre, parecia que um anjo rebelde havia enlouquecido. As penas se misturavam às lascas de madeira, que se esmigalhavam sob as botas de Scarlett, e às roupas que haviam sido arrancadas do guarda-roupa destruído. A cama também estava avariada. A colcha fora rasgada ao meio e uma das colunas tinha sido removida de tal forma que mais parecia um braço amputado sem o menor cuidado.

Tudo aquilo era culpa de Scarlett. Donatella estava dentro daquele quarto com um homem, mas não pelos motivos que ela havia imaginado. Deveria ter adivinhado. Deveria ter entrado, apesar dos protestos de Tella. Scarlett é que tinha a obrigação de cuidar da irmã. Tella era impulsiva demais com os homens. E Scarlett fora tola de pensar que as duas poderiam ficar ali, mesmo que por um único dia. Deveria ter ido embora da ilha com a irmã no instante em que a encontrou. Se tivesse partido em seguida, aquilo...

– Pelos dentes do Altíssimo!

Scarlett deu meia-volta assim que ouviu a blasfêmia, tão comum na boca da irmã, pronunciada por uma voz desconhecida.

– Veja, Hector: é outra pista. – A mulher que entrou no quarto, com passos firmes, tinha cabelo branco, era esguia e, definitivamente, não era Donatella. – Que esplêndido!

E foi puxando um homem mais velho, de óculos, porta adentro.

– O que vocês estão fazendo? – perguntou Scarlett. – Este quarto é da minha irmã. Não podem entrar aqui.

O casal ergueu a cabeça, como se tivesse acabado de reparar na presença de Scarlett.

A mulher de cabelo branco sorriu, mas não foi um sorriso bondoso. Era um sorriso verde e ganancioso, como a luz que polvilhava o quarto.

– Por acaso sua irmã é Donatella Dragna?

– Como você sabe disso?

– Quando foi a última vez que a viu? – perguntou a mulher de cabelo branco. – Que aparência ela tem?

– Eu... Ela... – Scarlett começou a responder, mas aquela indagação lhe pareceu algo imundo, feito uma banheira cheia de água suja.

O tom da mulher de cabelo branco era tão afoito quanto seus olhos claros e suas mãos leves. E foi aí que Scarlett viu, na palma da mão enrugada da mulher: uma chave de vidro verde. Igualzinha à que ela havia recebido, com um número cinco gravado e um papel pendurado, no qual estava escrito o nome de Donatella.

As palavras de Julian logo vieram à sua mente. O nome da irmã era a primeira pista de Scarlett. E os demais participantes haviam recebido exatamente a mesma pista.

Tudo não passa de um jogo. Scarlett recordou do aviso dado pela garota de monociclo. Aquilo não era verdade.

Mas bem que parecia. Os vestidos atirados pelo quarto eram mesmo de Donatella. E a voz que havia pedido para Scarlett não entrar no quarto era de Donatella, que parecia mesmo estar chateada. Só que, agora, Scarlett temia que a irmã estivesse chateada por outro motivo, não pelo que ela havia pensado.

Diversas penas saíram voando, porque a mulher pegou uma das camisolas de renda azul-clara de Tella do chão, e seu companheiro embolsou uma joia caída.

– Por favor, não encoste nisso – pediu Scarlett.

– Desculpe, querida, mas só porque ela é *sua irmã* não significa que você pode ficar com todas as pistas.

– Não são pistas! São as coisas da minha irmã.

A garota ergueu a voz, mas só conseguiu atrair mais pessoas com isso. Ávidos como abutres, homens e mulheres, tanto jovens quanto velhos, vasculharam o quarto, feito animais arrancando a carne dos ossos. Scarlett se sentiu impotente para impedi-los. Como pôde, um dia, ter pensado que aquele jogo era mágico?

Algumas pessoas tentaram lhe fazer perguntas – como se ela pudesse levá-los a outra pista –, mas, como a garota não respondeu, seguiram em frente, apressadas.

Ela tentou apanhar alguma coisa. Pegou vestidos e roupas de baixo, fitas, joias e cartões-postais. Aquela história de que jamais voltaria para Trisda parecia ser séria, porque não eram apenas as roupas de Donatella que estavam espalhadas pelo quarto. Todos seus pertences preferidos estavam lá, assim como alguns de Scarlett. Ela não sabia se a irmã havia pegado suas coisas por egoísmo ou se as tinha levado até a ilha para Scarlett, já que, se dependesse de Tella, nenhuma das duas voltaria para Trisda.

– Com licença. – Uma garota grávida, de bochechas rosadas e cabelo loiro avermelhado, cor de morango, se aproximou de Scarlett. Sua voz era o único som baixo em meio àquele caos. – Parece que você precisa de uma ajuda. Não consigo me abaixar muito. – Então apontou para a enorme barriga. – Mas, quem sabe, posso segurar essas coisas, enquanto você continua a recolher o restante.

Scarlett estava chegando a um ponto em que não conseguia segurar mais nada, mas não queria soltar o que tinha conseguido amealhar.

– Não dá para dizer que vou sair correndo – completou a jovem. Ela era nova, mais ou menos da idade de Scarlett e, pelo tamanho da barriga, podia ter o bebê a qualquer momento.

– Não sei...

Scarlett deixou a frase no ar, porque um homem usando calças de veludo barato e chapéu-coco marrom chutou um caco de vitral. Algo vermelho e reluzente brilhou debaixo do vidro.

– Não! Você não pode pegar isso.

Ela foi para cima do homem. Mas, no instante em que ele percebeu o interesse de Scarlett, o próprio interesse se acendeu, com muito mais força. Passou a mão nos brincos preciosos que estavam no chão e saiu porta afora.

Scarlett correu atrás do homem, mas ele era rápido, e ela estava com os braços lotados. Quando conseguiu chegar à metade do corredor, o homem já estava descendo as escadas bambas.

– Pode deixar que eu seguro para você. – A garota grávida surgiu ao lado de Scarlett no corredor. – Estarei bem aqui quando você voltar – prometeu.

Ela não queria soltar o que conseguira amealhar, mas não podia mesmo perder aqueles brincos. Largou as coisas nos braços abertos da garota, levantou a saia nevada e tentou alcançar o homem. Viu o chapéu-coco marrom de relance quando chegou à escada, mas em seguida o ladrão sumiu de vista.

Já sem fôlego, Scarlett correu escada abaixo e viu a porta da La Serpiente se fechar, como se alguém tivesse acabado de passar correndo. A garota foi atrás e conseguiu segurar a beirada verde chamativa da porta.

Lá fora, o mundo era pôr do sol e cair da noite ao mesmo tempo. As estrelas piscavam no céu, feito olhos diabólicos, e tropas de lampiões à vela incendiavam as ruas com sua luz cintilante. Uma melodia festiva, de acordeão, soava pelas ruas, e as pessoas se movimentavam no ritmo da música, balançando os quadris e as saias, requebrando os cotovelos de paletó. Mas não havia nenhum chapéu-coco se balançando. O homem havia desaparecido.

Isso não deveria ter importância. Eram apenas brincos. Mas não eram *apenas* brincos. Eram escarlates.

"Pedras de escarlate para Scarlett", foi o que a mãe disse. Um último presente, antes de ir embora. Scarlett sabia que pedras de escarlate não existiam, que deviam ser apenas pedaços de vidro colorido, mas isso nunca teve importância. Os brincos eram um pedaço da mãe, uma forma de lembrar que o governador Dragna, um dia, já havia sido um homem diferente. "Seu pai que me deu, porque escarlate era minha cor preferida."

Era difícil imaginar o pai sendo atencioso. Ele tinha sido um homem tão diferente. Depois que Paloma fugiu e o governador não conseguiu encontrá-la, ele destruiu tudo o que o fazia lembrar da esposa. Scarlett ficou apenas com aqueles brincos e só porque havia escondido a joia do pai. Foi aí que ela jurou sempre estar ao lado da irmã, jurou que jamais iria abandonar Tella, deixando-a apenas com uma joia e lembranças desbotadas, como a mãe fizera. Mesmo depois de tanto tempo, o desaparecimento de Paloma pairava sobre Scarlett, feito uma sombra que nenhuma claridade conseguia dissipar.

Os olhos da garota arderam em lágrimas. Mais uma vez, ela tentou se lembrar de que aquilo não passava de um jogo. Só que não era o jogo que havia imaginado.

Quando voltou ao corredor em curva da La Serpiente, Scarlett não ficou surpresa ao descobrir que a garota grávida dera no pé com todas as suas coisas. Não havia sobrado nada dos preciosos pertences da irmã. No corredor, encontrou apenas um botão de vidro e um cartão-postal que a garota ou outra pessoa deixaram cair.

– Que abutres.

– Não sabia que você era do tipo que falava palavrão.

Julian estava encostado na parede oposta, com os braços dourados cruzados tranquilamente em cima do peito. Isso fez Scarlett pensar que, talvez, o marinheiro estivesse ali aquele tempo todo.

– Eu não sabia que "abutre" era um palavrão – retrucou.

– Do jeito que você falou, ficou parecendo.

– Você também soltaria um palavrão se sua irmã tivesse sido se-questrada por causa desse jogo.

– Lá vem você de novo, Carmim, achando que sou uma pessoa melhor do que realmente sou. Se minha irmã tivesse sido sequestrada por causa desse jogo, eu tiraria vantagem disso. Pare de sentir pena de si mesma e venha comigo.

Julian se afastou da parede e foi na direção do quarto saqueado de Tella.

Os abutres não estavam mais lá, e tudo o que era importante tinha sido levado. Até a maçaneta de vidro verde fora subtraída.

– Tentei pegar as coisas dela, mas... – falou Scarlett, com a voz embargada, ao entrar no quarto.

Lembrou-se de todos os olhos afoitos e das mãos leves que se apos-saram das coisas de Tella como se fossem peças de um quebra-cabeça e não partes de uma pessoa.

Olhou para Julian, mas não viu pena em seu olhar mortiço.

– É só um jogo, Carmim. Essas pessoas só estavam jogando. Se você quer ganhar, precisa ser um pouco mais impiedosa. Ser legal não tem nada a ver com o Caraval.

– Não acredito em você – declarou Scarlett. – Só porque a sua bússola moral está com defeito, não quer dizer que todo mundo aqui é inescrupuloso.

– Os que chegam perto de ganhar são. Nem todo mundo vem aqui só para se divertir. Tem gente que só joga para depois vender o que conseguir amealhar, para quem pagar mais. Tipo o cara que saiu correndo com seus brincos.

– Esse homem não vai conseguir muito dinheiro por eles – res-mungou ela, com tom de amargura.

– Você pode se surpreender. – Julian pegou um dos puxadores do guarda-roupa quebrado. – Tem gente disposta a gastar muito dinheiro ou revelar os segredos mais profundos em troca de um pouco da magia do Caraval. Só que quem não joga limpo costuma pagar um preço ainda mais alto. – Julian atirou o puxador para cima e o deixou cair no chão. Aí admitiu, baixinho: – Lenda tem um certo senso de justiça que funciona assim.

— Bom, eu não quero jogar de jeito nenhum. Só quero encontrar minha irmã e voltar para casa a tempo de me casar.

— Então, você tem um problema. — Julian pegou o puxador de novo. — Se quiser encontrar sua irmã antes de ir embora, vai ter que vencer o jogo.

— Do que você está falando?

— Deixe-me adivinhar: você não olhou a pista que eu te entreguei.

— Na minha pista, só estava escrito o nome de Donatella.

— Tem certeza?

— Claro. Eu só não me dei conta de que era uma pista. Achei que Lenda...

Scarlett percebeu o erro tarde demais. Os lábios do marinheiro já estavam se retorcendo, esboçando aquele esgar debochado que aparecia toda vez que ela mencionava o nome de Lenda — ainda que não tivesse terminado de elaborar seu pensamento obtuso.

Verificou, mais uma vez, o cartão preso à chave. As únicas palavras escritas eram o nome e o sobrenome da irmã. Mas, logo abaixo, havia um grande espaço em branco. Foi até o lampião de vitral mais próximo e levantou a página até a luz da vela, como Tella havia feito com os ingressos que a irmã recebera de Lenda. Não deu outra: apareceram novas linhas, escritas com uma caligrafia elegante.

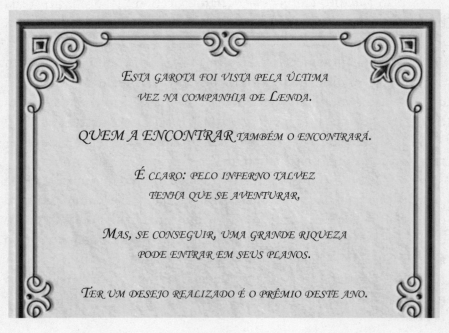

Esta garota foi vista pela última vez na companhia de Lenda.

Quem a encontrar também o encontrará.

É claro: pelo inferno talvez tenha que se aventurar,

Mas, se conseguir, uma grande riqueza pode entrar em seus planos.

Ter um desejo realizado é o prêmio deste ano.

No instante seguinte, o poema desapareceu, e um novo conjunto de palavras tomou seu lugar.

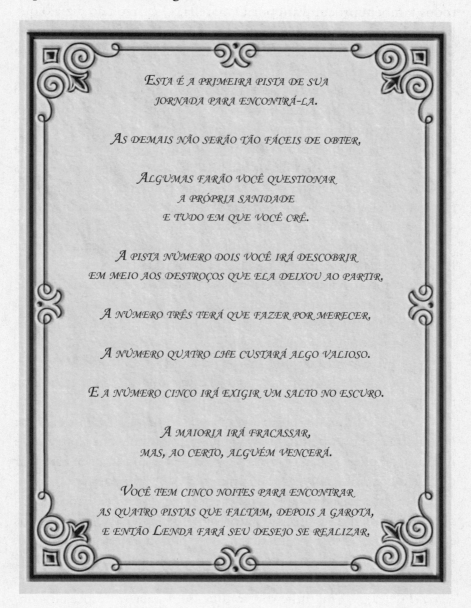

*Esta é a primeira pista de sua
jornada para encontrá-la.*

As demais não serão tão fáceis de obter.

*Algumas farão você questionar
a própria sanidade
e tudo em que você crê.*

*A pista número dois você irá descobrir
em meio aos destroços que ela deixou ao partir.*

A número três terá que fazer por merecer.

A número quatro lhe custará algo valioso.

E a número cinco irá exigir um salto no escuro.

*A maioria irá fracassar,
mas, ao certo, alguém vencerá.*

*Você tem cinco noites para encontrar
as quatro pistas que faltam, depois a garota,
e então Lenda fará seu desejo se realizar.*

O sonho de Scarlett devia ter sido mais do que um mero delírio. Lenda realmente queria sua presença no jogo. A garota recordou do que Rupert havia dito, lá na sacada: "Quando entrarem, serão apresentados a um mistério que precisa ser solucionado".

Pelo jeito, descobrir para onde Tella fora levada era o mistério daquele ano. Por isso que tinha tanta gente vasculhando o quarto: todos também procuravam por Donatella. O cartão não dizia o que iria acontecer com Tella caso ninguém a encontrasse, mas Scarlett sabia que a irmã não pretendia voltar para Trisda quando o jogo terminasse.

Se Scarlett não encontrasse a irmã mais nova, ela iria sumir no mundo, assim como a mãe havia feito. Se quisesse ver Tella de novo, teria mesmo que ficar e jogar.

Só que não podia ficar na ilha até o fim do jogo. O casamento seria em seis dias, no vigésimo dia da estação. Ainda restavam cinco noites de Caraval, só que levaria dois dias inteiros para voltar a Trisda. Para conseguir voltar para casa a tempo de se casar, teria que descobrir todas as pistas e encontrar Tella antes da última noite do jogo.

– Não faça essa cara de aflita – disse Julian. – Se sua irmã está com Lenda, tenho certeza de que está sendo bem tratada.

– E como você sabe disso? – retrucou Scarlett. – Não ouviu o que eu ouvi. Ela parecia tão amedrontada.

– Você a viu?

– Apenas ouvi a voz dela.

A garota explicou o que havia acontecido.

O marinheiro fez uma cara, parecia que estava se segurando para não rir.

– Você continua se esquecendo que isso é um jogo. Das duas, uma: ou sua irmã estava fingindo ou era alguém fingindo ser Tella. De todo modo, acho que você não precisa se preocupar com ela. Pode acreditar no que digo: Lenda sabe cuidar muito bem dos hóspedes.

As últimas palavras de Julian deveriam ter desembrulhado o estômago de Scarlett, mas algo no jeito que ele falou a deixou ainda mais embrulhada. O sorriso de Julian deixava seus olhos frios, sem emoção.

– Como você sabe que Lenda trata bem os hóspedes?

– Olhe só para o quarto que nos deram, porque você é *convidada especial* dele. – O marinheiro pronunciou a palavra "especial" com sotaque mais carregado e completou: – Faz sentido pensar que ele acomodou sua irmã em um lugar legal também.

Mais uma vez, Scarlett deveria ter se sentido melhor. Tella não estava em perigo. Sua irmã era, simplesmente, parte do jogo, e uma parte importante. Mas era exatamente isso que a deixava tão inquieta. Por que Lenda teria escolhido justo sua irmã?

— Ah, entendi – completou Julian. – Você está com ciúme.

— Não estou, não.

— Faria sentido se você estivesse. Foi você que escreveu para Lenda por todos esses anos. Ninguém te recriminaria se ficasse chateada porque o Mestre do Caraval escolheu Tella e não você.

— Não estou com ciúme – insistiu Scarlett.

Mas isso só fez o sorriso do marinheiro ficar ainda mais largo, enquanto continuava brincando com o puxador do guarda-roupa quebrado, fazendo-o desaparecer e reaparecer entre seus dedos hábeis. Um truque de mágica barato.

Ela tentou pensar que o desaparecimento de Tella era a mesma coisa, um simples passe de mágica – a irmã não havia sumido para sempre, só estava fora de seu alcance.

A garota releu a primeira pista mais uma vez. "A pista número dois você irá descobrir em meio aos destroços que ela deixou ao partir." Ser irmã de Tella deveria trazer alguma vantagem para Scarlett. Se algo naquele quarto não pertencesse a Donatella, Scarlett saberia, mas não havia sobrado quase nada. Tirando o botão de vidro e o cartão-postal que estavam em suas mãos. E, agora que examinava com mais atenção, nenhuma das duas coisas parecia ser tão corriqueira quanto ela havia pensado.

— O que foi? – perguntou Julian. Como a jovem não respondeu de pronto, o marinheiro falou com um tom mais sedutor. – Vamos, achei que a gente era parceiro.

— Essa parceria é mais vantajosa para você do que para mim.

— Eu não diria "mais". Você está esquecendo que, se não fosse por mim, nem estaria aqui.

— Eu poderia dizer a mesma coisa – argumentou Scarlett. – Ontem à noite, impedi que você fosse expulso do jogo. Mas foi você que dormiu no nosso quarto!

— Você podia ter dormido na cama comigo.

Julian ficou mexendo com o último botão da camisa. Scarlett franziu o cenho e disparou:

— Você sabe que isso estava fora de questão.

— Tudo bem. – Ele ergueu as mãos, em um gesto de rendição exagerado. – Daqui para a frente, nossa parceria vai ser mais equilibrada.

Continuarei contando o que sei a respeito do jogo. A gente se conta tudo o que cada um descobrir e faz um revezamento para dormir no quarto. Quando você estiver nele, prometo que não vou dormir lá. Mas você será muito bem-vinda quando eu estiver, se quiser.

– Patife.

– Já fui chamado de coisa bem pior. Agora me mostre o que tem nas mãos.

Scarlett espiou o corredor, para se certificar de que não havia ninguém parado do lado de fora da porta. Então mostrou o cartão-postal para Julian e declarou:

– Isso aqui não pertencia à minha irmã.

14

Quando Scarlett tinha 11 anos, era loucamente apaixonada por castelos. Não fazia diferença se fossem feitos de areia, pedras ou coisas imaginadas. Eram fortalezas. E a garota imaginava que, se morasse em um castelo, seria protegida e tratada como uma princesa.

Tella não tinha tais ideias românticas. Não queria ser paparicada nem passar o resto da vida trancada em algum castelo velho e embolorado. Queria viajar pelo mundo, conhecer os vilarejos de gelo do Extremo Norte e as florestas do Continente Oriental. E, por acaso, haveria melhor maneira de fazer isso do que nadando com uma bela cauda de peixe verde-esmeralda?

Donatella jamais havia contado isso para a irmã, mas queria ser sereia. Scarlett deu tanta risada que chegou a gritar quando descobriu a caixa escondida contendo a coleção de cartões-postais de Tella. Todos com sereias – *e sereios* – cintilantes!

Depois disso, toda vez que brigavam ou que a irmã zombava dela, Scarlett ficava tentada a debochar de Tella, por querer ser sereia. Castelos, pelo menos, realmente existiam. Mas até Scarlett – que, na época, ainda tinha sonhos impraticáveis e uma imaginação sem rédeas – sabia que sereias não existem. Só que jamais disse uma palavra. Nem quando Tella debochava de seu amor por castelos ou da crescente obsessão pelo Caraval. A fantasia de ser sereia de Donatella dava esperança a Scarlett – esperança de que, apesar do abandono da mãe e da falta de amor do pai, sua irmã ainda conseguia sonhar. E isso era algo que ela não queria destruir.

— A coleção de cartões-postais da minha irmã era bem monotemática — contou. — Tella jamais teria um cartão com desenho de castelo.

— Acredito que, na verdade, seja um palácio — disse Julian.

— Mesmo assim, ela não teria um cartão como esse. Deve ser a próxima pista.

— Tem certeza? — perguntou Julian.

— Se você não confia no fato de eu conhecer minha própria irmã, é melhor encontrar outra parceira.

— Acredite ou não, Carmim, gosto de ser seu parceiro. E acho que lembro de ter visto este palácio, depois que pegamos a gôndola, ontem à noite. Se você estiver certa, e o cartão for a segunda pista, é nesse palácio que temos que procurar a terceira. Da outra vez que joguei...

O marinheiro parou de falar porque ouviu som de passos, calçados de botas. Pesados. Confiantes. Pararam bem na frente da porta do quarto de Tella.

Scarlett deu uma espiada no corredor.

— Ora, ora. Você por aqui? — disse Dante, cumprimentando-a com um sorriso um tanto tortinho demais para ser perfeito. Mais uma vez, estava vestido de preto, combinando com o breu das tatuagens. Mas deu a impressão de ter ficado radiante ao ver Scarlett. — Eu ia mesmo ver como você estava. Dormiu bem no meu quarto?

Vindas de Dante, as palavras "dormiu" e "meu quarto" soavam deveras indecorosas.

— Quem está aí, meu amor?

Julian apareceu atrás de Scarlett. Não chegou a encostar nela, mas aproximou-se de um jeito bastante possessivo. Deu para ela sentir o frio do corpo do marinheiro acariciando o seu, porque Julian colocou uma mão no batente e a outra na porta, logo atrás dela.

A expressão sedutora de Dante sumiu. Foi logo tirando os olhos da garota e dirigindo-os ao marinheiro. Não disse uma palavra, mas Scarlett viu claramente que sua expressão se endureceu. E sentiu que alguma coisa em Julian também mudou.

O peito do marinheiro roçou nas costas dela e, quando isso aconteceu, todos os músculos do rapaz estavam tensos e rígidos, destoando do seu tom displicente:

– Não vai me apresentar?

– Julian, esse é Dante.

Dante estendeu a mão. A mão que tinha a rosa tatuada.

– Ele fez a gentileza de abrir mão do próprio quarto por mim – explicou Scarlett –, já que houve uma pequena confusão com o meu.

– Bom, então prazer em conhecê-lo. – Julian apertou a mão de Dante. – Fico muito feliz por você ter ajudado minha noiva. Quando fiquei sabendo do que aconteceu, me senti mal. Gostaria que ela tivesse me procurado.

O marinheiro, então, se virou para a garota, todo cheio de uma afeição falsa e de olhares enfurecedores.

Scarlett se enganara ao pensar que Julian ficara incomodado. Ele estava gostando daquilo. Representando o papel de noivo preocupado, só para afugentar Dante. Quando, na verdade, estava pouco se importando.

A garota olhou para Dante, torcendo para encontrar uma boa maneira de explicar que, na verdade, não havia mentido. Mas o rapaz não estava mais olhando para ela, e seu belo rosto havia mudado de expressão, de chateado para um tom perturbador de indiferença, como se Scarlett tivesse deixado de existir.

– Venha, amor – sussurrou Julian. – Precisamos deixá-lo passar para dar uma olhada.

– Tudo bem. Acho que já vi o que precisava ver – declarou Dante. E foi andando pelo corredor sem dizer mais nem uma palavra.

Scarlett ralhou com Julian no mesmo instante que Dante saiu de vista.

– Não sou propriedade sua e não gosto que você aja como se eu fosse.

– Mas você gostou do jeito que ele estava te olhando? – O marinheiro começou a olhar para ela de cima para baixo, batendo os cílios escuros e grossos, imitando, de propósito, o sorriso torto do outro rapaz. – Você acha que ele fica treinando aquele olhar na frente do espelho?

– Pode parar. Dante não olhou para mim desse jeito. Ele é uma boa pessoa. Ao contrário de outras, se dispôs a se sacrificar para me ajudar.

– E também estava com cara de quem queria cobrar pelo sacrifício.

– Credo! Nem todo mundo é igual a você. – Scarlett atravessou a porta e foi andando pelo corredor, agarrada à segunda pista: o cartão-postal de Donatella.

– Só estou dizendo que esse cara é encrenca. Você deveria ficar longe dele.

Scarlett parou perto da escada, empertigou os ombros e se virou para o marinheiro, relembrando, claramente, do olhar afoito dele, quando o pegou no flagra, na adega, com Tella.

— Como se você fosse coisa melhor.

— Não estou dizendo que sou um bom homem. Mas não quero nada do que aquele cara quer. Se quisesse, também diria para você ficar longe de mim. Dante venceu o Caraval da última vez que joguei. Lembra que eu disse que esse jogo cobra um preço das pessoas? Mesmo quem vence precisa pagar o preço, e o triunfo dele custou caro, e muito. Aposto que Dante fará qualquer coisa para ganhar a oportunidade de ter um desejo realizado, para tentar recuperar tudo o que perdeu. Você acha que a minha bússola moral está com defeito? A dele nem existe.

— Ora, ora, se não é o casal feliz!

A bela garota negra bateu palmas, toda animada, quando Scarlett e Julian subiram na gôndola.

A última coisa que Scarlett queria era fingir ser a ditosa futura esposa de Julian, mas conseguiu incutir certa afetuosidade em seu tom de voz e perguntou:

— Você não estava de monociclo ontem à noite?

— Ah, eu faço muita coisa — respondeu a garota, orgulhosa.

Scarlett recordou que Julian havia avisado para tomar cuidado com aquela garota. Mas, quando a jovem começou a remar, ficou difícil pensar que ela tinha algo além de puro e sincero entusiasmo. Muito mais simpática do que a gondoleira da noite anterior.

Talvez Julian simplesmente não gostasse de pessoas agradáveis.

Agora, contudo, estava sendo bem amigável com aquela garota: depois de mostrar para ela o cartão-postal, informando o destino dos dois, perguntou o nome dela.

— Jovan, mas todo mundo me chama de Jo.

Enquanto a garota remava, o marinheiro fez mais perguntas e deu risada das piadas dela. Scarlett ficou impressionada ao ver como Julian conseguia ser educado quando queria, mas imaginou que boa parte daquilo era só para conseguir informações. Jovan apontou para todo tipo de coisa. Os canais eram circulares, feito uma longa casca de maçã desenrolada em volta de ruas iluminadas por lampiões e ladeadas por tavernas que soltavam uma fumaça cor de ferrugem, padarias em forma de *cupcake* e lojas embrulhadas em cores, como presentes de aniversário. Azul-cerúleo. Laranja-damasco. Amarelo-açafrão. Rosa-prímula.

Os canais estavam mergulhados no breu da meia-noite, mas havia lampiões de vidro em volta de cada construção – das quais entravam e saíam pessoas –, enfatizando suas cores vivas. Scarlett achou que a cena parecia uma dança alegre, ao ritmo dos vários estilos musicais que estavam tocando pelas ruas. Harpas, gaitas de fole, violinos, flautas e violoncelos. O coração de cada canal batia no ritmo de um instrumento diferente.

– Tem muita coisa para se ver aqui – explicou Jovan. – Se estiverem dispostos a pagar e souberem procurar, encontrarão coisas que não existem em nenhum outro lugar. Tem gente que vem para cá só para ficar garimpando as lojas e nem se dá ao trabalho de participar do jogo.

Jovan continuou tagarelando, mas suas palavras se perderam, porque Scarlett avistou, em uma das esquinas, o que lhe pareceu uma confusão. Uma mulher, pelo jeito, estava sendo tirada à força de dentro de uma loja. Ela ouviu um grito e, depois disso, só conseguiu enxergar um bolo de gente em cima da mulher, que não parava de se debater.

– O que está acontecendo ali? – perguntou, apontando para a esquina.

Mas, quando Jovan e Julian olharam, alguém na rua havia apagado todos os lampiões mais próximos, escondendo o que Scarlett havia testemunhado com uma cortina feita de noite.

– O que foi que você viu? – perguntou o marinheiro.

– Uma mulher, de vestido cinza-pombo, sendo arrastada para fora de uma loja.

– Ah, isso aí deve ser só uma apresentação de rua – comentou Jovan, toda alegre. – De vez em quando, os artistas fazem isso. Dá uma apimentada nas coisas para o pessoal que só está assistindo. Provavelmente, devem ter dado a impressão de que ela havia roubado alguma coisa ou enlouqueceu. Tenho certeza de que vocês verão esse tipo de coisa ao longo do jogo.

Scarlett quase cochichou para Julian que tivera a impressão de que aquilo fora bem real. Mas, por acaso, não lhe avisaram que seria assim, quando entrou no jogo?

Quando parou de remar, Jovan bateu palmas de novo e falou:

– Prontinho, chegamos. O palácio do cartão. Também conhecido como Castillo Maldito.

Por um instante, Scarlett se esqueceu da mulher. Linhas de areia reluzente levavam até um palácio colossal, em forma de gaiola, repleto de pontes curvas, arcos em forma de ferradura e abóbadas arredondadas, tudo polvilhado com lascas de luz do sol que pareciam de ouro. O cartão não fazia jus àquele lugar. Não era iluminado por velas: a própria construção reluzia. Derramava luz por tudo, deixando o local mais resplandecente do que qualquer outro. Parecia que tinham descoberto um lugar na Terra capaz de engarrafar raios de luz do dia.

– O que lhe devemos pela condução? – perguntou Julian.

– Ah, de vocês dois, não se cobra – respondeu Jovan. E Scarlett se deu conta de que esse deveria ser mais um motivo para Julian ter sido tão simpático com a garota. – Vocês vão precisar de todas as suas forças lá dentro. O tempo passa ainda mais rápido no Castillo.

Jovan inclinou a cabeça, assinalando duas ampulhetas gigantescas, uma de cada lado da trilha de areia que levava ao palácio. Ambas tinham mais de sete metros de altura e estavam cheias de contas de rubi, que iam caindo. Apenas uma pequena fração dessas contas estava na parte inferior das ampulhetas.

– Caso vocês não tenham notado, as noites e os dias nesta ilha são mais curtos – prosseguiu Jovan. – Certos tipos de magia se alimentam de tempo. E, como este lugar usa muita magia, quando entrarem, pensem bem e utilizem seus minutos com bom senso.

Julian ajudou Scarlett a sair da gôndola. Enquanto atravessavam a ponte arqueada e passavam pelas gigantescas ampulhetas, ela ficou imaginando quantos minutos de sua vida levaria para formar uma daquelas contas. Um segundo no Caraval parecia ser mais intenso do que um segundo comum, como naquele momento no ápice do pôr do sol, quando todas as cores do céu se aglutinam em magia.

– A gente devia procurar os lugares que atrairiam a atenção de sua irmã – sugeriu o marinheiro. – Aposto que é neles que vamos encontrar a terceira pista.

Scarlett recordou do bilhete amarrado na chave. "A número três, terá que fazer por merecer."

Passando as ampulhetas, a trilha à direita levava a uma série de terraços dourados, que constituíam a maior parte do Castillo. Lá de baixo, pareciam bibliotecas, cheias de livros antigos, daqueles que, na cabeça de Scarlett, as pessoas sempre pediam para não tocar.

A trilha em linha reta levava a um pátio enorme, repleto de cores, sons e pessoas. Uma figueira-de-bengala crescia no coração do pátio, pululando de pássaros minúsculos feitos de maravilha. Havia zebras aladas e gatos-pássaro; tigres voadores em miniatura brincavam com elefantes de um palmo, que usavam as orelhas para ficar pairando no ar. Ao redor da árvore, havia uma série multicolorida de coretos e barracas. Música saía, dançando, de algumas; risos escapavam, tropeçando, de outras, como da barraca verde-jade de beijos.

Não restavam dúvidas a respeito de qual barraca Donatella teria escolhido, e, se Julian tivesse perguntado, ela também teria confessado que estava hipnotizada por aquele pátio cheio de tendas. A garota não deveria ficar tentada pelo que via.

Deveria pensar apenas em Tella, procurando a próxima pista. Mas, enquanto observava a barraca do beijo cor de jade, vibrando com risadinhas abafadas, cochichos e a promessa de um frio na barriga, imaginou...

Scarlett já tinha beijado uma pessoa. Na época, tentou se convencer de que a experiência fora agradável e de que estava satisfeita com aquilo. Mas, agora, "agradável" lhe parecia uma palavra que as pessoas usavam quando não tinham coisa melhor a dizer. Duvidava que o tal beijo agradável se comparasse a um beijo dado durante o Caraval. Em um lugar onde até o ar tinha um gosto doce, tentou imaginar o sabor dos lábios de outra pessoa pressionados contra os dela.

— Aquilo está de acordo com seus desejos?

Julian arrastou as palavras, meio rouco, deixando Scarlett instantaneamente corada.

— Eu estava olhando para a porta do lado.

Ela apontou rápido para uma barraca que tinha a infeliz cor das ameixas.

O marinheiro abriu um sorriso mais largo. Óbvio que não acreditara nela. E, quando as bochechas de Scarlett ficaram mais rosadas, o sorriso dele ficou maior ainda.

— Não precisa ficar envergonhada. Mas, se precisar de um treino antes de se casar, estou mais do que disposto a ajudar, de graça.

A garota tentou soltar um ruído de nojo, só que o som saiu mais parecido com um gemido.

– Isso foi um "sim"? – perguntou Julian.

Scarlett olhou feio para o marinheiro, dando a entender que não. Mas, pelo jeito, debochar dela o deixava de bom humor.

– Você já viu seu noivo? Ele pode ser bem feio.

– A aparência não importa. Meu noivo me escreve toda semana, cartas gentis, atenciosas e...

– Em outras palavras, ele é um mentiroso – interrompeu Julian.

Scarlett fez uma careta e retrucou:

– Você nem sabe o que ele escreveu.

– Sei que seu noivo é conde. – Julian começou a elencar coisas com a ajuda dos dedos. – Ou seja: é um nobre, e ninguém que tem uma posição dessas consegue se manter honesto. Se está procurando uma noiva-ilhéu, a família deve ter muitos casamentos consanguíneos, ou seja: o cara tampouco é atraente. – O marinheiro, então, falou em um tom sério, segurou o queixo de Scarlett e aproximou o rosto da jovem do seu. – Tem certeza de que não quer reconsiderar minha proposta e aceitar um beijo?

Ela se afastou com um grunhido de repulsa um pouco alto demais, um pouco errado demais. E, para seu horror, em vez de sentir nojo, um tantinho de curiosidade cor de hortênsia causou um certo formigamento em seus cinco sentidos.

A essa altura, os dois estavam perto da barraca do beijo, que exalava perfume. Um aroma de tarde da noite, que fez Scarlett pensar em lábios macios e mãos fortes, em uma barba por fazer castanho-escura arranhando seu rosto, barba essa que a fazia lembrar logo de Julian.

Ignorando o fato de sua pulsação ter se acelerado, tentou pensar em uma réplica inteligente para a próxima investida do marinheiro. Mas, pela primeira vez até então, Julian ficou calado. De certo modo, seu súbito silêncio deixou a garota mais constrangida do que se o rapaz tivesse debochado dela de novo.

Scarlett não conseguia imaginar que recusar a proposta de Julian tivesse ofendido o marinheiro, mas reparou que o rapaz não caminhava mais tão perto dela. Antes, mesmo quando não ficava encostado em Scarlett, ele ficava bem perto, de forma a poder encostar nela com facilidade. Mas ali estavam os dois andando pelo pátio, um pouco distanciados demais e calados demais, longe de parecerem um casal de noivos.

– Você gostaria de conhecer seu futuro? – perguntou outro rapaz.

– Ai, eu... – balbuciou Scarlett, quando se virou e deu de cara com uma parede de músculos. Nunca vira um homem nu. E, apesar de aquele homem não estar completamente nu, estava quase tão nu – disso ela sabia – que seria inapropriado até pensar em entrar na barraca cor de ferrugem. E, mesmo assim, Scarlett não se afastou.

O homem usava apenas um pano marrom, que cobria os quadris e ia até a parte superior de coxas grossas, deixando à mostra os músculos lisinhos cobertos de tatuagens em cores vivas. Um dragão soltando fogo pelas ventas perseguia uma sereia pela floresta do seu abdômen, querubins atiravam flechas acima de suas costelas. Algumas das flechas acertavam uma carpa, outras furavam as nuvens que derramavam dentes-de-leão amarelos e pétalas de flor de pessegueiro. Algumas das pétalas caíam pelas suas pernas, tapadas de cenas circenses bem detalhadas.

O rosto era igualmente enfeitado: tinha um olho roxo tatuado em cada bochecha e estrelas escuras contornavam os olhos verdadeiros. Mas foram os lábios que chamaram a atenção de Scarlett. Cercados por desenhos de arame farpado azul, um lado era trancado por um cadeado dourado, e o outro era selado com um coração.

– Quanto você cobra pela leitura? – perguntou Julian.

O marinheiro podia até ter ficado surpreso com a aparência peculiar do homem, mas não demonstrou.

– Irei desvelar seu futuro na mesma proporção do que você me pagar – respondeu o homem tatuado.

– Deixe para lá – disse Scarlett. – Acho que me contento com descobrir o futuro à medida que for acontecendo.

Julian olhou para ela de esguelha e comentou:

– Ah, foi bem isso que pareceu quando passamos por aqueles óculos ridículos, ontem.

– Que óculos?

– Sabe, aqueles de diferentes cores, que viam o futuro.

Foi aí que a garota recordou: ficara intrigada, mas o fato de o marinheiro ter reparado a surpreendeu.

– Se você quiser entrar, posso continuar procurando as pistas.

Julian encostou a mão nas costas de Scarlett e lhe deu um suave empurrão.

Ela já ia discutir: pôr um par de óculos não era a mesma coisa que entrar em uma barraca na penumbra com um homem seminu. Só que, no dia anterior, Scarlett havia perdido Donatella de vista porque ficara com medo de aceitar uma proposta. Se tinha de fazer por merecer a terceira pista, talvez pudesse merecer informações sobre o futuro – sobre onde poderia encontrar Tella.

— Você quer entrar comigo? – perguntou.

— Prefiro que meu futuro permaneça uma surpresa. – Julian inclinou a cabeça para a barraca do beijo. – Quando terminar aí, encontro você lá.

E então jogou um beijo debochado para Scarlett, e isso a fez pensar que a impressão de que Julian estava chateado com ela talvez fosse apenas coisa de sua cabeça.

— Não sei se concordo com isso – comentou o homem tatuado.

A garota podia jurar que não havia dito nada em voz alta. Certamente, aquele homem não conseguiria ler seus pensamentos. Ou talvez tivesse apenas adivinhado que essa frase poderia se aplicar, com facilidade, a qualquer coisa que ela estivesse pensando, era mais uma maneira de enganá-la e fazê-la entrar na penumbra de sua barraca.

15

O homem tatuado disse que se chamava Nigel e foi levando Scarlett para dentro da barraca. Passaram pela entrada luminosa e chegaram a alguns degraus de areia, que desciam até um antro com almofadas espalhadas por todo o chão e enevoado de tanta fumaça de velas e incenso de jasmim.

– Sente-se – ordenou Nigel.

– Acho que prefiro ficar de pé.

Aquele mar de almofadas lembrava, por demais, a cama do quarto na La Serpiente. Por um instante, a cena de Julian todo esparramado em cima do móvel, já desabotoando a camisa, veio à cabeça de Scarlett.

Quando a garota olhou para as almofadas novamente, Nigel tinha assumido uma pose semelhante à do marinheiro, com os braços nus esparramados nas almofadas, e Scarlett sentiu um impulso de subir correndo aqueles degraus.

– Cadê sua bola de cristal? Ou aquelas cartas que as pessoas usam? – perguntou.

Os cantos dos lábios tatuados do homem apenas estremeceram, mas foi o que bastou para fazer Scarlett se aproximar novamente dos degraus.

– Você tem muito medo – declarou Nigel.

– Não, sou apenas cautelosa – retrucou Scarlett. – E estou tentando entender como isso funciona.

– Porque você tem medo – repetiu o homem, olhando para a garota de um jeito que a fez pensar que Nigel não estava falando apenas da desconfiança que ela transmitira ao entrar na barraca. – Seu olhar não para de se dirigir ao cadeado tatuado na minha boca. Você se sente encurralada e não se sente segura. – O adivinho apontou para o coração, do outro lado da boca, e completou: – Seus olhos pousaram aqui também. Você quer amor e quer proteção.

– E não é isso o que toda garota quer?

– Não posso falar por todas as garotas, mas os olhos de cada pessoa se dirigem para uma coisa. Muitas querem poder. – Nigel passou o dedo, que tinha uma tatuagem de adaga, no dragão tatuado em sua barriga. – Outras querem prazer. – Ele levou a mão até o circo caótico que tinha nas pernas e também apontou para outras tatuagens. – Seus olhos se detiveram em todas essas.

– Então é assim que você prevê o futuro? – Scarlett se aproximou alguns centímetros: ficara mais intrigada. – Você usa os desenhos que tem no corpo para interpretar as pessoas.

– Eu as vejo como espelhos. O futuro é muito parecido com o passado: já está quase todo determinado, mas sempre pode ser alterado...

– Achei que era o contrário. O passado é determinado, mas o futuro pode mudar.

– Não. Apenas uma parte do passado é determinada. E o futuro é mais difícil de mudar do que você pensa.

– Então você está dizendo que tudo é uma questão de destino?

Scarlett não era muito fã do destino. Gostava de acreditar que, se fosse uma pessoa boa, coisas boas aconteceriam para ela. O destino a fazia se sentir impotente e desesperançada, com uma sensação geral de inferioridade. Para ela, o destino parecia uma versão mais ampla e onipotente do pai, que roubava seu poder de decisão e controlava sua vida, sem nenhuma consideração pelo que Scarlett sentia. O destino implicava que nenhuma de suas ações faria diferença.

– Você se afunda no medo com muita facilidade – prosseguiu Nigel. – O que você chama de "destino" só se aplica ao passado. O futuro é previsível apenas porque somos criaturas deste mundo e, portanto, previsíveis. Pense no gato e no rato.

O adivinho mostrou a parte de baixo do braço, que tinha um gato amarelo castanho espichando as garras das patas para alcançar um rato listrado de preto e branco.

– Quando o gato vê o rato, sempre vai atrás dele, a menos, talvez, que o gato esteja sendo perseguido por algo maior, como um cachorro. Somos bem parecidos. O futuro sabe quais são nossos desejos, a menos que haja algo maior em nosso caminho que nos afaste deles.

Nigel passou o dedo em cima da cartola azul-noite tatuada em seu pulso, e Scarlett ficou observando, hipnotizada. Era quase igual à cartola que Lenda usara no sonho que tivera e a fez recordar do tempo em que tudo o que mais queria era receber uma carta do Mestre do Caraval.

– Mas o futuro costuma ver claramente até essas coisas que podem alterar nosso curso – continuou o homem. – Não é coisa do destino. É apenas o futuro realizando nossos maiores desejos. Todo mundo tem o poder de mudar o próprio destino, se tiver coragem para lutar por aquilo que deseja mais do que tudo.

Scarlett tirou os olhos da cartola e viu que Nigel continuava sorrindo para ela.

– Está intrigada com a cartola?

– Ah, eu nem estava olhando para ela. – Scarlett não sabia por que ficara envergonhada, tirando o fato de que deveria estar pensando em Donatella e não em Lenda. – Eu só estava admirando os outros desenhos que você tem no braço.

Ficou nítido que Nigel não acreditou em sua resposta. O adivinho continuou sorrindo, um sorriso de tigre, e indagou:

– Você está preparada para ouvir o que eu vejo no seu futuro?

Inquieta, a garota mudou de posição e ficou observando a fumaça se intensificar em volta das almofadas que estavam aos seus pés. Os limites entre o jogo e a realidade estavam começando a se confundir novamente. As palavras de Nigel faziam mais sentido do que Scarlett gostaria. Quando olhou para o dragão soltando fogo pelas ventas na barriga do adivinho, pensou no pai – em seu desejo destrutivo de poder. O circo caótico nas coxas de Nigel fez Scarlett recordar de Donatella – da necessidade de prazer que a irmã tinha, para ajudá-la a esquecer das feridas que queria ignorar. E o adivinho tinha toda a razão quando falou do cadeado e do coração tatuados em seus lábios.

– O que isso vai me custar?

– Apenas algumas respostas. – Nigel sacudiu a mão, lançando tufos de fumaça roxa na direção de Scarlett. – Vou fazer perguntas e, para cada resposta sincera que você me der, também vou te dar uma resposta.

O jeito como ele disse isso fez tudo parecer tão simples...

Apenas algumas respostas.

Não pediu sua filha primogênita.

Nem parte de sua alma.

Tão simples.

Simples demais.

Mas a garota sabia que nada era assim tão simples. Muito menos em um antro como aquele, um lugar planejado para enganar e seduzir.

– Vou começar com algo fácil. Fale de seu acompanhante, aquele belo rapaz que veio para cá com você. Estou curioso: como se sente em relação a ele?

Os olhos de Scarlett se voltaram imediatamente para os lábios de Nigel. Para o arame farpado tatuado em volta deles. *Não olhe para o coração. Não olhe para o coração.* O que sentia por Julian não tinha nada a ver com o coração.

– Julian é egoísta, desonesto e oportunista.

– E, apesar disso, você concordou em ser parceira dele no jogo. Então suas impressões sobre esse rapaz não devem ser só essas. – O adivinho ficou em silêncio por alguns instantes. Percebera que a jovem havia olhado para o coração. Por que isso tinha importância, Scarlett não saberia dizer, mas podia ver que tinha. Ouviu que tinha, pelo jeito que Nigel perguntou: – Você acha que ele é atraente?

A garota queria negar. O marinheiro era o arame farpado. Não o coração. Mas, apesar de nem sempre gostar de Julian enquanto pessoa, não podia negar, se fosse sincera, que ele tinha uma aparência extrema-mente atraente. Com aquele rosto rústico, o cabelo castanho-escuro revolto, a pele dourada. E, por mais que jamais fosse dizer isso para Julian, adorava o modo como ele agia, com total confiança, como se nada no mundo pudesse lhe fazer mal. Scarlett tinha menos medo quando estava com Julian. Como se a ousadia e a bravura nem sempre fossem resultar em derrota.

Mas tampouco queria contar isso para Nigel. E se o marinheiro estivesse ouvindo do lado de fora da barraca?

– Eu...

Scarlett tentou dizer que não ligava para a aparência de Julian, mas as palavras ficaram grudadas na sua língua, feito melaço.

– Você está com alguma dificuldade? – O adivinho abanou um cone de incenso e falou: – Pronto, isso vai ajudar a soltar sua língua.

Ou obrigar as pessoas a dizerem a verdade, pensou Scarlett.

Quando abriu a boca de novo, as palavras se derramaram:

– Eu acho que Julian é a pessoa mais atraente que eu já vi na vida.

Ela teve vontade de dar um tapa na própria boca e enfiar as palavras de volta lá dentro.

– Eu também acho que ele é muito convencido – conseguiu completar, só para o caso de o patife estar ouvindo do lado de fora.

– Interessante. – Nigel juntou os dedos, em um gesto maquiavélico. – Agora, quais são as duas perguntas que você gostaria de me fazer?

– Como? – Scarlett ficou alarmada com o fato de o adivinho só querer saber de Julian. – Você não tem mais nenhuma pergunta para mim?

– Nosso tempo está acabando. As horas passam como minutos aqui. – Nigel apontou para as velas que se apagavam ao redor de seu antro. – Você tem direito a duas perguntas.

– Só duas?

– Você quer que essa seja uma das duas perguntas?

– Não, eu só...

Scarlett pôs a mão em cima da boca, antes de dizer algo que não deveria sem querer.

Se aquilo fosse mesmo um jogo, não faria diferença o que ela perguntasse. As respostas que obteria, de todo modo, seriam um faz de conta. Mas e se parte daquilo fosse verdade? Por um instante, Scarlett ousou permitir que seus pensamentos entrassem naquele lugar perigoso, na ponta dos pés. Já havia testemunhado magia na relojoaria, com a porta mecânica de Algie e o vestido encantado de Lenda. E o incenso de Nigel obrigara a garota a falar a verdade, o que também era evidência de, ao menos, um pouco de magia. E, se o homem que estava diante dela pudesse mesmo prever o futuro, o que Scarlett gostaria de saber?

Seus olhos voltaram a se dirigir para o coração no canto da boca de Nigel. Vermelho. Cor do amor, da mágoa e de outras coisas tanto vis quanto virtuosas. Ao olhar para o coração de novo, pensou no conde, em suas encantadoras cartas e se podia ou não acreditar no que ele havia escrito.

— A pessoa com quem vou me casar, você pode me dizer que tipo de homem ele é: se é uma pessoa boa e honesta?

Na mesma hora, a garota se arrependeu por não ter perguntado primeiro sobre a irmã. Deveria estar pensando apenas em Tella — foi por isso que entrou na barraca, para começo de conversa. Mas era tarde demais para retirar a pergunta que já fizera.

— Ninguém é verdadeiramente honesto — respondeu Nigel. — Mesmo que não contemos mentiras para os outros, não é raro mentirmos para nós mesmos. E a palavra "bom" significa uma coisa para cada pessoa. — O adivinho inclinou o corpo para a frente, aproximando-se tanto de Scarlett que ela teve a sensação de que todas as cenas tatuadas no corpo daquele homem também a observavam. Nigel fitou Scarlett com tanta atenção que ela chegou a pensar que seu próprio rosto tinha imagens tatuadas, que só o adivinho podia ver. — Sinto muito, mas o homem com quem vai se casar não é o que você chamaria de boa pessoa. Talvez já tenha sido, mas se desviou desse caminho e ainda não está claro se irá voltar.

— O que você quer dizer com isso? Como não está claro? Pensei que você havia dito que o futuro está quase todo determinado, que somos como gatos, sempre correndo atrás do mesmo rato.

— Sim. Mas, de vez em quando, temos dois ratos. E não está claro atrás de qual dos dois ele vai correr. Seria prudente ter cautela.

Mais uma vez, Nigel olhou para Scarlett como se ela fosse coberta de tatuagens que só ele enxergava. Desenhos que contorceram seus traços em uma careta, como se Scarlett também tivesse um coração tatuado perto da boca, mas partido em mil pedacinhos.

Ela tentou se convencer de que tudo aquilo era coisa de sua cabeça. Nigel estava tentando enganá-la. Amedrontá-la, por causa do jogo. Mas o casamento com o conde não tinha nenhuma ligação com o jogo. A garota não ganharia nada com o conselho enigmático do adivinho.

Nigel levantou das almofadas e foi se dirigindo para os fundos da barraca.

— Espere — disse Scarlett. — Não fiz a segunda pergunta.

– Na verdade, você me fez três perguntas.

– Mas as outras duas não foram perguntas de verdade. Você não chegou a explicar direito as regras. Me deve mais uma pergunta.

Nigel olhou para Scarlett. Ele era uma torre de imagens multicoloridas encabeçada por um sorriso cruel.

– Eu não te devo nada – declarou.

16

—P or favor! – Scarlett correu atrás de Nigel. – Não estou pedindo para ver o futuro. Minha irmã foi sequestrada, por causa do jogo. Você pode me dizer onde posso encontrá-la?

O adivinho se virou. Um borrão de tatuagens e cores.

– Se você está mesmo preocupada com sua irmã, por que não perguntou por ela primeiro?

– Não sei.

Mas isso não era bem verdade. Cometera mais um erro, como fizera na relojoaria. Estava mais preocupada com o próprio futuro do que com encontrar a irmã. Talvez pudesse remediar o erro. Nigel havia dito que revelaria o futuro na proporção do que Scarlett lhe respondesse.

– Espera! – gritou a garota, porque o adivinho começou a andar de novo. – Foi o coração – disparou. – Sempre que eu olhava para você, via o coração nos seus lábios, e isso me fez pensar no casamento, que é daqui a apenas uma semana. Eu realmente quero me casar. Mas, como nunca vi meu noivo, tem coisas que não sei sobre ele e... – Scarlett não queria admitir seus verdadeiros sentimentos, mas se obrigou a dizer as seguintes palavras: – Estou com medo.

Nigel foi se virando lentamente. A garota teve a impressão de que aquele homem conseguia ver o quanto seu medo era profundo, muito mais profundo do que ela mesma havia percebido. Seus olhos encontraram uma corrente tatuada em volta do pescoço de Nigel, e ela imaginou uma cadeia invisível em volta do próprio pescoço, formada por anos e anos dos castigos cruéis do pai, sempre a impedindo de fazer o que queria.

– Se você quiser vencer este jogo, precisa esquecer de seu casamento. E, se quiser encontrar sua irmã, não adianta procurar aqui no Castillo. Siga o garoto que tem um coração de puro breu.

– Por acaso esta é a terceira pista? – perguntou Scarlett.

Só que Nigel já havia ido embora.

Quando voltou para o pátio, a luminosidade do Castillo havia diminuído. Agora, seus arcos pareciam de bronze, não mais de ouro reluzente, e projetavam sombras dilatadas no palácio. A garota já desperdiçara quase todo o tempo que tinha. Mas ousou ter a esperança de que, ao confessar seus medos para o adivinho, *fizera por merecer* a terceira pista. Talvez, tivesse dado mais um passo na direção de Tella.

Quando Nigel disse "Siga o garoto que tem um coração de puro breu", a primeira pessoa em quem pensou foi Julian, tão egoísta e enganador. Não era difícil imaginar que o marinheiro tinha um coração de puro breu.

Infelizmente, não havia nem sinal do rapaz malandro nem da barraca do beijo cor de jade, onde Julian havia pedido que Scarlett o encontrasse. Ela viu uma barraca peluda verde-trevo e outra reluzente, verde-esmeralda. Mas nada verde-jade.

A jovem teve a sensação de que a ilha estava lhe pregando uma peça.

Foi até a barraca verde-esmeralda. Garrafas cobriam toda e qualquer superfície: o chão, as paredes, as vigas que seguravam o teto. Quando deu uma espiada lá dentro, o vidro tilintou, feito pozinho mágico.

Além da dona, as únicas pessoas dentro da barraca eram uma dupla de garotas risonhas. Ambas paradas diante de uma caixa de vidro trancada a chave, repleta de garrafas pretas com etiquetas vermelho-rubi.

– Talvez, se a gente conseguir encontrar aquela garota antes de todo mundo e, assim, localizar Lenda, possa dar uns goles disso para ele – disse uma das garotas, para a companheira.

– Estão falando do meu tônico romântico – explicou a dona. Então ficou bem diante de Scarlett e a cumprimentou com uma borrifada de algo mentolado. – Mas imagino que não seja por isso que você está aqui. Procura um aroma novo? Temos óleos que atraem e perfumes que repelem.

– Ah, não, obrigada. – Scarlett foi para trás antes que a mulher pudesse espirrar aquela coisa em cima dela novamente. – O que tem aí dentro?

– É só meu jeito de dizer "oi".

Scarlett duvidou. Já estava indo embora, mas algo a chamava para dentro da barraca, um chamado sem voz, que a atraiu até a estante rústica que havia nos fundos. O móvel estava repleto de ampolas e frascos de farmácia de um laranja queimado cujas etiquetas exibiam nomes como *Tintura de Esquecimento* e *Extratos dos Amanhãs Perdidos*.

Uma vozinha em sua cabeça alertou que ela estava perdendo tempo – precisava encontrar Julian e seguir seu coração de puro breu. Fez que ia embora de novo, mas uma ampola azul-celestial no alto da estante chamou a sua atenção. *Elixir de Proteção*.

Por um instante, Scarlett jurou que o líquido azulado dentro da ampola batia feito um coração.

A dona da barraca pegou a ampola e entregou para a garota.

– Você tem inimigos? – perguntou.

– Não, só fiquei curiosa – desconversou Scarlett.

Os olhos da mulher eram verde-garrafa, uma intensa concentração de cor. E seus cantos enrugados diziam "Não acredito em você". Apesar disso, ela fez a gentileza de fingir que acreditava.

– Se alguém quiser te fazer mal – prosseguiu a dona da barraca, friamente –, isso irá impedir. É só borrifar um pouco na cara da pessoa.

– Como você fez comigo?

– Meu perfume apenas abriu seus olhos, para você conseguir enxergar o que poderia precisar.

Scarlett rolou o minúsculo recipiente na palma da mão, pouco maior do que um frasquinho, mas pesado. Imaginou que esse peso palpável seria reconfortante se estivesse em seu bolso e indagou:

– O que isso vai me custar?

– Para você? – A mulher a examinou com muita atenção, levando em consideração sua postura, o fato de estar encolhida e de se recusar a ficar completamente de costas para a entrada da barraca. Então declarou: – Diga de quem você mais tem medo.

Scarlett ficou em dúvida. Julian havia alertado que não era para revelar seus segredos à toa. Também havia dito que, para vencer e encontrar a irmã, teria de ser um pouco inclemente. Ela imaginou que a poção poderia ser impiedosa, mas esse não foi o único motivo para pronunciar as seguintes palavras de um fôlego só:

– Marcello Dragna.

Junto com o nome, veio uma onda amedrontada de anis, lavanda e algo que lembrava ameixa podre. Scarlett olhou ao redor, para se certificar de que o pai não estava parado na entrada da barraca.

– Este elixir só pode ser usado na mesma pessoa uma única vez – advertiu a mulher – e perde o efeito em duas horas.

– Obrigada.

Assim que disse isso, Scarlett pensou ter avistado Julian perto da barraca ao lado. Apenas um borrão de cabelo castanho-escuro e movimentos furtivos. Podia jurar que o rapaz a viu e que, mesmo assim, seguiu na direção contrária.

Foi atrás dele, apressada, e correu até o fim gelado do pátio, onde não mais brotavam pavilhões coloridos. Só que Julian tinha sumido debaixo do arco à sua esquerda.

– Julian!

Scarlett passou pela penumbra do arco e percorreu um caminho estreito que a levou até um jardim lúgubre. Mas não havia nem sinal do cabelo castanho-escuro de Julian atrás das estátuas quebradas. Nem sinal de seus movimentos precisos perto das plantas já meio mortas. O marinheiro havia desaparecido, assim como as cores do jardim, que pareciam estar desbotando, deixando-o descolorido e sem encantos.

Ela procurou outro arco por onde Julian poderia ter saído, mas aquele pequeno parque não tinha saída e terminava em um chafariz arruinado que cuspia uma água marrom borbulhante em uma base suja que continha umas poucas moedas patéticas e um botão de vidro. Era o poço dos desejos mais triste que já tinha visto.

Não fazia nenhum sentido. Nem o desaparecimento de Julian nem aquele pedaço de terra abandonado, largado ali para morrer, no meio de um reino tão cuidadosamente cultivado. Até o ar era estranho. Fétido e estagnado.

Ela quase podia sentir a tristeza do chafariz contaminando seus pensamentos, transformando seu desânimo no tipo de desesperança amarela e lúgubre que sufocava a vida. Ficou pensando se foi isso que acontecera com as plantas. Sabia o quão paralisante a desolação podia ser. Se não fosse a determinação de proteger a irmã a qualquer custo, teria desistido havia muito tempo.

E, provavelmente, deveria ter desistido. Como era mesmo aquele ditado: "O amor nunca vem sem castigo"? Em muitos sentidos, amar Donatella era uma fonte de dor constante. Por mais que Scarlett tentasse cuidar da irmã, nunca conseguia preencher o buraco deixado pela mãe. E não dava para dizer que Tella realmente retribuía o amor de Scarlett. Se retribuísse, não teria posto em risco tudo o que a irmã queria, arrastando-a para aquele jogo infeliz contra sua vontade. Tella nunca pensava direito antes de fazer as coisas. Era egoísta, impulsiva e...

Não! Scarlett sacudiu a cabeça e respirou bem fundo. Nada disso que acabara de pensar era verdade. Amava Tella mais do que tudo. Queria encontrá-la, mais do que tudo.

Então ela se deu conta.

Isso é obra desse chafariz.

O desespero que estava sentindo era produto de algum tipo de encantamento, provavelmente com o objetivo de impedir que as pessoas ficassem muito tempo paradas ali.

Aquele jardim estava escondendo alguma coisa.

Talvez fosse por isso que Nigel havia dito para seguir Julian e seu coração de puro breu – porque o adivinho sabia que, se fizesse isso, a garota chegaria àquele local. A próxima pista poderia estar escondida ali.

As botas de Scarlett fizeram ruído nas pedras opacas enquanto ela se aproximava do local onde havia avistado o botão. Era o segundo botão que via naquela noite. Só podia ser parte de uma pista. Scarlett pegou um galho e o pescou. E foi aí que ela viu.

Era algo tão ínfimo que a garota quase não viu – olhos menos atentos poderiam ter deixado passar batido. Debaixo daquela água marrom e soturna, gravado na beirada do chafariz, havia um sol com uma estrela dentro e uma lágrima dentro da estrela: o símbolo do Caraval. Não parecia tão mágico quanto o brasão prateado da primeira carta que Lenda lhe enviara. Claro que nada parecia encantado naquele jardim horroroso.

Scarlett encostou no símbolo com o galho. Imediatamente, a água começou a ser drenada, levando consigo todos aqueles sentimentos miseráveis. Ao mesmo tempo, os tijolos do chafariz foram mudando de posição, revelando uma escadaria em espiral que se estendia rumo a uma escuridão desconhecida. Era o tipo de escadaria que a garota não gostaria de descer sozinha. E estava ficando perigosamente sem tempo, se quisesse voltar para a estalagem antes de o sol nascer. Mas, se tivesse sido por ali que Julian desapareceu e se o marinheiro fosse o garoto do coração de puro breu, Scarlett precisava segui-lo para encontrar a próxima pista. Das duas, uma: ou Donatella era a coisa atrás da qual Scarlett corria, ou o medo de Scarlett poderia ser o que a afastava do que mais queria.

Ela tentou não pensar que estava cometendo um enorme erro e começou a descer os degraus. Os primeiros degraus ainda tinham alguma umidade, mas, conforme descia por aquela escadaria, que era muito mais profunda do que a que levava à adega de sua casa, as botas de Scarlett começaram a tocar em areia.

Tochas iluminavam seu percurso, projetando sombras dramáticas nos tijolos de areia ouro-clara, areia essa que ficava mais escura a cada lance de escadas. Scarlett imaginou que já havia descido uns três andares, tinha a sensação de ter entrado no coração do Castillo. E, cada vez mais, tinha certeza de que aquele era um lugar onde ela não deveria estar.

A preocupação que tentou enterrar foi ressurgindo, à medida que descia cada vez mais. E se o garoto que tivesse seguido não fosse Julian? E se Nigel tivesse mentido? O marinheiro não havia lhe dito para não confiar nos outros? Cada medo apertava a corrente invisível em volta do pescoço de Scarlett, deixando-a tentada a dar meia-volta.

No fim da escada, havia um corredor que se abria em múltiplas direções, como uma cobra com mais de uma cabeça: escura e tortuosa, magnífica e amedrontadora. De um dos túneis, vinha um ar gelado. Uma brisa morna saía de outro. Mas não ouviu som de passos vindos de nenhum deles.

— Como foi que você chegou aqui embaixo?

Scarlett se virou na direção da voz. Uma luz fraca bruxuleava na entrada do corredor gelado, e dele saiu a garota de lábios pintados de vermelho, a gondoleira que não conseguia tirar os olhos de Julian enquanto os levava, na noite anterior, à La Serpiente.

— Estou procurando meu acompanhante. Vi que ele desceu...

— Não tem mais ninguém aqui embaixo — interrompeu a garota. — Aqui não é lugar para você...

Alguém gritou. Um grito quente e ardente como fogo.

A vozinha dentro da cabeça de Scarlett relembrou que tudo não passava de um jogo, que aquele grito estridente era apenas uma ilusão. Mas, diante dela, a garota de lábios pintados de vermelho parecia estar sinceramente amedrontada, e o lamento parecia incrivelmente real. O contrato que Scarlett havia assinado com o próprio sangue lhe veio à cabeça, assim como os boatos de que uma mulher havia morrido durante o jogo, havia alguns anos.

— O que foi isso? — questionou.

— Você tem que sair daqui.

A garota pegou Scarlett pelo braço e a levou até os degraus.

Mais um grito sacudiu as paredes, arrancando poeira dos corredores. Poeira essa que se misturou à luz das tochas, como se tivesse tremeluzido com aquele som maldito.

Foi por apenas um segundo, mas Scarlett jurou que viu uma mulher sendo amarrada — a mesma mulher de vestido cinza-pombo que vira ser retirada à força da loja, um pouco mais cedo. Jovan dissera que aquilo era apenas uma apresentação, mas não havia ninguém naquele lugar para ouvir os lamentos daquela mulher, a não ser Scarlett.

— O que estão fazendo com essa mulher? — indagou.

Ela continuou se debatendo para que a garota de lábios pintados de vermelho a soltasse, torcendo para conseguir acudir a outra mulher, mas a garota era forte. Scarlett se lembrou da força com a qual sua oponente havia remado, na noite anterior.

— Pare de resistir — avisou a garota. — Se você se embrenhar por esses túneis, vai acabar enlouquecendo, que nem ela. Não estamos machucando essa mulher, estamos impedindo que ela se machuque. — A garota empurrou Scarlett uma última vez, fazendo-a cair de joelhos na base da escada. — Você não vai encontrar seu acompanhante aqui embaixo. Só vai encontrar loucura.

Um novo grito pontuou o silêncio. Desta vez, a voz parecia masculina.

— Quem foi que...

Uma porta de arenito se fechou diante de Scarlett, antes que ela pudesse terminar a frase. A porta abafou os gritos da mulher, separou a garota de Scarlett, as escadarias do corredor e os gritos dos ouvidos dela. Mas, mesmo enquanto Scarlett subia e voltava para o pátio, os ecos pairavam em sua cabeça, feito umidade em um dia sem sol.

O último grito não parecia ser a voz de Julian. Ou foi disso que ela tentou se convencer quando pegou a gôndola para voltar à La Serpiente. Scarlett tentou relembrar de que tudo não passava de um jogo. Só que a parte da loucura estava começando a parecer muito real.

Se a mulher de cinza tivesse mesmo enlouquecido, era impossível para Scarlett não se perguntar: por quê? E, se não tivesse, se fosse apenas mais uma atriz, refletiu, ir atrás dela e acreditar que aqueles gritos de dor eram reais poderia enlouquecer alguém.

Scarlett pensou em Donatella. E se sua irmã estivesse amarrada em algum lugar, aos gritos? *Não*. Era justamente esse tipo de pensamento que poderia fazê-la enlouquecer. Lenda devia ter providenciado toda uma ala de aposentos luxuosos para Tella. Scarlett conseguia enxergá-la dando ordens aos criados e comendo morangos polvilhados com açúcar cor-de-rosa. E, por acaso, Julian não havia dito que o Mestre do Caraval sabia cuidar muito bem de seus convidados?

A garota torceu para encontrar o marinheiro na taverna, para Julian debochar do fato de Scarlett ter corrido atrás de alguém parecido com ele e do tempo que havia passado na barraca de seda de Nigel. Tentou se convencer de que o rapaz simplesmente desistira de esperar por ela, que havia ficado entediado e deu no pé. Tentou se convencer de que não o abandonara, aos gritos, lá naquele túnel. De que vira outro rapaz de cabelo castanho-escuro entrar correndo naquele jardim. E de que as palavras do adivinho eram apenas mais uma peça que o jogo havia pregado nela. Tinha certeza de tudo isso quando chegou à La Serpiente. *Quase*.

A Taverna de Vidro estava ainda mais lotada do que no dia anterior. Cheirava a risos e a bravata, com uma pitada de cerveja adocicada. Meia dúzia de mesas de vidro estavam ocupadas por mulheres fustigadas pelo vento e por homens de bochechas vermelhas, todos se locupletando de seus achados – ou lamentando a falta de descobertas.

Com um imenso prazer, Scarlett ouviu a mulher de cabelo branco que conhecera no quarto de Tella contar que fora feita de boba por um homem que alegava vender maçanetas encantadas.

– Testamos a maçaneta – disse ela. – Colocamos na porta, lá em cima, mas não nos levou a nenhum lugar diferente.

– É porque tudo não passa de um jogo – respondeu um homem de barba preta. – Não existe magia de fato aqui.

– Ah, não acho que...

Scarlett adoraria continuar ouvindo a conversa, na esperança de descobrir algo, porque os limites entre o jogo e a realidade estavam começando a ficar um tanto borrados demais para seu gosto, mas um rapaz sentado no canto chamou a sua atenção. De cabelo castanho-escuro e caótico. Ombros fortes. Confiante. *Julian.*

A garota sentiu um alívio inebriante. O marinheiro estava bem. Não estava sendo torturado. Na verdade, parecia bem mesmo. Estava de costas, mas a inclinação de sua cabeça e o ângulo de seu peito deixavam claro que olhava para outra garota, sentada perto de sua mesa.

O alívio de Scarlett se transformou em outra coisa. Como fora proibida até de conversar com outro rapaz, por causa do noivado de faz de conta, não ia permitir que Julian ficasse lançando olhares para uma oportunista qualquer, sentada em um bar. Até porque, aquela vagabunda específica era a grávida de cabelo loiro cor de morango que havia sumido, levando as coisas de Scarlett. Só que, agora, a jovem não parecia estar nem um pouco grávida. O corpete do vestido estava bem reto, não apertava mais uma barriga enorme.

Com uma leve fúria, Scarlett se aproximou da mesa, pôs a mão no ombro de Julian e disse:

– Querido, quem é...

Ficou sem palavras quando ele se virou.

– Ah, desculpe – conseguiu dizer. Deveria ter adivinhado: o garoto estava vestido todo de preto. – Achei que você fosse...

– Seu noivo? – completou Dante, com um tom maldoso e safado.

– Dante...

– Ah, então você se lembra do meu nome. Não me usou apenas para dormir na minha cama.

Ele falou alto. As pessoas sentadas nas mesas próximas lançaram olhares para Scarlett que iam do nojo ao desejo. Um homem lambeu os lábios, e um grupo de rapazes fez gestos impróprios.

A loira deu uma risada debochada e perguntou:

– É dessa garota que você estava falando? Pela sua descrição, achei que seria muito mais bonita.

– Eu tinha bebido – respondeu Dante.

As bochechas de Scarlett arderam de tão vermelhas, um vermelho mais intenso do que a sua costumeira vergonha cor de pêssego. Julian podia até ser mentiroso. Mas, pelo jeito, tinha razão a respeito da verdadeira natureza daquele rapaz.

Ela teve vontade de dizer algo, tanto para Dante quanto para a garota, mas estava com um nó na garganta e um vazio no peito. Os homens das mesas próximas ainda olhavam feio para Scarlett, e as fitas de seu vestido começaram a escurecer, ficando com tons de preto.

Precisava sair dali.

Deu meia-volta e foi saindo da taverna, seguida pelos cochichos, enquanto o breu escorria das fitas do vestido, espalhando-se, feito manchas, por todo o modelito branco. Lágrimas encheram seus olhos. Lágrimas quentes, de raiva, de vergonha.

Era isso que ganhava por fingir que não tinha um noivo de verdade. E o que estava pensando – encostando no rapaz daquele jeito? Chamando-o de "querido"? Pensara que Dante era Julian, mas será que isso melhorava a situação?

O imbecil do Julian.

Scarlett jamais deveria ter concordado com a proposta dele. Queria ficar brava com Dante, mas foi Julian quem criou aquela confusão. Preparou-se para o pior quando abriu a porta do quarto, meio que esperando encontrá-lo esparramado na enorme cama branca, com a cabeça e os cabelos castanhos encostados em um travesseiro, os pés pousados em cima de outro. O quarto exalava a presença do marinheiro. Vento gelado, sorrisos maldosos e mentiras esfarrapadas. Scarlett sentiu a sombra dessas coisas ao entrar no cômodo. Só que não havia nenhum rapaz que combinasse com elas.

O fogo crepitava baixinho. A cama estava lá, coberta de camadas de travesseiros e cobertores de pena intocados. O marinheiro cumprira a palavra, de que iria revezar o quarto com ela.

Ou, talvez, jamais tivesse saído do Castillo Maldito.

17

Scarlett não sonhou com Lenda. Não sonhou com nada, por mais que tenha tentado dormir. Toda vez que fechava os olhos, os corredores serpenteantes debaixo do Castillo Maldito surgiam diante dela, com suas tochas bruxuleantes e seus gritos. Quando abria os olhos, sombras à espreita se movimentavam por onde não deveriam estar. Em seguida, a garota fechava os olhos de novo, e aquele ciclo pavoroso se repetia.

Ela tentou se convencer de que era coisa de sua cabeça, as sombras e os sons. Lamentos, passos e ruídos crepitantes.

Até que algo estalou, algo que, definitivamente, estava dentro do quarto.

Sentou-se na cama com cuidado. O fogo moribundo zunia, lançando fragmentos de luz aqui e ali. Mas o barulho que ouvira fora mais alto do que isso.

Aconteceu de novo. Outro estalo. Logo depois, a porta escondida, que dava acesso ao quarto, se escancarou, e Julian entrou, meio cambaleando.

– Oi, Carmim.

– O que você está... – Scarlett não conseguiu terminar a pergunta. Mesmo naquela luz granulada, dava para ver que havia algo de errado. Nos passos reticentes de Julian. Na inclinação de sua cabeça. A garota saiu logo da cama, se tapando com um cobertor. – O que aconteceu com você?

– Não é tão ruim quanto parece.

O corpo do marinheiro balançava, como se ele estivesse bêbado. Mas a garota só conseguia sentir um cheiro metálico de sangue.

– Quem fez isso com você?

– Não esqueça: tudo não passa de um jogo.

Julian deu um sorriso, se contorceu à luz da lareira e, em seguida, caiu no divã.

– Julian! – Scarlett foi correndo até ele. O corpo inteiro do marinheiro estava gelado, como se o rapaz tivesse ficado ao relento aquele tempo todo. Teve vontade de sacudi-lo, de acordá-lo, mas não sabia se era uma boa ideia, por causa de todo aquele sangue. Tanto sangue. *Um sangue muito verdadeiro*. Que empapava o cabelo castanho-escuro de Julian e sujou as mãos de Scarlett quando ela tentou colocá-lo em uma posição mais cômoda. – Já volto. Vou buscar ajuda.

– Não... – O marinheiro segurou o braço da garota. Os dedos estavam gélidos, como o restante de seu corpo. – Não vá. É apenas um corte na cabeça, sempre parece pior do que é. Só pegue uma toalha e a bacia. Por favor. – Julian apertou mais o braço de Scarlett quando disse "por favor". – Vai levantar muitas suspeitas se trouxer alguém aqui. Algum dos "abutres", como você diz, vão achar que faz parte do jogo.

– E não faz?

Julian fez que não, tirando a mão gelada do braço de Scarlett.

A garota não acreditou que o marinheiro não queria chamar atenção só por causa dos abutres, mas foi logo buscar duas toalhas e a bacia. Em um minuto, a água ficou vermelha e amarronzada. O corpo de Julian se aqueceu um pouco. Ele tinha razão a respeito do corte na cabeça: não era tão grave quanto parecia. O corte não era fundo, mas Julian tombou para o lado quando tentou ficar sentado.

– Acho que você deveria continuar deitado. – Scarlett colocou a mão no ombro dele, de leve, e perguntou: – Tem mais algum machucado?

– Dê uma olhada aqui.

Julian levantou a camisa, deixando à mostra as fileiras de músculos dourados, levantou tanto que Scarlett poderia ter ficado corada, se não fosse todo aquele sangue espalhado pela barriga do marinheiro.

A jovem pegou a toalha que estava mais limpa e pressionou a pele dele, fazendo movimentos circulares com o pano, bem devagar. Nunca havia tocado em um rapaz – ou em um homem – daquele jeito. Teve o cuidado de encostar em Julian apenas com o pano, por mais que seus dedos estivessem tentados a passear pela pele do marinheiro. Para ver se a pele de Julian era tão macia quanto parecia. Será que o conde tinha uma barriga tão lisinha e musculosa?

– Julian, você precisa ficar de olhos abertos! – censurou Scarlett.

Estava tentando expulsar o corpo dele de seus pensamentos. Precisava se concentrar em sua tarefa.

– Acho que esse corte vai precisar de pontos. – Mas, quando o pano limpou o sangue, deixou à mostra um trecho liso de pele, sem marcas nem cortes. – Espere, não estou vendo o corte.

– Porque o corte não existe. Mas isso que você está fazendo é muito bom.

Dito isso, Julian gemeu e se espreguiçou.

– Seu patife! – Scarlett tirou as mãos dele, segurando-se para não lhe dar um tapa, só porque o marinheiro já estava ferido. – O que realmente aconteceu? E pode falar a verdade, senão vou te expulsar deste quarto agora mesmo.

– Você não precisa me ameaçar, Carmim. Não esqueci de nosso trato. Não pretendo ficar nem roubar sua virtude. Só queria te entregar isso.

Julian pôs a mão no bolso. Scarlett reparou que as mãos dele não estavam machucadas nem sujas de sangue, nenhuma das duas. Podia até ter brigado com alguém, mas não revidara nenhum golpe.

Ela já ia perguntar de novo o que havia acontecido, quando o marinheiro abriu a mão.

Um brilho vermelho.

– Era por causa disso que você estava tão chateada?

Julian soltou os brincos escarlates nas mãos de Scarlett sem a menor cerimônia, como se estivesse apenas devolvendo uma das toalhas ensanguentadas para ela.

– Onde foi que você encontrou esses brincos?

Scarlett soltou um suspiro de surpresa. Mas, na verdade, o lugar não fazia diferença. Julian se dera ao trabalho de reavê-los. Apesar de ter atirado os brincos na mão dela sem o menor cuidado, todas as pedras estavam lá, e nenhuma estava lascada ou quebrada. Quando a garota ainda estudava, seu pai exigiu que aprendesse o jeito certo de agradecer em uma dúzia de línguas. Só que Scarlett achava que nenhuma dessas expressões seria apropriada para aquele momento.

– Foi por isso que você se machucou? – perguntou.

– Se você acha que eu iria me machucar por causa de uma bijuteria qualquer, está, mais uma vez, pensando que sou uma pessoa melhor do que realmente sou.

Então o marinheiro se levantou do divã e se dirigiu à porta.

– Pare. Você não pode ir embora nesse estado.

Ele inclinou a cabeça para o lado e perguntou:

– Por acaso isso é um convite para eu dormir aqui?

Scarlett ficou em dúvida.

Julian estava ferido.

Isso não tornava aquela situação menos indecente.

Scarlett era noiva. E mesmo que não fosse...

– Achei mesmo que não.

Julian segurou a maçaneta.

– Espere... – Scarlett o fez parar de novo. – Você ainda não me contou o que aconteceu. Tem alguma coisa a ver com os túneis que passam por baixo do Castillo Maldito?

O marinheiro ficou em silêncio, com a mão pairando na maçaneta, como se estivesse erguida por um fio invisível. Então perguntou:

– Do que você está falando?

– Acho que você sabe muito bem do que estou falando. – A garota recordava perfeitamente da segunda série de gritos que ouvira. – Eu estava te seguindo.

A expressão de Julian ficou mais aguçada: o cabelo, escuro como penas molhadas, escondeu seu cenho franzido.

– Não estive em túnel nenhum. Você pode ter seguido alguém, mas não era eu.

– Se você não esteve lá embaixo, como foi que isso aconteceu?

– Juro, nunca ouvi falar desses túneis. – Julian tirou a mão de cima da maçaneta e deu um passo na direção de Scarlett. – Conte-me exatamente o que você viu lá embaixo.

O fogo da lareira finalmente morreu, lançando uma espiral de fumaça cinzenta no ar, da cor das coisas que é melhor cochichar do que falar em voz alta.

Scarlett queria duvidar de Julian. Se ele tivesse andado pelos túneis, isso explicaria, pelo menos, algumas coisas. Mas, até aí, se o marinheiro fosse a outra pessoa que a garota ouvira gritar, não teria apenas um ferimento na cabeça.

– Encontrei os túneis depois que saí da barraca do adivinho.

Scarlett contou em detalhes tudo o que havia ocorrido depois disso, deixando de fora o fato de ter pensado que Julian tinha um coração de puro breu. Depois que o marinheiro lhe devolveu os brincos, a garota deixou de acreditar que isso era totalmente verdade. Mas ainda observava o rapaz com atenção, à procura de sinais de fingimento. Queria confiar nele, mas uma vida inteira desconfiando tornava isso impossível. Julian ainda parecia meio bambo, mas Scarlett imaginou que devia ser, em boa parte, por causa do corte na cabeça.

– Você acha que é lá que estão prendendo Tella? – perguntou.

– Não é assim que Lenda costuma agir. Pode até nos fazer percorrer corredores cheios de gritos para dar uma pista de onde sua irmã está, mas duvido que ele esteja mantendo Tella prisioneira no subterrâneo. – Nessa hora, Julian mostrou os dentes, fazendo Scarlett recordar daquele sorriso lupino que o marinheiro deu, lá na praia, na noite em que chegaram à ilha. – Lenda gosta de fazer seus prisioneiros sentirem que são convidados.

A garota tentou averiguar se o marinheiro não estava apenas fazendo drama. Nunca ouvira falar que Lenda mantivera alguém em cativeiro. Só que Julian já havia dito algo parecido, e o fato de ter usado a palavra "prisioneiros" deixou Scarlett com a mesma sensação incômoda que tivera da primeira vez que imaginara por que o Mestre do Caraval resolveu sequestrar sua irmã.

– Se Lenda não trancou Tella em algum lugar, o que está fazendo com ela, então?

– Agora você, finalmente, está começando a fazer as perguntas certas.

Julian cruzou o olhar com Scarlett. Havia uma faísca de algo perigoso naquele olhar. Pouco depois, seus olhos começaram a se fechar, e ele cambaleou de novo.

– Julian!

Ela segurou o marinheiro pelos dois braços, mas ele era pesado e o divã estava longe demais. Scarlett se grudou em Julian. Que, de gelado, ficara quase febril. O calor de sua pele exalava pela camisa, aquecendo Scarlett de jeitos inesperados enquanto ela o segurava, com o próprio corpo, contra a porta.

– Carmim – murmurou o marinheiro, entreabrindo os olhos de novo. Olhos castanho-claros, da cor do caramelo e do tom de âmbar líquido da luxúria.

– Acho que você precisa ficar deitado.

Scarlett foi se afastando, mas Julian abraçou sua cintura. Seus braços estavam tão quentes quanto seu peito e eram igualmente firmes.

A garota tentou se desvencilhar do marinheiro, mas o olhar dele a impediu. Julian jamais havia fitado Scarlett daquele jeito. Às vezes, olhava para ela como se quisesse ser sua ruína. Mas, naquele momento, parecia que Julian queria que Scarlett o arruinasse. Devia ser só por causa da febre e do corte na cabeça. Mas, por um instante, ela jurou que o rapaz queria beijá-la. Beijá-la de verdade, não de brincadeira, como havia falado lá no Castillo. Seu coração bateu acelerado, e cada centímetro de seu corpo parecia sensível a cada parte do corpo dele, enquanto Julian passava as mãos quentes pelas suas costas. Scarlett sabia que deveria se afastar do marinheiro, mas as mãos dele, pelo jeito, sabiam exatamente o que estavam fazendo. E, quando se deu conta, estava deixando que o rapaz a puxasse, trazendo-a mais para perto de si com toda a delicadeza. E foi aí que Julian entreabriu os lábios.

Scarlett soltou um suspiro de assombro.

As mãos de Julian pararam de se mexer. O ruído ínfimo que ela soltou, pelo jeito, o fez voltar a si. O marinheiro arregalou os olhos. Como se, de repente, tivesse recordado que achava Scarlett apenas uma garota boba, que tinha medo de participar de um jogo. Ele a soltou, e o ar frio substituiu o calor de suas mãos.

– Acho que está na hora de eu ir embora. – Ele pôs a mão na maçaneta e completou: – Te encontro na taverna, logo depois do pôr do sol. Podemos dar uma olhada juntos nesses tais túneis.

Julian saiu do quarto, deixando Scarlett sozinha, imaginando o que havia acabado de acontecer. Teria sido um erro beijá-lo. Mas, mesmo assim, ela ficou... decepcionada. Uma decepção com tons frios de azul-amor-perfeito tomou conta dela feito a neblina da noite, fazendo-a se sentir encoberta de tal forma que podia reconhecer seu desejo de vivenciar mais prazeres do Caraval do que jamais admitiria em voz alta.

Foi só quando Scarlett tornou a deitar que se deu conta de que Julian dera um jeito de ir embora sem lhe contar os detalhes de como havia se ferido. Nem de como conseguira entrar de novo na La Serpiente, bem depois de o sol ter raiado e as portas terem sido trancadas.

SEGUNDA
NOITE
DO CARAVAL

18

Scarlett não reparou nas rosas logo de cara.

Brancas, com pontas vermelho-rubi, da cor dos botões que salpicavam o papel de parede do quarto. Deve ter sido por isso que não as viu antes de pegar no sono. Tentou se convencer de que as flores ficaram camufladas no quarto. Ninguém havia entrado ali enquanto ela estava dormindo.

Mas realmente queria se convencer de que *Lenda não havia entrado no quarto enquanto ela estava adormecida.*

Para Scarlett, os primeiros cartões que havia recebido do Mestre do Caraval eram como tesouros em miniatura. Mas algo naquele último presente dava a impressão de ameaça. A garota não tinha certeza de que fora Lenda quem enviara as flores. Não havia nenhum cartão ao lado do vaso de cristal em que estavam, mas ela não conseguia imaginar que outra pessoa pudesse ter enviado aquelas flores. Quatro rosas, uma para cada noite que faltava para o Caraval terminar.

Era o 15º dia da estação. O jogo terminava oficialmente ao amanhecer do 19º dia, e o casamento estava marcado para o vigésimo. Scarlett só tinha aquela noite e a próxima para encontrar Tella. Ou, no máximo *dos máximos*, até o amanhecer do 18º dia, se quisesse ir embora da ilha a tempo de chegar ao casamento.

Imaginou que o pai não revelaria o segredo do "sequestro" para o conde caso o noivo chegasse a Trisda antes da data prevista: antigas superstições impediam o noivo de ver a noiva antes da cerimônia. Se Scarlett não aparecesse, contudo, não haveria como salvar o casamento.

A garota pôs a mão no bolso e pegou, mais uma vez, o cartão que continha as pistas:

ESTA É A PRIMEIRA PISTA DE SUA
JORNADA PARA ENCONTRÁ-LA.

AS DEMAIS NÃO SERÃO TÃO FÁCEIS DE OBTER.

ALGUMAS FARÃO VOCÊ QUESTIONAR A
PRÓPRIA SANIDADE E TUDO EM QUE VOCÊ CRÊ.

Cartão-postal do Castillo Maldito
A PISTA NÚMERO DOIS VOCÊ IRÁ DESCOBRIR
EM MEIO AOS DESTROÇOS QUE ELA DEIXOU AO PARTIR.
Siga o garoto que tem um coração de puro breu?

A NÚMERO TRÊS TERÁ QUE FAZER POR MERECER.

A NÚMERO QUATRO LHE CUSTARÁ ALGO VALIOSO.

E A NÚMERO CINCO IRÁ EXIGIR UM SALTO NO ESCURO.

A MAIORIA IRÁ FRACASSAR,
MAS, AO CERTO, ALGUÉM VENCERÁ.

duas noites
VOCÊ TEM CINCO NOITES PARA ENCONTRAR
AS QUATRO PISTAS QUE FALTAM, DEPOIS A GAROTA,
E ENTÃO LENDA FARÁ SEU DESEJO SE REALIZAR.

Scarlett não acreditava mais que Julian era a terceira pista, o rapaz que tinha um coração de puro breu. Mas não conseguia se livrar da sensação de que o marinheiro estava escondendo algo dela. Continuou a se perguntar como o rapaz havia se machucado, como conseguira reaver os brincos e no quase-beijo que houve entre os dois. Só que não podia pensar no beijo naquele momento. Até porque iria se casar com o conde em apenas cinco dias.

E porque encontrar Tella era só o que importava.

Tentou se arrumar rapidamente, mas o vestido, pelo jeito, não estava com tanta pressa assim. Transformou-se, com toda a calma, em um modelito encantador cor de creme e rosa. O corpete era de um branco leitoso coberto de delicados pontos pretos e forrado com renda cor-de-rosa; as anquinhas tinham laços estilosos da mesma cor, e a saia, elegante, era de seda cor-de-rosa texturizada. Sabe-se lá como, o vestido também conseguiu cobrir as mãos de Scarlett com luvas abotoadas.

A garota teve um mau pressentimento, achando que o vestido havia se esforçado, ainda mais, para impressionar Julian. Ou, quem sabe, ela é que estava torcendo para a roupa ter esse efeito. A partida abrupta do marinheiro, no dia anterior, deixou Scarlett com uma multidão de sentimentos conflitantes e ainda mais perguntas.

Ela se preparou para pressionar o jovem e obter respostas. Mas, quando foi encontrá-lo, deu de cara com uma taverna quase vazia. O suave brilho cor de jade iluminava a única freguesa – uma garota de cabelo castanho-escuro, sentada perto da lareira de vidro e debruçada sobre um caderno. Nem ergueu os olhos quando Scarlett entrou, mas outras pessoas fizeram isso, à medida que a cera das velas foi marcando a passagem das horas, e o salão começou a encher.

Mas nem sinal de Julian.

Será que ele tinha se aproveitado de tudo o que Scarlett tinha lhe contado sobre os túneis para deixá-la esperando na taverna enquanto procurava por pistas sozinho?

Ou, quem sabe, a primeira reação de Scarlett não deveria ser sempre desconfiança. Julian tinha lá seus defeitos. Mas, apesar de tê-la abandonado em duas ocasiões, sempre foi por um breve período, e o marinheiro sempre voltou. Será que havia acontecido alguma coisa? A garota ponderou se não deveria ir procurá-lo. Mas e se fosse embora e Julian aparecesse em seguida?

Scarlett observou que, a cada pensamento, as luvas abotoadas iam do branco para o preto, e ela conseguia sentir o decote do vestido passando de coração a gola alta. Felizmente, a roupa não estava ficando transparente, mas a seda dava lugar a um crepe incômodo, e Scarlett reparou que os minúsculos pontos pretos do corpete foram crescendo, espalhando-se feito manchas, por todo o vestido. Refletindo suas preocupações.

A jovem tentou relaxar, torceu para Julian aparecer logo e para o vestido voltar ao normal. Conferiu o próprio reflexo na mesa de vidro: parecia estar de luto. Só que isso não impediu as pessoas de virem falar com ela.

— Você não é a irmã daquela garota desaparecida? — perguntou um dos fregueses.

E, de repente, uma pequena multidão de pessoas estava em cima dela.

— Desculpe, não sei nada.

Scarlett repetiu essa frase até que, um por um, todos foram embora.

— Você podia se divertir um pouco com eles. — A garota que estava sentada em silêncio, concentrada em um diário, surgiu na mesa de Scarlett. Bonita como uma aquarela e vestida com a ousadia de um trompete, usava um vestido dourado, ousado e sem mangas, com babados até o pescoço e anquinhas de camadas cintilantes. Encolheu-se toda e se sentou na cadeira de vidro, de frente para Scarlett. — Se eu fosse você, diria tudo quanto é coisa. Diga que viu sua irmã de braço dado com um homem de capa ou que encontrou uma pelagem de animal em uma das luvas dela que parecia ser de elefante.

E por acaso elefantes têm pelagem?

Por um instante, Scarlett ficou só olhando para a garota curiosa. Nem sequer lhe ocorreu que ela poderia não querer falar da irmã daquele jeito ou que estava esperando outra pessoa. A garota era aquele dia quente no meio da Estação Fria. E, das duas, uma: ou não tinha a menor consciência ou não ligava para o fato de não se encaixar muito bem ali.

— As pessoas não esperam ouvir a verdade por aqui — continuou a garota, incansável. — Nem querem ouvir. Muita gente aqui não espera ganhar a oportunidade de ter um desejo realizado: vêm aqui para viver uma aventura. E você bem que podia dar isso a elas. Sei que está em sua natureza, senão não teria sido convidada.

A garota brilhava, da saia metalizada às linhas de tinta dourada que circulavam seus olhos puxados.

Não parecia uma ladra. Mas, depois da experiência que Scarlett teve com a loira cor de morango da noite anterior, não estava muito disposta a acreditar nos outros.

– Quem é você? E o que você quer?

– Pode me chamar de Aiko. E, talvez, eu não queira nada.

– Todo mundo que participa do jogo quer alguma coisa.

– Então, suponho que seja uma coisa boa eu não estar jogando...

Aiko interrompeu o que estava dizendo, porque mais um casal se aproximou.

Eram pouco mais velhos do que Scarlett e, obviamente, recémcasados. O rapaz segurava a mão da jovem esposa com o cuidado de um homem que não está acostumado a segurar algo tão importante.

– Licença, moça. – Ele falava com um sotaque estrangeiro que exigia uma certa concentração para ser entendido. – Nós estava imaginando aqui, você é mesmo irmã da Donatella?

Aiko balançou a cabeça, incentivando-o a falar e disse:

– É, sim. E responderia às suas perguntas com o maior prazer.

O casal ficou animado.

– Ah, obrigado, moça. Ontem à noite, quando *chegamo* no quarto dela, *tinham já* levado tudo embora. Nós só *estava* querendo uma pistinha.

Ao ouvir o comentário sobre o quarto saqueado de Tella, algo pegou fogo dentro de Scarlett, mas o casal parecia tão sincero... Não tinham cara de mercenários que vendiam coisas para quem pagasse mais. As roupas esfarrapadas dos dois estavam em pior estado do que o vestido escuro de Scarlett. Mas as mãos dadas e a expressão esperançosa do casal a fez recordar do que aquele jogo deveria ser. Ou do que ela achava que o jogo deveria ser. Alegria. Magia. Maravilhamento.

– Eu gostaria de poder dizer onde minha irmã está, mas não a vejo desde que eu...

Scarlett titubeou, porque os dois ficaram com uma expressão desanimada, e então lembrou que Aiko havia dito que as pessoas presentes no Caraval não esperavam nem queriam ouvir a verdade: "Vêm aqui para viver uma aventura. E você bem que podia dar isso a elas".

– Na verdade, minha irmã pediu que eu fosse encontrá-la... perto de um chafariz que tem uma sereia.

A mentira soou ridícula aos ouvidos de Scarlett, mas o casal a engoliu como se fosse uma tigela de creme doce, e o rosto dos dois ficou radiante com a perspectiva de uma pista.

— Ah, acho que sei qual é essa estátua — disse a jovem. — É aquela que tem a parte de baixo toda coberta de *pérulas*?

Scarlett não sabia direito o que a mulher estava tentando dizer, mas despachou o casal balançando a cabeça e desejando boa sorte aos dois.

— Viu só? — disse Aiko. — Olha como você deixou os dois felizes.

— Mas eu menti para eles.

— Você está se esquecendo do objetivo do jogo — continuou Aiko. — Eles não viajaram até aqui para encontrar a verdade, vieram atrás de aventura, e você acabou de dar uma aventura para os dois. Talvez, não encontrem nada, mas, quem sabe, encontrem. O jogo, às vezes, tem um jeito de recompensar as pessoas só pela tentativa. De qualquer modo, o casal está mais feliz do que você. Fiquei observando, e você já está sentada aqui, azeda feito leite estragado, há uma hora.

— Você também estaria, se sua irmã estivesse desaparecida.

— Ah, coitadinha. Está aqui, em uma ilha mágica, e só consegue pensar no que não tem.

— Mas é minha...

— Sua irmã, eu sei — interrompeu Aiko. — Também sei que você vai encontrá-la no final, quando tudo isso terminar, e vai se arrepender por ter passado as noites sentada nessa taverna fedorenta, sentindo pena de si mesma.

Tella teria dito algo bem nessas linhas. Um lado masoquista de Scarlett tinha a sensação de que devia à irmã uma espécie de taxa, que tinha de pagar com infelicidade. Mas, talvez, fosse o contrário. Conhecendo Tella, ela teria ficado mais do que decepcionada com Scarlett, por não ter se divertido na ilha de Lenda.

— Não vou ficar a noite inteira sentada aqui — disse. — Estou esperando uma pessoa.

— E essa pessoa está atrasada ou foi você que chegou muito cedo? — Aiko ergueu as duas sobrancelhas pintadas e completou: — Odeio ter que te dizer isso, mas acho que essa pessoa que você está esperando não vai aparecer.

Scarlett olhou para a porta pela centésima vez só naquela noite, ainda torcendo para ver Julian passar por ela. Tinha tanta certeza de que o marinheiro apareceria... Mas, se é que existe um tempo decente para ficar esperando, já tinha passado, e muito.

Scarlett levantou da cadeira.

– Por acaso isso quer dizer que você resolveu não ficar mais sentada esperando?

Aiko levantou-se da cadeira, de um jeito elegante, e fechou o caderno no instante em que a porta dos fundos da taverna se abriu mais uma vez.

Uma dupla de garotas risonhas entrou, seguida pela última pessoa que Scarlett queria ver. Ele entrou com tudo, feito uma rajada de vento formada por roupas pretas amassadas e botas sujas de lama, ainda mais desgrenhado do que estava da última vez que Scarlett o vira – as calças pretas de Dante estavam amarrotadas, como se o rapaz tivesse dormido com elas, e sua casaca havia sumido.

A garota recordou o que Julian lhe contara: Dante queria ganhar o desejo a ser realizado por Lenda para consertar algo que acontecera em um Caraval anterior. Naquele exato momento, o rapaz parecia mais desesperado do que nunca para conquistar esse desejo.

Scarlett rezou para os olhos de Dante passarem reto por ela. Depois da última vez que se encontraram, não estava preparada para ter outro confronto com ele: ficar esperando por Julian já havia deixado seus nervos em frangalhos e seu vestido, preto. Mas, apesar de Scarlett estar torcendo para Dante não reparar nela, não conseguia tirar os olhos dele, em especial das mangas da camisa, arregaçadas até os cotovelos, e das tatuagens que ficaram à mostra.

Especificamente, de uma tatuagem escura como breu, em forma de coração.

19

"Siga o garoto que tem um coração de puro breu."

As palavras de Nigel vieram à cabeça de Scarlett bem na hora em que Dante pousou os olhos nela. O rapaz lhe lançou um olhar de puro asco. Mas a garota não ficou assustada, pelo contrário: aquele olhar acendeu algo dentro dela – Scarlett imaginou que esta era a maneira que o jogo tinha de testar sua determinação, sua capacidade de jogar sem a ajuda de Julian.

Quando Dante saiu pela porta dos fundos da taverna, Scarlett foi correndo atrás dele. Não havia percebido como a temperatura estava agradável dentro da taverna, até sair de lá e encarar a noite gélida. Seca como a primeira mordida de uma maçã gelada, com um aroma tão doce quanto, com pitadas de açúcar queimado que se infundiam no ar de carvão da noite. Ao redor de Scarlett, as pessoas abundavam na rua, feito um bando de corvos.

Ela pensou ter visto Dante se esgueirando por uma ponte coberta. Mas, quando se aproximou, tudo o que viu foi a luz dos lampiões que levavam a um decepcionante beco sem saída. Depois de atravessar a ponte, Scarlett só encontrou um beco de paredes de tijolos e um carrinho de sidra, cujo vendedor era um garoto bem bonitinho, com um macaco empoleirado no ombro.

– Posso te oferecer uma sidra de açúcar queimado? – perguntou. – Ela vai te ajudar a ver com mais clareza.

– Ah, não... Estou procurando um rapaz vestido de preto que tem os braços totalmente tatuados e um olhar furioso.

– Acho que um rapaz assim comprou sidra ontem à noite, mas não o vi hoje. Boa sorte! – gritou o garoto, porque Scarlett já estava voltando para o outro lado da ponte.

Quando chegou ao outro lado, avistou diversos rapazes usando roupas pretas amarrotadas – àquela altura do jogo, todos estavam começando a ficar com a aparência meio desleixada –, mas nenhum deles tinha os braços cobertos de tatuagens. Scarlett continuou a se movimentar no meio da multidão, até avistar alguém com o que lhe pareceu ser um coração preto tatuado e que se dirigia a uma escadaria esmeralda, poucos estabelecimentos depois da Taverna de Vidro.

Ela segurou a barra da saia e seguiu o garoto que tinha um coração de breu. Subiu correndo as escadas e chegou a outra ponte coberta. Depois de atravessá-la, encontrou mais um beco sem saída e mais um garoto bem bonitinho, também com um carrinho de sidra e um macaco nos ombros.

– Espere aí... – Scarlett parou por um momento. – Você não estava "lá" há poucos instantes?

Ela apontou vagamente, porque não sabia mais ao certo onde "lá" ficava.

– Não saí daqui nem por um momento, mas a ponte que você acabou de atravessar muda de lugar com frequência – respondeu o garoto.

Deu um sorriso que acentuou suas covinhas, e o macaco empoleirado em seu ombro balançou a cabeça.

Scarlett espichou o pescoço na direção da ponte, e as luzes do local bruxulearam, como se piscassem para ela. Dois dias antes, a garota teria dito que isso era impossível. Mas, agora, esse pensamento nem passou pela sua cabeça. Não sabia exatamente quando tinha acontecido, mas parara de duvidar da magia.

– Tem certeza de que não quer uma sidra?

O garoto mexeu o líquido na panela, fazendo uma nova onda de vapor com aroma de maçã se dissipar no ar.

– Ah... – Scarlett já ia dizer "não", sua resposta padrão, mas aí recordou de algo. – Você por acaso disse que a sidra me ajudaria a ver com mais clareza?

– Você não vai encontrar um preparado como este em nenhum outro lugar.

O macaco empoleirado no ombro do garoto balançou a cabeça de novo, concordando com o dono.

Um arrepio bem-vindo percorreu o corpo de Scarlett. E se fosse esse o motivo para Nigel ter dito que ela devia seguir o garoto que tinha um coração de puro breu? Quem sabe, se bebesse a tal sidra, seus olhos ficariam aguçados ao ponto de enxergar a pista de que ela precisava?

Scarlett deu uma espiada nas instruções do jogo: "A número quatro lhe custará algo valioso".

– O que terei de pagar? – perguntou.

– Não muito: a última mentira que você contou.

O que não lhe pareceu um preço lá muito alto. Mas, mesmo que a sidra não fosse a próxima pista, com certeza aguçaria seus sentidos, algo de que Scarlett definitivamente estava precisando.

Sentindo-se afortunada por ter seguido o conselho que Aiko lhe dera na taverna, a garota se aproximou do vendedor de sidra e cochichou a história que contara a respeito do chafariz de sereia. Ele pareceu decepcionado por não ter ouvido uma mentira mais picante, mas lhe entregou a bebida.

Açúcar caramelado e manteiga derretida, com pitadas de creme e canela tostada. O gosto era o mesmo das melhores partes da Estação Fria, misturado com uma pitadinha só de calor.

– É uma delícia, mas não vejo nada diferente...

– Leva uns dois minutos para fazer efeito. Prometo que você não vai ficar decepcionada.

O garoto se despediu balançando a cabeça, e o macaco cumprimentou Scarlett, porque o dono começou a empurrar o carrinho na direção da ponte traiçoeira.

Ela tomou mais um gole de sidra, mas o gosto agora era doce demais, como se a bebida estivesse tentando mascarar um sabor mais intenso. Havia algo de errado. As emoções de Scarlett rodopiavam, formando uma mistura opaca de tons de cinza e branco. Normalmente, Scarlett via apenas lampejos de cor associados aos seus sentimentos. Mas, enquanto observava aquele garoto se afastar, viu a pele dele mudar para um tom de cinza e suas roupas ficarem pretas.

Scarlett piscou, incomodada por aquela imagem. Mas, quando abriu os olhos de novo, ficou ainda mais perturbada.

Tudo ao redor tinha tons de preto e cinza. Até a luz das velas que acompanhavam a ponte havia se tornado uma treva enevoada, no lugar do costumeiro dourado. Tentou não entrar em pânico, mas seu coração batia mais rápido a cada passo que dava, enquanto atravessava a ponte e voltava para aquele mundo que não era mais repleto de cor.

O Caraval ficara em preto e branco.

Scarlett deixou a sidra cair no chão, e o líquido de um dourado amanteigado se espalhou pelas calçadas cinzentas, a única poça de luz em meio àquela nova e terrível opacidade. O garoto do macaco havia sumido. Devia estar rindo dela enquanto empurrava o carrinho, procurando uma nova vítima.

Scarlett ergueu a cabeça e viu que estava perto da saída dos fundos da Taverna de Vidro. Aiko havia acabado de sair dali, e seu vestido reluzente agora estava cor de carvão.

— Você está com uma cara péssima — disse ela. — Suponho que não tenha encontrado o rapaz que estava procurando.

Scarlett fez que não. Atrás de Aiko, a porta da taverna estava se fechando. Ela deu uma rápida espiada lá dentro, só para ver que Julian não havia chegado. Ou, se havia, já tinha ido embora.

— Acho que cometi um erro — falou.

— Então vamos transformar esse erro em algo melhor.

Pelo jeito que Aiko andava pela rua, o mundo poderia desmoronar à sua volta, que ela simplesmente continuaria andando. Scarlett queria se sentir assim. Mas, pelo jeito, o jogo a estava sabotando constantemente, e ela imaginou que as coisas deveriam ser mais fáceis para Aiko, que estava apenas assistindo. Ninguém havia roubado a irmã dela, nem as cores do mundo dela. Scarlett podia imaginar Aiko planando no ar se o chão ruísse aos seus pés. A única coisa com a qual parecia se preocupar era o caderno surrado que segurava na mão, com força. De um verde-amarronzado, da cor das lembranças esquecidas, dos sonhos abandonados e das fofocas maldosas.

Era uma coisa sem atrativos, mas...

O pensamento de Scarlett se interrompeu. O diário tinha cor! Uma cor feia. Mas, naquele mundo em preto e branco, chamava a atenção. Será que era assim que a sidra funcionava? Tirava as cores de tudo para que ela pudesse enxergar claramente o que realmente importava — ou para encontrar a próxima pista.

"A número quatro lhe custará algo valioso."

O conselho de Nigel realmente fora a pista número três. Scarlett seguiu o garoto que tinha um coração de puro breu, que a levou até o garoto da sidra, que roubou sua habilidade de ver as cores —, lhe custando algo valioso.

Agora era a empolgação, e não o pânico, que se assomava em seu peito. Nigel não a enganara nem lhe pregara uma peça: Scarlett havia recebido o que precisava para encontrar a quarta pista.

A garota foi atrás de Aiko, que parou na frente de um carrinho de *waffle* bem disputado. O vendedor mergulhou uma de suas iguarias no mais amargo dos chocolates e então entregou para a freguesa, em troca de poder dar uma olhada em uma das páginas de seu diário.

Com cautela, Scarlett tentou espiar também.

Aiko fechou o caderno rapidamente.

– Se você quer ver o que tem aqui dentro, vai ter que me dar alguma coisa em troca, como todo mundo.

– Que tipo de coisa?

– Você sempre se concentra no que está dando e não no que está recebendo? Certas coisas valem a pena, independentemente do preço.

Aiko levou Scarlett até uma rua iluminada por lampiões suspensos, com cheiro de flores, flautas e amor há muito tempo perdido. A via se estreitava: de um lado margeava um canal aquoso e, do outro, contornava um carrossel de rosas.

– Uma canção em troca de uma doação?

Um homem diante de um órgão, daqueles de igreja, estendeu a mão pesada.

Aiko jogou algo na palma da mão dele, algo tão pequeno que Scarlett não conseguiu enxergar o que era.

– Tente tocar algo bonito – pediu.

O organista começou a tocar uma melodia melancólica, e o carrossel começou a se movimentar, de início girando lentamente. Scarlett imaginou que, se Donatella estivesse ali, teria subido na atração, arrancado suas rosas vermelhas e enfeitado o cabelo com elas.

Vermelho!

Ela ficou observando o carrossel de rosas rodopiar, espalhando pétalas vermelhas e reluzentes na calçada. Algumas caíram no *waffle* de Aiko e ficaram grudadas no chocolate.

Scarlett não sabia dizer se seus sentidos estavam voltando ao normal ou se o carrossel era importante de alguma forma, porque, no mesmo instante em que se deu conta de que conseguia enxergar o vermelho intenso das pétalas, um cavalheiro de tapa-olho passou pelas duas. Como tudo, estava pintado em tons de cinza e preto, com exceção do lenço carmim amarrado em seu pescoço, que era do tom mais escuro de vermelho que ela já vira na vida. O rosto do cavalheiro era igualmente hipnótico. Aquele homem possuía o tipo de beleza sinistra que fez Scarlett se perguntar por que todo mundo não estava olhando para ele também.

Considerou a hipótese de segui-lo. O homem era todo mistério e perguntas não respondidas. Mas algo nele fez Scarlett sentir nuances perigosas de preto sedoso. O cavalheiro se movimentava no meio das outras pessoas feito um espectro: com graça, mas também com uma certa ousadia que, para o gosto de Scarlett, era um tanto perigosa demais. E, por mais que se sentisse atraída por aquele homem, o diário de Aiko exercia sobre ela uma atração igualmente grande.

A melodia do organista acelerou, e o carrossel foi girando cada vez mais rápido. Pétalas se espalharam por tudo, não apenas no doce de Aiko. Foram voando até que a rua diante delas se transformou em veludo vermelho, e o canal ao lado se transformou em sangue. O carrossel ficou despetalado, restaram apenas os espinhos.

As poucas pessoas que estavam na rua bateram palmas.

Scarlett teve a sensação de que a cena continha um significado mais profundo, algo que ela não conseguia entender direito. Voltara a ver em cores. O cavalheiro de tapa-olho quase sumira de vista, mas a garota continuou sentindo uma atração indesejada por ele. Se estivesse de cartola, poderia ter pensado que era Lenda. Ou, quem sabe, aquele cavalheiro enigmático fosse uma armadilha, e o Mestre do Caraval o tivesse colocado no meio das pessoas para desviá-la da verdadeira pista. Pouco antes, quando olhou para a ponte piscante, Scarlett jurou que havia sentido os olhos de Lenda em cima dela, vigiando suas tentativas de entender as pistas do jogo.

A garota só tinha um instante para tomar uma decisão – se ia seguir o homem ou tentar dar uma olhada no diário de Aiko, a única coisa que não fora tocada pelas pétalas vermelhas. Se a teoria de Scarlett a respeito da sidra estivesse certa, tanto ele quanto o diário eram significativos, mas apenas um deles iria fazê-la chegar mais perto de Donatella.

– Se eu fizer mesmo essa troca para olhar o seu diário, o que vou ganhar com isso? A quarta pista?

Aiko balançou o corpo e murmurou, enigmática:

– É possível. Muitas coisas são possíveis.

– Mas as regras diziam que há apenas cinco pistas.

– Foi isso mesmo que eles disseram? Ou essa é apenas a sua interpretação? Encare essas instruções como um mapa. Há mais de uma maneira de chegar a quase todo e qualquer destino. As pistas estão escondidas por todos os lados. As orientações que você recebeu só tornam mais fácil encontrá-las. Mas não se esqueça: você não precisa só de pistas para ganhar. Este jogo é como uma pessoa. Se realmente quiser jogar direito, precisa conhecer a história dele.

– Sei tudo sobre a história do jogo – declarou Scarlett. – Minha avó me conta as histórias desde que eu era pequenininha.

– Ah, histórias transmitidas pela sua avó. Tenho certeza de que são muito exatas.

Aiko deu uma mordida no *waffle*. Seus dentes brancos se afundaram nas pétalas vermelhas grudadas no doce. Em seguida, ela mudou de rumo.

Scarlett deu uma última olhada para o homem de tapa-olho. Mas o cavalheiro já havia sumido. Perdera a oportunidade. Não podia perder Aiko de vista também.

A bela garota agora estava comprando sinos prateados comestíveis e bolinhos do tamanho de uma moeda, cobertos de *glitter*. Ao se aproximar dela, Scarlett pensou que Aiko ia explodir de tanto que já havia comido, mas continuava comprando guloseimas de cada vendedor que lhe fazia uma proposta. Descobriu que Aiko acreditava em dizer "sim" sempre que possível. A conversa foi interrompida para ela comprar balas-confete que brilhavam como vaga-lumes, uma taça de ouro potável e tinta permanente para cabelo – *para aqueles cabelos brancos dos quais você quer se livrar para sempre*, disse o vendedor –, mesmo que, aparentemente, ela não precisasse usá-la.

– Então... – Scarlett começou a dizer, enquanto percorriam uma rua cheia de lojas com tetos pontudos mas, ainda bem, livres de vendedores. Ela se sentia pronta para fazer um trato, mas não ia se jogar de cabeça, às cegas, como já fizera. – A história do Caraval está escrita em seu diário?

– De certa maneira.

– Me dê uma prova.

Para sua surpresa, Aiko lhe entregou o caderno.

Scarlett ficou receosa: quase parecia fácil demais.

– Mas achei que você só iria me deixar ver se eu lhe desse algo em troca.

– Não se preocupe: você só será obrigada a pagar se decidir que quer ver mais. Os desenhos que podem lhe ajudar foram selados com magia.

Ela pronunciou a palavra "magia" como se fosse uma piada interna.

Scarlett pegou o caderno de capa dura com cautela. Era fino e leve, mas, sabe-se lá como, cheio de páginas. Toda vez que virava uma, tinha a impressão de que mais duas apareciam, todas preenchidas com desenhos fantásticos. Rainhas e reis, piratas e presidentes, assassinos e príncipes. Navios grandiosos, do tamanho de uma ilha, e minúsculos pedaços de madeira que pareciam o bote em que ela e Julian tinham...

— Espere aí: sou eu nesses desenhos.

Scarlett folheou mais algumas páginas. A arte de Aiko a retratava no bote com Julian. Arrastando-se, seminua, até a relojoaria. Discutindo com ele atrás dos portões do castelinho.

— Esses momentos foram íntimos! — protestou Scarlett.

Graças aos santos, não havia nenhum desenho comprometedor dela no quarto com Julian, mas havia, sim, um quadro muito vívido retratando o momento em que fugiu de Dante, com todos os olhos presentes na taverna virados para ela, julgando sua atitude.

— Como você conseguiu desenhar isso? — Com o rosto vermelho, Scarlett voltou à página em que estava desenhada no bote, com Julian. Recordou da estranha sensação que teve assim que chegou à ilha, de estar sendo observada. Mas aquilo era muito pior. — Por que eu apareço em tantos desenhos? Não estou vendo outras pessoas retratadas aqui.

— O jogo deste ano não tem nada a ver com as outras pessoas. — Os olhos delineados de dourado de Aiko cruzaram com os de Scarlett. — Os outros participantes não perderam a irmã.

Assim que chegou à ilha, pensar que era convidada especial de Lenda fez Scarlett se sentir privilegiada. Pela primeira vez na vida, ela se sentiu especial. Escolhida. Só que, de novo, não tinha a sensação de estar jogando. Parecia que o Caraval é que estava fazendo Scarlett de joguete, pregando uma peça nela.

Nuances azedas de verde-amarelado deixaram seu estômago revoltado, de tanta aflição. Ela não gostava de ser um joguete na mão dos outros, mas o que a deixava ainda mais incomodada era o porquê, com tanta gente no mundo, Lenda escolheria justo ela e a irmã como peças centrais daquele jogo. Quando estavam na relojoaria, Julian fez um comentário, dando a entender que era por causa da aparência de Scarlett, mas agora a garota tinha a sensação de que havia muito mais além disso.

– Lá na taverna, você começou a me perguntar quem eu era – continuou Aiko. – Não estou entre os jogadores. Sou historiógrafa. Registro a história do Caraval por meio de imagens.

– Nunca ouvi falar em historiógrafos.

– Então, considere-se uma garota de sorte por ter me conhecido.

Dito isso, Aiko arrancou o diário das mãos de Scarlett.

Ela não achava que a sorte tinha muito a ver com o fato de as duas terem se encontrado. Não podia negar que tudo o que havia visto nas páginas do diário era bastante exato, de um jeito perturbador. Mas, mesmo que aquela garota realmente fosse "historiógrafa", Scarlett não sabia se acreditava ou não que Aiko estava ali só para assistir.

– Agora que você deu uma olhada em meu diário e, apesar de eu permitir, ocasionalmente, que os vendedores nas ruas deem uma espiada, o que eu tenho a te oferecer é uma oportunidade rara. Não sou a única artista que preencheu estas páginas. Todas as histórias verdadeiras de todos os Caravais que já ocorreram estão registradas neste diário. Se você decidir olhar todas as histórias que estão aqui dentro, verá quem venceu e como fez para vencer.

Enquanto Aiko falava, Scarlett pensou primeiro em Dante, depois em Julian. Ficou imaginando o que teria acontecido da outra vez em que os dois jogaram. Outras histórias também vieram à sua cabeça, como a da mulher que foi assassinada, anos atrás. A da avó de Scarlett, que disse que todos se encantaram com ela e com seu vestido roxo. A jovem duvidava que realmente fosse vê-la naquele caderno, mas não tinha dúvidas de que veria uma certa pessoa. *Lenda*.

Se aquele diário trazia em detalhes a verdadeira história do Caraval, Lenda certamente estaria retratado nele. Rupert, o garoto da primeira noite, descrevera o jogo como um mistério a ser solucionado. E a primeira pista era a seguinte: "Esta garota foi vista pela última vez na companhia de Lenda".

Fazia sentido pensar que, se encontrasse Lenda, também encontraria Tella, sem precisar procurar pelas próximas duas pistas.

– Tudo bem – disse Scarlett. – Diga o que você quer em troca de eu dar mais uma olhada no diário.

– Ótimo.

Aiko pareceu ficar um pouco mais radiante do que sempre era. Conduziu Scarlett por uma trilha ladeada de botões que as levou a uma chapelaria e armarinho em forma de cartola. Então parou na frente da loja da modista.

O estabelecimento tinha três andares e era todo de vidro, para exibir com mais propriedade os muito bem iluminados vestidos de gala de todos os tecidos e cores. Cor de risos na madrugada, raios de sol ao alvorecer e de ondas que batem nos tornozelos. Cada modelo parecia contar a história de sua própria e rara aventura, com preços tão singulares quanto:

seu maior arrependimento,
seu pior medo,
o segredo que você nunca contou a ninguém.

Um dos vestidos custava apenas um pesadelo recente, mas era cor de ameixa, a única cor que Scarlett não suportava usar.

— É esse o seu preço? Você quer que eu compre um vestido para você?

— Não. Quero que você compre três vestidos para si mesma. Um para cada uma das três próximas noites do jogo.

Aiko abriu a porta, mas Scarlett não passou pela soleira.

Uma coisa engraçada acontece quando as pessoas acham que estão pagando menos do que deveriam por algo: de repente, o valor da coisa cai. Scarlett espiara o diário e sabia que era valioso — aquilo só podia ser alguma armadilha.

— E o que você ganha com isso? O que quer de mim, de verdade?

— Sou artista. Não me agrada o fato de seu vestido ter vontade própria. — Aiko torceu o nariz e olhou para o vestido de Scarlett, que ainda parecia estar de luto: conseguira até fazer brotar uma cauda preta e curta. — Quando ele fica emotivo, se transforma. Mas nem todo mundo que abre meu diário vai saber disso. Vão simplesmente pensar que eu me enganei e desenhei um vestido novo em você no meio de uma cena. Além disso, desprezo a cor preta.

Scarlett também não era muito fã de preto. A cor a fazia lembrar de muitas emoções desagradáveis. E, seria bom, *sim*, ter mais controle sobre as próprias roupas. Mas, como, no máximo, só poderia passar mais duas noites ali, não precisava de três vestidos.

— Faço por dois vestidos — disse Scarlett.

Os olhos de Aiko brilharam feito opalas negras.

— Combinado — respondeu.

Sinetas de prata badalaram quando as garotas entraram na loja. Andaram pouco mais de meio metro e encontraram uma placa pendurada, incrustada de pedras, onde estava escrito: *Ladrões serão transformados em pedra.*

Debaixo do belo aviso, havia uma jovem de granito. Petrificada, o cabelo comprido voando atrás dela, como se estivesse tentando fugir.

– Conheço ela – murmurou Scarlett. – Ontem à noite, estava se fingindo de grávida.

– Não se preocupe – disse Aiko. – Ela vai voltar ao normal quando o Caraval terminar.

Bem lá no fundo, Scarlett achava que devia ter pena da garota, mas esse sentimento foi eclipsado pela ideia de que Lenda, afinal de contas, tinha noção de justiça.

Atrás da jovem de granito, cada modelito da butique reluzia, de tanta magia do Caraval. Mesmo os mais espalhafatosos, que pareciam penas de papagaio ou embrulhos de presentes de Natal com laços demais.

Tella adoraria isso.

Mas, pelo jeito, o vestido encantado que Scarlett estava usando não gostou nem um pouco da loja. Toda vez que ela escolhia alguma coisa, o traje se transformava, dando a entender que "Também posso ficar assim".

Por fim, ela se decidiu por um vestido de gala rosa-flor-de-cerejeira, estranhamente parecido com o primeiro modelito em que seu vestido mágico se transformou. Tinha várias saias em camadas, só que o corpete era cheio de botões e não de laços.

Por insistência de Aiko, Scarlett também pegou um vestido mais moderno, sem espartilho. As mangas eram caídas nos ombros, na altura do decote de coração, bordado em tons de champanhe e orquídea-claro – as cores da paixonite aguda. Os detalhes iam ficando mais densos à medida que desciam pela saia, levemente mais aberta embaixo, que terminava em uma cauda de sereia graciosa, muito pouco prática mas absurdamente romântica.

– Não fazemos trocas nem aceitamos devoluções – disse a balconista, uma morena de cabelo brilhoso, que não parecia ser mais velha do que Scarlett.

Fez essa declaração sem nenhuma emoção. Mas, quando Scarlett se aproximou, teve um pressentimento de que chegara a um ponto do jogo do qual não teria mais volta, assim como os vestidos, que não podiam voltar para a loja depois de comprados.

Diante dela, um alfineteiro e uma balança de dois pratos de metal repousavam na beirada do balcão de mogno lustroso. O prato da balança para pesar as mercadorias estava vazio, mas o prato onde se colocavam os pesos continha um objeto perturbadoramente parecido com um coração humano. A garota teve uma visão alarmante: seu próprio coração sendo arrancado do peito e colocado no prato vazio.

A balconista explicou:

— Pelos dois vestidos, fica o seu pior medo e o seu maior desejo. Ou você pode pagar com tempo.

— Tempo? — perguntou Scarlett.

— Estamos com uma promoção. Só hoje, são dois dias da sua vida por vestido.

A balconista disse isso como se não fosse nada demais, como se estivesse pedindo moedas comuns. Mas Scarlett tinha a impressão de que sacrificar quatro dias de sua vida não seria assim tão simples. Sabia que tampouco deveria estar disposta a revelar seus segredos, mas tanto o medo quanto o desejo já haviam sido usados contra ela.

— Vou responder às suas perguntas.

— Quando quiser — instruiu a balconista —, tire as luvas e segure a base da balança.

Algumas freguesas da loja fingiram que não estavam olhando, e Aiko ficou observando, afoita, no canto do balcão. Scarlett receou que, talvez, era aquilo que Aiko queria. Claro que, se estava mesmo vigiando Scarlett, já deveria saber quais seriam as respostas.

Ela tirou as luvas. A sensação que teve quando seus dedos encostaram no metal foi surpreendente, algo quente e macio. Quase parecia pele, como se a balança fosse um ser vivo. A mão de Scarlett ficou úmida, e a superfície, escorregadia.

— Agora diga seu maior medo — ordenou a balconista.

Scarlett pigarreou e respondeu em seguida:

— Meu maior medo é que algo ruim aconteça com a minha irmã e eu não consiga protegê-la.

A balança de metal rangeu. Scarlett ficou observando, maravilhada, as correntes se movimentarem e o lado que continha o coração se erguer bem devagar, enquanto o prato vazio abaixava, misteriosamente, até os dois ficarem na mesma altura.

– Sempre é legal quando funciona – comentou a balconista. – Agora, vamos ao próximo.

Scarlett fez o que ela mandou, e a balança tornou a ficar desequilibrada.

– Agora, segure de novo e me diga qual é o seu maior desejo.

As mãos de Scarlett não suaram desta vez, mas ela ainda tinha a impressão de que a balança era viva demais para o seu gosto.

– Meu maior desejo é encontrar minha irmã, Donatella.

A balança estremeceu. As correntes chacoalharam de leve. Mas o prato que continha o coração permaneceu firme, no mesmo lugar.

– Tem algum problema com a balança – disse Scarlett.

– Tente de novo – falou a balconista.

– Meu maior desejo é encontrar minha irmã mais nova, Donatella Dragna.

Scarlett apertou a haste da balança, mas não fez a menor diferença. O prato vazio e o do coração permaneceram imóveis.

Apertou mais. Só que, desta vez, a balança nem sequer sacudiu.

– Eu só quero encontrar minha irmã.

A balconista fez uma careta.

– Sinto muito, mas a balança não mente. Preciso de outra resposta. Ou você pode pagar com dois dias de sua vida – declarou.

Scarlett se virou para Aiko e falou:

– Você tem me vigiado, sabe que só quero encontrar minha irmã.

– Acredito que isso seja algo que você queira – retrucou Aiko. – Mas há muitas coisas para a gente querer nessa vida. Não é errado se você desejar outras coisas um pouquinho mais.

– Não. – As juntas dos dedos de Scarlett ficaram brancas de tanto apertar: o jogo estava pregando mais uma peça nela. – Eu morreria pela minha irmã!

As correntes chacoalharam, e a balança se movimentou de novo, até os dois pratos ficarem equilibrados. Aquela declaração era verdadeira. Mas, infelizmente, não era uma forma de pagamento viável.

Scarlett foi logo tirando as mãos da balança, antes que lhe arrancassem mais segredos.

– Então, são dois dias da sua vida – falou a balconista.

A garota ficou com a impressão de que havia caído em uma armadilha. Devia ser isso que as duas queriam, desde o início. Pensou em voltar atrás. Abrir mão de dois dias da própria vida a deixava com uma sensação indescritível de desconforto: a mesma sensação que tinha toda vez que fazia um trato com o pai. Mas, se Scarlett voltasse atrás, só provaria, com ainda mais ênfase, que encontrar a irmã não era seu maior desejo. E tampouco conseguiria espiar o caderno secreto de Aiko.

— Se você ficar com dois dias da minha vida, como funciona?

A balconista tirou uma espada em miniatura do alfineteiro e passou as orientações:

— Fure o dedo com a ponta, depois aperte até cair três gotas de sangue na balança.

Dito isso, apontou para o coração murcho.

— Se quiser, posso furar seu dedo — sugeriu Aiko. — Às vezes, é mais fácil deixar outra pessoa ferir a gente.

Só que Scarlett já estava cheia de ser machucada pelos outros.

— Não, eu mesma posso furar.

Ela passou a espada minúscula na ponta do dedo anelar.

Um pingo

outro pingo

mais um pingo.

Foram só três pingos de sangue, mas Scarlett sentiu cada um deles, e a dor ia além do seu dedo. Parecia que alguém havia enfiado as unhas em seu coração e apertado.

— É normal doer?

— Sentir uma leve tontura é normal. Você não esperava que perder dois dias da sua vida seria indolor, né? — A balconista deu risada, como se tivesse dito uma piada. — Posso deixar você levar o vestido de botões agora — prosseguiu —, mas o vestido bordado só será entregue daqui a dois dias, quando o pagamento for compensado. Depois disso...

— Espere aí — interrompeu Scarlett. — Por acaso você acabou de dizer que quer que eu pague minha dívida agora?

— Bom, para mim não adianta nada se for semana que vem, quando o jogo já tiver terminado, né? Mas não se preocupe. Só vou começar a cobrar quando o sol nascer, assim você vai ter tempo suficiente para chegar a um local seguro.

Como assim, local seguro?

— Acho que houve um engano. — Scarlett se agarrou à beirada do balcão. Será que era apenas coisa de sua imaginação ou o coração da balança havia começado a bater? – Achei que esses dois dias seriam cobrados no *fim* da minha vida.

– E como é que eu vou saber quando sua vida vai chegar ao fim? – A balconista deu uma risadinha, um som ríspido, que deu a impressão de que o mundo estava estremecendo sob os pés de Scarlett. – Não se preocupe, desde que nada aconteça com seu corpo, você voltará à vida no raiar do 18º dia da estação, sem problemas.

O que seria apenas dois dias antes do casamento. Scarlett tentou resistir a uma nova onda de pânico, que surgiu em tons de verde-cicuta, cor do veneno e do pavor. Só perdera três gotas de sangue, mas tinha a sensação de estar com uma hemorragia.

– Não posso morrer por dois dias... Tenho que *ir embora* daqui a dois dias!

Se morresse agora, jamais conseguiria encontrar a irmã e chegar em casa a tempo de se casar. E se outra pessoa – Dante, por exemplo – encontrasse Donatella enquanto ela ainda estava morta? E se o jogo terminasse antes do tempo e Tella encontrasse a irmã morta? Scarlett estava ficando com a visão afunilada, vendo pontinhos pretos.

Aiko e a balconista se entreolharam de um jeito que Scarlett não gostou. Ainda se segurando no balcão reluzente, virou para a garota do diário e disse:

– Você me enganou...

– Não enganei, não. Não sabia que você seria incapaz de responder às perguntas.

– Mas eu *respondi* às perguntas – Scarlett tentou gritar, mas os efeitos da troca que fizera estavam ficando mais fortes, embotando seus sentidos, fazendo o mundo parecer mais denso, e ela, mais fina. Impotente. – O que vai acontecer se alguém ferir meu corpo?

Aiko segurou Scarlett pelo braço, porque ela estava perdendo o equilíbrio, e falou:

– Você precisa voltar para a sua estalagem.

– Não...

Scarlett tentou protestar. Não podia voltar para a La Serpiente: era dia de Julian dormir no quarto. Mas agora tinha a sensação de que sua cabeça era um balão que tentava se soltar de seus ombros.

– Você precisa tirar essa garota daqui. – A balconista lançou um olhar de recriminação para Scarlett e completou: – Se ela morrer na rua, quando acordar, estará enterrada no subterrâneo.

O pavor de Scarlett foi às alturas, ganhando tons de relâmpago. Sua audição estava quase tão enevoada quanto a visão, mas podia jurar, pelo jeito que a garota falou, que queria que aquilo acontecesse com ela. Algo ácido, bolorento e queimado borbulhou e subiu pela garganta de Scarlett: o gosto da morte.

Ela mal tinha forças para ficar de pé, muito menos voltar caminhando até a estalagem. Quando acordasse, teria que escolher entre encontrar a irmã ou ir embora para chegar a Trisda em tempo de se casar. Sabia que as coisas poderiam chegar a esse ponto, mas ainda não estava preparada para tomar essa decisão. E o que será que Julian faria se voltasse para o quarto e desse de cara com o cadáver dela?

– Scarlett! – Aiko a sacudiu de novo. – Você tem que permanecer viva até chegar a um lugar seguro. – A garota arrastou Scarlett até a porta e enfiou um cubo de açúcar em sua boca. – Para você ter forças. Não pare de andar, não importa o que aconteça.

As pernas de chumbo de Scarlett estremeciam, e o suor escorria por elas. Mal conseguia ficar de pé, não iria conseguir voltar para a estalagem. O açúcar que Aiko lhe dera dissolveu em sua boca, virando podridão.

– Por que você não pode me acompanhar?

– Tenho outros compromissos – respondeu Aiko. – Mas não se preocupe, vou cumprir minha palavra. Quando alguém tira dias da sua vida, seu corpo morre, mas a mente continua existindo, em uma espécie de mundo dos sonhos. A menos que seu corpo seja destruído.

Mais uma vez, Scarlett tentou perguntar o que aconteceria nesse caso, mas suas palavras saíram enroladas, como se as tivesse mastigado e transformado em pedacinhos antes de cuspi-las. Jurou que a parte branca dos olhos de Aiko ficou preta quando a garota disse:

– Você vai ficar bem, desde que consiga voltar para o seu quarto. Eu te encontro no mundo dos sonhos e te mostro meu diário.

– Mas... – Scarlett cambaleou. – Eu costumo esquecer dos meus sonhos.

– Destes, você vai lembrar. – Aiko a segurou e enfiou mais um cubo de açúcar na boca de Scarlett. – Mas você tem que me prometer que não vai contar para ninguém. Agora... – a garota deu uma última sacudida em Scarlett e colocou o vestido cor de flor de cerejeira nas mãos dela – ...saia logo daqui, antes que você morra.

20

Scarlett só recordaria claramente de uma coisa do trajeto de volta da modista. Não recordaria da sensação de que seus braços e pernas eram leves como plumas, dos ossos virando poeira nem das tentativas de deitar dentro das gôndolas. Não recordaria de ter sido expulsa dessas mesmas gôndolas nem de ter deixado cair o vestido cor de flor de cerejeira. Mas recordaria do rapaz que o pegou do chão e depois segurou seu braço, para ajudá-la a dar os passos que faltavam para chegar à La Serpiente.

As palavras "lindo e inútil" lhe vieram à cabeça. Mas, quando ergueu os olhos e viu seu atraente acompanhante, o rosto do rapaz já não parecia mais tão bonito. Traços duros e ângulos abruptos chamavam ainda mais atenção para os olhos castanho-escuros, sombreados por um cabelo mais escuro ainda.

Aquela pessoa não gostava de Scarlett. A garota não apenas sabia disso, mas podia sentir, pelo modo bruto como ele a tratava. O jeito que segurou seu braço quando ela tentou se afastar.

— Me solte! – tentou gritar.

Mas sua voz estava fraca, e as pessoas que poderiam ter ouvido estavam de passagem, muito concentradas em voltar para suas próprias tocas de cobra. Só faltava um quarto de hora para o sol nascer e apagar a magia da noite.

— Se eu te soltar, você vai entrar em outra gôndola.

Dante a arrastou para dentro da La Serpiente pela porta arredondada dos fundos. O ruído da taverna rodopiou em volta dos dois.

Canecas de sidra tilintando ao bater nas mesas de vidro. Bufadas de prazer misturadas a grunhidos de satisfação e grasnados de histórias insatisfatórias.

Um cavalheiro elegante, de tapa-olho e lenço carmim amarrado ao pescoço, foi a única pessoa a reparar que Scarlett estava sendo arrastada até um lance de escada onde a atmosfera era mais sombria e o ruído silenciava. Depois, a garota recordaria desse homem, observando a cena. Mas, naquele exato momento, sua maior preocupação era fugir de Dante.

— Por favor — implorou Scarlett. — Preciso ir para o quarto.

— Primeiro, precisamos conversar.

Dante a encurralou no vão da escada, prendendo-a contra a parede com as pernas compridas e os braços tatuados.

— Se é por causa daquele dia... desculpe. — Scarlett teve a impressão de ter usado tudo o que tinha de força para obrigar as palavras a saírem da boca formando uma frase coerente. — Não quis enganar você. Não deveria ter mentido.

— Não quero falar das suas mentiras. — Sei que as pessoas mentem neste jogo. Ontem... — O rapaz interrompeu a frase, parecia que estava com dificuldade para manter o mesmo tom de voz. — Fiquei chateado porque achei que você era diferente. Este jogo muda as pessoas.

— Eu sei. É por isso que preciso voltar para o meu quarto.

— Não posso permitir que você faça isso.

Dante falou com um tom mais firme e, por um raro instante de uma clareza apavorante, Scarlett viu que ele estava ainda mais acabado do que da última vez que o vira. Tinha olheiras fundas, como se não dormisse há dias.

— Minha irmã desapareceu: você precisa me ajudar a encontrá-la. Sei que sua irmã também está desaparecida e não acho que seja apenas por causa do jogo.

Não. Não era a hora de Scarlett estar ouvindo aquilo. O desaparecimento de Donatella era apenas mais um truque de magia. Dante estava tentando assustá-la. E por acaso Julian não havia dito que ele já fora cruel para vencer o jogo?

— Não posso falar disso agora — declarou a garota.

Ela precisava chegar ao quarto. O fato de ser a vez de Julian dormir ali não tinha mais importância. Scarlett não podia morrer ali. Muito menos na frente de Dante, enlouquecido daquele jeito. Sabe-se lá como, conseguiu arrancar o vestido das mãos do rapaz e sugeriu:

— Por que a gente não se encontra na taverna... depois de uma boa noite de sono?

— Você quer dizer depois de você *morrer* por dois dias? — Dante cerrou o punho encostado na parede. — Sei o que está acontecendo com você. Não posso desperdiçar outra noite! Minha irmã sumiu, e você...

Poft!

Antes que pudesse dizer mais uma palavra, o rapaz voou para trás. A garota não chegou a ver o soco direito, mas foi forte ao ponto de fazê-lo cair na escada, descendo metade dos degraus.

— Você precisa ficar longe dela! — Julian exalava calor e foi desgrudando Scarlett da parede delicadamente. — Você está bem? Ele te machucou?

— Não... Só preciso ir para o quarto.

Scarlett podia sentir os minutos se dissipando, drenando sua vida, transformando seus braços e suas pernas em frágeis fios de gaze.

— Carmim... — O marinheiro segurou a garota, porque ela foi caindo. Estava tão mais quente do que Scarlett... Ela teve vontade de se aninhar em Julian, como se o rapaz fosse um cobertor, teve vontade de abraçá-lo com a mesma força que o marinheiro segurava sua cintura.

— Carmim, você precisa falar comigo. — A voz de Julian não era mais suave. — O que foi que aconteceu com você?

— Eu... eu acho que cometi um erro. — As palavras saíam feito xarope de sua boca, grudentas e densas. — Alguém, uma garota com o cabelo muito brilhante e outra comendo *waffle*... Eu precisava comprar vestidos, e elas me fizeram pagar com tempo.

Julian soltou diversos palavrões coloridos e disse:

— Não me diga que cobraram um dia de sua vida.

— Não... — Scarlett estava se segurando para continuar de pé. — Cobraram dois dias.

O belo rosto de Julian se contorceu, ficou letal. Ou talvez o mundo inteiro estivesse se contorcendo e se transformando em algo letal. Tudo rodopiou de lado, porque Julian a pegou no colo e jogou o vestido cor de flor de cerejeira no ombro.

— Isso tudo é culpa minha — murmurou.

O marinheiro segurou a garota bem perto do corpo enquanto a carregava escada acima, percorria um corredor que balançava muito e entrava no que Scarlett supôs ser o quarto dos dois. Só conseguia ver branco. Um branco infinito, com exceção do rosto dourado de Julian, que ficou pairando acima de Scarlett enquanto ela era colocada na cama com todo o cuidado.

– Onde você estava... até agora? – perguntou a garota.

– No lugar errado.

Tudo ao redor estava com os contornos enevoados, como se estivesse sob a luz daquele sol empoeirado do início da manhã, mas Scarlett conseguia enxergar a fileira de cílios escuros em volta dos olhos preocupados de Julian.

– Isso quer dizer que...

– *Shhh* – murmurou o marinheiro. – Poupe suas palavras, Scarlett. Acho que posso dar um jeito nisso, mas preciso que fique acordada mais um tempinho. Vou tentar te dar um dia da minha vida.

A cabeça da jovem estava tão confusa, tão prejudicada pela magia que estava tomando conta de seu corpo, que, de início, ela pensou que não devia ter ouvido direito o que Julian disse. Mas aquele olhar estava de volta, como se o marinheiro quisesse que Scarlett fosse a sua ruína.

– Você faria mesmo isso por mim? – perguntou.

A resposta de Julian foi encostar a ponta de um dos dedos nos lábios entreabertos dela.

Um gosto metálico, úmido e levemente doce. Bravura, medo e algo mais que ela não distinguiu. Vagamente, Scarlett sabia que o que sentira foi o gosto do sangue de Julian. Era diferente de todos os presentes que ela já ganhara na vida. Algo estranhamente bonito e alarmantemente íntimo. E Scarlett queria mais. Mais Julian.

Lambeu a ponta do dedo dele, mas ansiava por provar os lábios do marinheiro também. Senti-los em sua boca e em seu pescoço. Ter a experiência de seu corpo ser tocado pelas mãos firmes dele. Ansiava por sentir o peso do peito de Julian pressionando o seu, de descobrir que o coração do marinheiro batia tão rápido quanto o dela.

O rapaz ficou com o dedo encostado nos lábios dela por mais um instante e os fechou. Mas o gosto do sangue dele permaneceu. E o desejo que Scarlett sentia por Julian se intensificou. O marinheiro ficou pairando acima da garota, que ouvia a batida ritmada da pulsação dele. A presença de Julian já havia despertado os sentidos de Scarlett outras vezes, mas nunca com tanta intensidade. Estava hipnotizada pelo rosto de Julian, pela manchinha mais escura embaixo do olho esquerdo, pela saliência sutil das maçãs do rosto, pelo contorno do maxilar cinzelado, pelo frescor de seu hálito no rosto dela.

— Agora vou precisar de um pouco do seu sangue.

Sua voz era tão suave, pura suavidade, assim como o sangue do marinheiro era puro sentimento, resumia tudo o que Scarlett estava sentindo.

A garota nunca havia se sentido tão próxima de outra pessoa. Sabia que entregaria o que Julian pedisse — qualquer coisa que ele pedisse —, que permitiria, com todo o prazer, que o marinheiro bebesse parte dela, como Scarlett havia bebido de Julian.

— Julian — disse, em um sussurro, como se falar um pouco mais alto fosse destruir a delicadeza daquele momento. — Por que você está fazendo isso?

Os olhos salpicados de âmbar de Julian fixaram-se nos de Scarlett, e algo neles a deixou sem ar.

— Acho que a resposta é óbvia.

O marinheiro pegou uma das mãos geladas da garota e a segurou perto da faca. Mas Scarlett imaginou que Julian estava esperando que ela lhe desse permissão para furar seu dedo. E sabia que o rapaz não estava fazendo aquilo por causa do jogo, aquilo parecia algo completamente distinto, que existia apenas entre os dois.

Scarlett apertou a ponta da faca. Uma única gota de sangue cor de rubi saiu. Com toda a delicadeza, Julian levou o dedo de Scarlett até a boca e, quando seus lábios macios encostaram na pele dela, o mundo inteiro se despedaçou em um milhão de cacos de vidro colorido.

O coração moribundo da garota bateu mais rápido, porque a língua do marinheiro posicionou, suavemente, seu dedo entre os dentes dele. Por um instante, Scarlett novamente sentiu as emoções de Julian, com tanta clareza que poderiam ser suas. Espanto misturado com um instinto de proteção feroz e um fio de uma dor tão intensa que ela teve vontade de arrancar aquela mágoa do marinheiro. Afundou mais o dedo, pressionando-o em um dos incisivos afiados de Julian. Dias antes, havia ficado tensa e rígida quando ele a tocou, mas agora queria ter forças para abraçá-lo.

Sem saber ao certo o quanto já havia se entregado, Scarlett pensou que amar Julian seria como se apaixonar pela escuridão, algo assustador e arrebatador, e que se torna absolutamente belo quando as estrelas aparecem.

O marinheiro lambeu o dedo da garota uma última vez: um arrepio percorreu o corpo dela, tão dolorosamente gelado que chegou a ser quente. E aí Julian estava deitado ao seu lado na cama, fazendo-a afundar, porque a pegou nos braços. Ela de Scarlett se encaixaram perfeitamente no peito firme e forte de Julian. A garota se aconchegou no marinheiro, tentou resistir à morte por mais um minuto e se apegar ao rapaz.

– Você vai ficar bem.

Julian fazia cafuné em Scarlett quando a visão dela escureceu.

– Obrigada – sussurrou a garota.

O marinheiro disse mais alguma coisa, mas ela só sentiu a mão de Julian acariciando seu rosto. De um jeito tão suave que Scarlett pensou ter imaginado, assim como devia ter imaginado a leve pressão dos lábios dele que sentiu na nuca, pouco antes de morrer.

21

A cor da morte era roxa. Papel de parede roxo e temperaturas roxas. O vestido roxo da vovó – só que a moça de cabelo cor de mel que usava o vestido, sentada em uma cadeira roxa, era muito mais parecida com Donatella.

Estava com o rosto bem corado, um sorriso bem malandro, o hematoma que tingira seu rosto havia sarado alguns dias atrás: há séculos não tinha uma aparência tão saudável. Se o coração de Scarlett estivesse batendo, teria parado.

– É você mesmo, Tella?

– Sei que você está morta neste exato momento – respondeu Donatella –, mas deveria fazer perguntas melhores. Não temos muito tempo.

Antes que Scarlett conseguisse responder, a irmã abriu o livro antigo que tinha no colo. Muito maior do que o diário que Aiko carregava por aí na vida real, aquele livro era do tamanho de uma lápide, da cor dos contos de fadas sinistros – gelo escuro com letras de um dourado manchado. O volume engoliu Scarlett, com sua boca encadernada de couro, e a cuspiu em uma calçada gélida.

Donatella se materializou ao lado dela, mas parecia ter menos corporeidade do que antes: seus contornos eram transparentes.

Scarlett tampouco se sentia lá muito palpável: a cabeça estava confusa de tanto sonhar, de morrer e de tudo o que acompanhava essas duas coisas. Mas, desta vez, conseguiu perguntar:

– Onde posso te encontrar?

– Se eu dissesse, seria trapaça – cantarolou Tella. – Você precisa prestar atenção.

Diante das duas, havia um sol roxo atrás de uma residência grandiosa, parecida com o castelinho que sediava o Caraval, mas menor, e era pintada em tom de ameixa-escuro, com detalhes violeta.

Do lado de fora da janela, elas viram que a garota que estava lá dentro também usava um tom de roxo. O traje, mais uma vez, era parecido com o vestido roxo da vovó. Na verdade, *era* aquele vestido. Só que a mulher que o usava *era* a vovó em uma versão bem mais nova, quase tão bonita quanto ela dizia ser, com cachos dourados que fizeram Scarlett se lembrar de Donatella.

Vovó estava abraçando um rapaz de cabelo castanho-escuro que, pelo jeito, achava que ela ficaria melhor sem o vestido roxo. E também se parecia muito com o avô de Scarlett, antes de seu corpo ficar gordo, e seu nariz, cheio de veias azuladas. Os dedos do rapaz tentavam abrir os cordões do vestido roxo.

– Eca – disse Tella. – Não quero ver essa parte.

Tella desapareceu, enquanto a irmã procurava outro lugar para olhar. Mas, independentemente do lado para o qual virasse, via a mesma janela.

– Oh – murmurou o avô jovem –, Annalise.

Scarlett jamais tinha ouvido a avó ser chamada assim: sempre fora apenas Anna. Mas algo no nome Annalise não lhe era estranho.

E foi aí que sinos começaram a dobrar por toda parte. Sinos de luto, em um mundo coberto de névoa e de rosas pretas.

A casa roxa sumiu, e de súbito Scarlett estava em outra rua, cercada de gente, gente que usava chapéus pretos e estava com uma expressão ainda mais enlutada do que os trajes.

– Eu sabia que essa gente era pura maldade – disse um homem. – Rosa jamais teria morrido se não tivesse vindo para cá.

Pétalas de rosas pretas choveram em cima de um féretro. E, apesar de ninguém ter falado de quem "essa gente" se tratava, Scarlett sabia que o homem estava falando dos artistas do Caraval. Uma mulher havia morrido durante a longa história do jogo. No ano em que o Caraval parou de sair em turnê, depois que começaram a se espalhar boatos de que Lenda havia assassinado essa mulher.

Rosa deve ser essa mulher, pensou Scarlett.

— Este sonho é simplesmente horroroso, né? — Donatella reapareceu, só que, agora, sua imagem era transparente e fantasmagórica. — Nunca gostei de preto. Quando eu morrer, você pode fazer o favor de falar para todo mundo usar roupas de cores mais alegres no meu enterro?

— Você não vai morrer, Tella — censurou Scarlett.

A imagem de Donatella bruxuleou, feito uma vela com pouca autoconfiança.

— Posso morrer, se você não vencer o jogo. Lenda gosta de...
Tella sumiu.

— Donatella! — Scarlett gritou o nome da irmã. — Tella!

Mas, pelo jeito, ela havia sumido de vez. Não havia mais nem sinal do vestido roxo nem dos cachos loiros. Só um enterro e um luto interminável.

Scarlett sentia a pressão cinzenta do sofrimento de todos, porque continuou ouvindo, na esperança de descobrir o que Donatella não disse, até que as palavras enlutadas se transformaram em fofoca.

— Que história mais triste — cochichou uma mulher, dirigindo-se a outra. — Quando o noivo de Rosa venceu o jogo, seu prêmio foi encontrá-la na cama com Lenda.

— Mas ouvi dizer que foi ela quem terminou o noivado — comentou a outra.

— E foi, logo depois de o noivo pegar os dois no flagra. Rosa disse que estava apaixonada por Lenda e queria ficar com ele. Mas o Mestre do Caraval deu risada e falou que a garota se deixara arrebatar demais pelo jogo.

— Achei que nunca ninguém havia visto Lenda — disse a outra mulher.

— Ninguém o vê mais de uma vez. Dizem que ele adota um rosto diferente a cada edição do jogo. Belo, mas cruel. Ouvi dizer que Lenda estava presente quando Rosa se atirou da janela e nem sequer tentou impedi-la.

— Que monstro.

— Achei que Lenda tinha empurrado Rosa — falou uma terceira mulher.

— Não com as próprias mãos — corrigiu a primeira das mulheres. — O Mestre do Caraval gosta de fazer joguinhos perversos com as pessoas, e um de seus joguinhos preferidos é fazer garotas se apaixonarem por ele. Rosa pulou da janela um dia depois de ter sido descartada por Lenda, depois que seus pais descobriram e não permitiram que ela voltasse para casa. O noivo se culpa, contudo. Os criados dizem que o rapaz geme o nome de Rosa enquanto dorme, todas as noites.

As três mulheres se viraram porque um rapaz se aproximou, ficando bem no fim do féretro. O cabelo castanho-escuro não era tão comprido, e as mãos não exibiam nenhuma tatuagem – nem uma rosa para Rosa –, mas Scarlett o reconheceu imediatamente. *Dante.*

Devia ser por isso que ele queria tanto ganhar o desejo, para trazer a noiva de volta à vida.

Bem nessa hora, Dante inclinou a cabeça na direção de Scarlett. Mas seus olhos magoados não pousaram na garota. Ficaram perambulando em meio às pessoas, como se estivessem à caça, procurando através da cortina de pétalas escuras de flores sombrias, que ficava cada vez mais densa. Uma poça fofa de pétalas se formou em torno dos pés de Scarlett, e várias pétalas taparam os olhos de Dante quando o rapaz passou por ela. As flores o impediram de ver a única pessoa que, na opinião de Scarlett, Dante devia estar procurando, um jovem de cartola de veludo, a poucos passos de distância dela.

Todo o ar escapou dos pulmões da garota. Nos outros sonhos, o rosto de Lenda não havia aparecido com clareza. Mas, desta vez, ela o viu perfeitamente. O belo rosto do Mestre do Caraval não transmitia nenhuma emoção, os olhos castanho-claros eram desprovidos de afeto. Não havia sinal de sorriso nos lábios: aquele jovem era uma sombra de um rapaz que Scarlett conhecia. *Julian.*

QUARTO DIA
DO CARAVAL

Q uando Scarlett acordou, o mundo tinha gosto de mentiras e de cinzas. Com os cobertores úmidos grudados na pele suada, úmidos de pesadelos e imagens de rosas pretas. Pelo menos, Aiko não havia mentido quando disse que Scarlett recordaria dos sonhos. Suas lembranças dos últimos instantes de vida ainda estavam borradas, mas os sonhos eram vívidos. Pareciam tão palpáveis e reais quanto os braços que a prendiam.

Julian.

A mão do marinheiro estava pousada logo acima dos seus seios. A garota segurou um suspiro de assombro. Os dedos do rapaz, que roçavam em sua pele, estavam gelados; o peito, que fazia pressão em suas costas, era um bloco de mármore glacial e continha um coração que não batia. O corpo de Scarlett estremeceu, mas ela nem sequer gemeu, com medo de acordar Julian daquele sono mortal.

Podia enxergar o marinheiro do sonho, usando aquela cartola. Com aquela expressão insensível. Exatamente o tipo de olhar que ela teria imaginado no rosto do Mestre do Caraval. Para completar, Julian, com toda a certeza, era tão atraente quanto Scarlett havia imaginado que Lenda seria.

Ela se lembrou do olhar assustado da estalajadeira quando o viu pela primeira vez. Pensou que era devido ao fato de os dois serem convidados especiais de Lenda. Mas e se fosse porque Julian, na verdade, *era* Lenda? Ele sabia tanto a respeito do Caraval... Soube o que fazer quando Scarlett estava morrendo. E poderia muito bem ter colocado as rosas no quarto dela.

Uma batida súbita de coração pressionou suas costas.

Do coração de Julian.

Ou seria do coração de Lenda?

Não.

Scarlett fechou os olhos e respirou fundo, para se acalmar. Fora avisada de que o jogo lhe pregaria peças. Aquilo não podia ser verdade. Não sabia quando havia acontecido. Mas, em algum momento, em algum lugar daquele mundo estranho e repleto de impossibilidades, Julian passou a significar algo para ela. Scarlett começou a confiar no marinheiro. Se aquele rapaz fosse mesmo Lenda, tudo o que era tão significativo para ela seria apenas uma jogada para ele.

O peito firme de Julian subiu e desceu, encostado nas costas de Scarlett, e o calor foi voltando lentamente para seu corpo. Sentiu esse calor em todos os pontos onde o corpo dos dois estava unido. Atrás dos joelhos. Na base da coluna. Ficou com a respiração rasa e irregular, porque Julian se aninhou mais nela, subindo os dedos até suas escápulas.

Um furinho azulado na ponta de um dos dedos do marinheiro fez Scarlett ficar corada, porque lembrou do sangue de Julian em sua língua e da sensação dos lábios dele quando sentiu o gosto de seu sangue. Era a coisa mais íntima que Scarlett já havia experimentado na vida. Precisava que fosse verdade. Queria que Julian fosse verdade.

Mas...

Aquela situação não tinha nada a ver com o que Scarlett queria. A garota recordou de todas as vezes que o marinheiro havia dito que o Mestre do Caraval sabia cuidar dos hóspedes. De acordo com o sonho, Lenda não apenas *cuidava* de seus hóspedes. Fizera Rosa se apaixonar tão loucamente por ele que a mulher acabou se suicidando. "O Mestre do Caraval gosta de fazer joguinhos perversos com as pessoas, e um de seus joguinhos preferidos é fazer garotas se apaixonarem por ele." As palavras do sonho subiram na garganta de Scarlett, feito vômito. Se Julian era mesmo Lenda, havia tentado Donatella antes mesmo de o jogo começar. Talvez tivesse até seduzido as duas irmãs.

Scarlett sentiu náusea ao pensar nessa terrível possibilidade. Com uma clareza perturbadora, lembrou-se daqueles últimos instantes antes de morrer, quando teria dado a Julian mais do que apenas seu sangue, caso o marinheiro pedisse.

Precisava escapar dos braços de Julian antes que ele despertasse. Ainda tentava se apegar à esperança de que o rapaz não era Lenda, só que era um risco muito grande supor que não era. Scarlett jamais se atiraria da janela por homem nenhum, mas a irmã era mais impulsiva. Scarlett aprendera a maneirar seus sentimentos, mas Donatella era movida por suas emoções e desejos instáveis. Scarlett podia ver que tanto Lenda quanto aquele jogo poderiam levar Tella a ter o mesmo final infeliz de Rosa, caso ela não conseguisse salvar a pele da irmã mais nova.

Precisava sair dali e encontrar Dante. Pensou que, se Rosa era noiva dele, o rapaz saberia se Julian era mesmo Lenda.

Segurando a respiração, Scarlett pegou o pulso de Julian e tirou uma das mãos dele de sua cintura com todo o cuidado.

– Carmim – murmurou o marinheiro.

A jovem conteve um suspiro, porque Julian tirou os dedos de suas escápulas e os pousou em sua nuca, deixando uma trilha de gelo, de fogo e de formigamento. O marinheiro ainda estava adormecido.

Mas logo despertaria.

Deixando o cuidado de lado, Scarlett escorregou para fora da cama e caiu de bunda no chão. A aparência de seu vestido, com renda preta e pouco tecido, estava no limite entre um traje de luto e uma camisola. Mas não tinha tempo de trocar de roupa e, naquele momento, nem ligava para isso.

Levantou do chão e, pelos seus cálculos, havia se passado exatamente um dia desde que morrera. O sol do 17º dia da estação estava prestes a raiar, ou seja: só lhe restava uma noite para encontrar Tella e conseguir ir embora em tempo de chegar ao seu cas...

Scarlett ficou petrificada quando viu o próprio reflexo no espelho. O cabelo escuro e grosso agora tinha uma faixa branca. Em princípio, achou que fosse efeito da luz, mas estava ali mesmo. Com os dedos trêmulos, encostou na mecha – ela ficava bem perto das têmporas, em um lugar impossível de esconder fazendo uma trança. A garota nunca se achou uma pessoa vaidosa. Mas, naquele momento, teve vontade de chorar.

O jogo não deveria ser real, mas estava tendo consequências muito verdadeiras. Se aquele era o preço a pagar por um simples vestido, o que mais resgatar Tella poderia lhe custar? Será que teria forças?

De olhos vermelhos e ainda parecendo meio-morta, Scarlett não estava se sentindo muito durona. A corrente de medo em volta do seu pescoço a sufocou, porque ela pensou no pouco tempo que ainda lhe restava. Mas, se Nigel, o adivinho, tinha razão quando falou do destino, então não havia uma mão onipotente determinando a vida de Scarlett:

precisava parar de permitir que seus temores a controlassem. Podia até estar se sentindo fraca, mas o amor que sentia pela irmã não era nada fraco.

Como o sol havia raiado há pouco, não podia sair da estalagem, mas aproveitaria aquele dia ao máximo, procurando Dante na La Serpiente.

Quando saiu do quarto, a luz de velas bruxuleou por todo o corredor em curva, quente e amanteigada. Só que teve a sensação de que algo ali estava errado. O cheiro. As costumeiras pitadas de suor e de fumaça das lareiras que se apagavam estavam emporcalhadas por aromas mais pesados e menos agradáveis. Anis, lavanda e algo parecido com ameixa podre.

Não.

Scarlett só teve uma fração de segundo para entrar em pânico, porque viu o pai aparecer no canto do corredor.

Voltou correndo para o quarto, trancou a porta e rezou para as estrelas – se Deus ou os santos existiam, não gostavam dela. Como o pai havia chegado ali? Se o governador encontrasse as filhas, Scarlett não tinha dúvidas de que o pai mataria a irmã, para castigá-la.

Queria pensar que ter visto o pai no corredor foi uma alucinação cruel, mas fazia mais sentido acreditar que o governador Dragna havia descoberto que o sequestro era uma farsa inventada por Tella. E, talvez, o Mestre do Caraval tivesse conseguido enviar uma pista para ele. "Diga de quem você tem mais medo", perguntara a balconista. E Scarlett fora tola ao ponto de responder.

O que poderia ter feito para Lenda a odiar tanto? Mesmo que Julian não fosse o Mestre do Caraval, aquilo agora lhe parecia algo muito pessoal, apesar de Scarlett não conseguir nem imaginar o porquê. Será que era por causa de todas aquelas cartas que enviou para ele? Ou, quem sabe, Lenda simplesmente tivesse um senso de humor sádico e a garota fosse uma pessoa fácil de atormentar. Ou, quem sabe...

O início do sonho de Scarlett veio à sua cabeça em nuances pavorosas de roxo, seguido por um nome, "Annalise". Durante a visão, ela não conseguira unir os pontos, mas as histórias que a avó contava a respeito da origem de Lenda começaram a voltar à sua mente. O Mestre do Caraval era apaixonado por uma garota que partira seu coração, porque se casou com outro homem. Será que sua avó era a Annalise de Len...

– Carmim? – Julian se sentou na cama. – O que você está fazendo aí, grudada na porta?

– Eu... – Scarlett congelou.

O cabelo castanho-escuro e revolto do marinheiro emoldurava um rosto encoberto por uma preocupação convincente, mas Scarlett só conseguia ver o olhar sem alma de Julian enquanto observava o féretro para a garota que havia se matado depois que o rapaz a fez se apaixonar por ele.

Lenda.

Seu coração bateu acelerado. Ela tentou se convencer de que aquilo não era verdade. Julian não era Lenda. E, mesmo assim, Scarlett se grudou ainda mais na porta quando o marinheiro levantou da cama e andou na sua direção, com passos surpreendentemente confiantes e firmes para alguém que tinha acabado de despertar da morte.

Se aquele rapaz fosse mesmo Lenda, Donatella estaria em algum lugar daquele mundo mágico que ele havia construído. Scarlett teve vontade de exigir uma resposta. Teve vontade de repetir o tapa que dera na cara do marinheiro. Mas sentar a mão nele naquele exato momento não ajudaria em nada. Se Julian fosse mesmo Lenda, e aquele joguinho perverso não passasse de uma maneira de se vingar da avó de Scarlett por ter partido seu coração, a única vantagem que a garota tinha era o fato de o marinheiro ainda não saber que ela havia descoberto a verdade a seu respeito.

— Você não está com uma cara muito boa, Carmim. Quanto tempo faz que você acordou? — Julian levantou a mão e passou os nós dos dedos gelados no rosto de Scarlett. — Você não faz ideia do susto que me deu, eu...

— Estou ótima — a garota logo o cortou.

E também desviou da mão de Julian. Não queria que o marinheiro encostasse nela.

O rapaz cerrou os dentes. Toda a preocupação havia sumido de sua expressão, dando lugar a... — Scarlett queria pensar que era raiva, mas não era. Era mágoa. Ela conseguia enxergar a pontada de rejeição que Julian sentira, em tons de azul-tempestade, assombrando o coração do marinheiro feito a triste neblina da manhã.

Scarlett sempre vira as próprias emoções em cores, mas jamais vira as de outra pessoa dessa maneira. Não sabia o que a deixava mais chocada: conseguir enxergar as cores dos sentimentos de Julian ou ver que esses sentimentos continham tanta mágoa.

Tentou imaginar como ele estaria se sentindo se não fosse Lenda. Antes de Scarlett morrer, os dois tiveram um momento extraordinariamente especial. Lembrou-se de como Julian a havia carregado até o quarto com todo o cuidado. De que abrira mão de um dia da própria vida por ela. A força e a segurança que sentiu quando o marinheiro a pegou em seus braços, na cama. Podia até enxergar os vestígios do sacrifício feito pelo rapaz: no meio da barba por fazer escura que cobria seu maxilar, havia uma fina faixa branca – combinando com a faixa que aparecera no cabelo dela. E agora Scarlett nem sequer queria encostar em Julian.

– Desculpe – disse. – É só... Acho que ainda estou abalada pelo que aconteceu. Se eu estiver estranha, me desculpe. Não estou pensando direito. Desculpe – repetiu. Talvez ela tenha exagerado e falado muitos "desculpe".

Um músculo do pescoço de Julian vibrou. Era óbvio que o marinheiro não acreditava nela.

– Que tal você deitar de novo?

– Você sabe que não posso deitar nessa cama de novo com você – disparou Scarlett.

Era o que teria dito antes, mas as palavras saíram com um tom mais duro do que pretendia.

Julian eliminou todas as emoções do rosto, mas as cores turbulentas que pairavam em seu coração contaram para Scarlett que ele estava bem longe de não sentir nada. A mágoa do marinheiro agora se misturava com uma nuance de algo que a garota jamais vira. A cor era indiscernível, nem bem prata nem bem cinza, mas ela jurou que podia sentir a emoção aguda por trás daquele tom – será que era porque haviam bebido o sangue um do outro?

Scarlett estava com um aperto nos pulmões e na garganta também. Cada vez que respirava, sentia dor. Enquanto isso, Julian se dirigiu à outra porta.

– Eu não estava planejando voltar para a cama com você – disse.

A garota tentou responder, mas agora suas cordas vocais haviam se fechado completamente, e seus olhos ardiam. Só conseguiu respirar de novo quando Julian saiu do quarto, e foi aí que se deu conta: quando o marinheiro saiu, Scarlett teve a impressão de que o rapaz também estava fechando a porta para ela não poder mais entrar em sua vida.

A garota ficou parada, com o corpo grudado na parede, resistindo ao impulso de correr atrás do marinheiro, de pedir desculpas por ter agido de uma forma tão estranha e terrível. Assim que Julian saiu, Scarlett poderia jurar que o marinheiro não era Lenda, mas não podia correr o risco de acreditar nele e estar enganada.

Não, corrigiu-se.

Podia correr o risco de estar enganada.

Tudo o que Scarlett havia feito desde que chegara ao Caraval envolvera risco. Algumas dessas coisas não haviam terminado bem, mas outras foram uma agradável surpresa – *como o momento íntimo que teve com Julian.* O marinheiro jamais teria lhe dado um presente tão precioso se ela não tivesse cometido o erro de perder dois dias da própria vida.

Talvez arriscar-se era justamente o que precisava fazer naquele exato momento. Se não por si mesma, tinha que fazer isso por Tella. Julian fora seu aliado desde que chegou à ilha, e Scarlett poderia precisar de sua ajuda mais do que nunca, agora que seu pai estava ali.

Ah, meus santos, o pai! Scarlett nem sequer havia contado para Julian que o governador Dragna estava na ilha. Definitivamente, precisava encontrá-lo naquele instante, para alertá-lo.

Ansiosa, Scarlett abriu a porta. O maldito cheiro do perfume do pai ainda pairava no ar. Mas a única pessoa no corredor era aquele homem vil, de chapéu-coco, que roubara seus brincos. Ele nem reparou quando a garota passou correndo, indo em direção à escada. Scarlett não sabia aonde Julian tinha ido, mas torceu para que não tivesse saído...

A garota ficou petrificada quando chegou ao próximo andar.

Julian, tão autoconfiante como se realmente fosse o Mestre do Caraval, saiu do quarto de Dante, abriu a porta arrombada do quarto de Donatella e entrou.

O que ele está fazendo?

Julian odiava Dante. E por que entrar no quarto destruído de Tella? O que estava...

No andar de cima, a estalagem rangeu com o peso de múltiplos passos. Três pares de pés. À medida que foram se aproximando da escada, ela conseguiu ouvir as palavras de um homem ecoando em sua direção.

Não conseguiu entender a primeira parte da frase, mas reconheceu a voz do pai e ouviu o que ele disse em seguida:

– Você a viu passar agora há pouco?

Um tremor percorreu o corpo da garota.

– Há menos de um minuto. Cadê minhas moedas?

Deve ter sido o miserável do chapéu-coco quem disse isso.

De repente, Scarlett estava de volta a Trisda, encolhida nas sombras da escada, com medo de se mexer e ser descoberta. Mas tinha de se mexer. A qualquer momento, o pai desceria a escada. Não podia se dar ao luxo de ter medo ou de ficar refletindo sobre o que deveria fazer. Suas botas mal encostaram no chão, porque ela saiu em disparada e seguiu os passos de Julian até o quarto de Tella. Tentou passar a tranca na porta, mas estava quebrada.

Não havia ninguém no quarto.

Nenhum sinal de Julian.

Mas o marinheiro, com certeza, havia entrado ali.

Scarlett tentou se convencer de que havia uma explicação racional para aquilo. E foi aí que se lembrou.

O jardim moribundo que encontrou no Castillo Maldito. Negligenciado e abandonado. O jardim fora cuidadosamente cultivado para ser um lugar onde as pessoas não se demorariam – algo muito parecido com o quarto de Tella. Scarlett imaginou Julian entrando, levantando os destroços da destruição, encontrando uma tábua no chão com o símbolo do Caraval e apertando-a com o dedo até que outra tábua deslizasse, dando acesso a um túnel escondido.

Um túnel que ela precisava encontrar.

Do lado de fora, o som de passos foi ficando mais alto, um coro ríspido que acompanhava sua busca frenética. A garota ficou de quatro e procurou a entrada. Foi se arrastando pelo chão, e farpas de madeira entraram em seus dedos. Sabe-se lá como, aquele local dilapidado ainda conseguia ter o cheiro de Donatella. De melaço pungente e sonhos rebeldes. Scarlett se movimentou com mais rapidez: tinha que encontrar a irmã antes que o pai encontrasse uma das duas.

Dentro da lareira, todos os tijolos estavam cobertos de fuligem, mas uma mancha mais clara chamou a sua atenção, parecia que alguém acabara de apertá-la com o dedão. Debaixo da mancha, o símbolo gravado na parede onde fora instalada a caixa da lareira estava sujo, difícil de enxergar, mas a ponta do dedo de Scarlett formigou quando ela encostou naquele lugar. Por um segundo de pânico, nada aconteceu. E aí, lentamente, a lareira se movimentou, os tijolos foram se afastando, até revelar uma escadaria grande, de mogno. Os candeeiros que iluminavam os degraus ardiam com carvões, em um tom reluzente de laranja, revelando uma trilha de passos no meio da escada, como fosse uma passagem usada com frequência. Scarlett imaginou Julian descendo por aqueles degraus toda vez que fugiu ou desapareceu.

E, mesmo assim, isso não significa que ele é Lenda.

Só que estava com mais dificuldade de acreditar nisso agora. Se Julian não era Lenda, por que tinha tantos segredos? Mesmo que não estivesse tentando seduzir Donatella sempre que se afastava de Scarlett, o marinheiro, definitivamente, estava escondendo alguma coisa.

Quando Scarlett começou a descer, um vento gelado e úmido se enroscou em suas pernas à mostra. Apesar de estar bem acordada, o vestido continuava fino feito uma camisola e mal tapava seus joelhos. Dois lances lisos de escada a levaram a três caminhos divergentes. Na direita, uma trilha de areia rosa-pétala. No meio, pedras reluzentes e polidas, que criavam focos de luz fraca. À esquerda, tijolos.

Tochas cobertas por chamas brancas iluminavam a entrada de todas as opções. Cada trilha continha diversos pares de pegadas de botas, de vários tamanhos. A garota pensou que qualquer um dos túneis poderia escondê-la do pai, mas apenas um deles a levaria até Julian – e, possivelmente, até Donatella, se o marinheiro fosse mesmo Lenda.

Os túneis também podem levar à loucura, pensou Scarlett. Mas preferia encarar essa possibilidade do que encarar o pai.

Fechou os olhos e prestou atenção aos ruídos. À esquerda, um vento encanado se debatia nas paredes. À direita, água fluía. E, no meio, passos maiores e pesados seguiam em frente. Julian!

Foi logo seguindo aqueles passos, contando com as pisadas firmes para guiá-la. Parecia que os ruídos aumentavam de intensidade na mesma proporção que a temperatura do túnel caía.

Até que os passos pararam.

Sumiram. Arrepios molhados percorreram a nuca de Scarlett. Ela se virou para trás, com medo de estar sendo seguida, mas era apenas o corredor silencioso, repleto de pedras que estavam perdendo o brilho rapidamente. Começou a andar mais rápido, mas seu pé ficou preso. Ela tropeçou e se apoiou na parede úmida para não cair, mas só perdeu ainda mais o equilíbrio ao ver o objeto no qual tinha tropeçado.

Uma mão humana.

Sentiu um gosto de bile subir pela sua garganta. Ácido e acre.

Cinco dedos tatuados se estenderam, como se quisessem pegá-la.

Sabe-se lá como, Scarlett conseguiu segurar o grito, até que olhou para baixo e viu o corpo sem vida, todo contorcido, de Dante. E Julian parado perto dele.

23

Scarlett tentou se convencer de que aquilo que estava vendo não era real. Os túneis estavam tentando enlouquecê-la. Tentou se convencer de que aquele cheiro pútrido era artificial. Que aquela mão não era de Dante, era de outra pessoa. Mas mesmo que um cadáver tivesse sido roubado e alguém tivesse feito tatuagens nele por causa do jogo, não havia como negar que o restante era de Dante: a palidez da pele, a inclinação da cabeça, quase separada do pescoço ensanguentado.

Julian virou a cabeça e disse:

— Carmim, não é o que parece...

A garota começou a correr, mas o marinheiro foi mais rápido. Chispou para a frente e a alcançou em um piscar de olhos. Em seguida, a segurou, passando um dos braços fortes em volta do peito de Scarlett e outro na cintura dela.

— Me solte! — esperneou a garota.

— Pare, Scarlett! Esses túneis intensificam o medo... Não se deixe controlar por ele. Juro que eu e Dante fizemos uma parceria. E, se parar de se debater, posso provar. — Julian mudou a posição dos braços, prendendo as mãos de Scarlett nas costas dela. — Ontem fiquei morto o dia todo. Você acha mesmo que o matei?

Se Julian fosse Lenda, poderia ter mandado alguém matar Dante.

— Por que você fingiu que não conhecia Dante se estava de parceria com ele?

— Porque temíamos que algo assim acontecesse. A gente sabia que Lenda reconheceria Dante e Valentina, por causa da outra vez que os dois jogaram. Mas, como eu praticamente só assisti ao jogo, o Mestre do Caraval não me conhece. Achamos que seria prudente manter nossa parceria em segredo, caso Lenda descobrisse o verdadeiro motivo para Dante estar aqui.

O marinheiro lançou um olhar mais adiante no corredor, para o corpo sem vida do outro rapaz, mas seu rosto continuou sem um pingo de emoção. Aquele não era o olhar de alguém que acabara de encontrar um amigo assassinado. Era o mesmo olhar frio que lançara no enterro. *Lenda*.

Scarlett abafou um choramingo e, apesar de todos os seus instintos serem contra, obrigou o próprio corpo a ficar imóvel. A não gritar quando sentiu a pressão do peito de Julian. A não bater quando ele foi soltando lentamente seus pulsos. A única coisa contra a qual lutou foi seu medo crescente, até que o marinheiro tirou o braço de sua cintura.

E, aí, ela...

Julian a empurrou contra a parede poucos metros depois que Scarlett fez uma sua tentativa de fuga.

— Você vai provocar a minha morte e a sua se não parar com isso — rugiu ele.

Em seguida, abriu a camisa, arrancando os botões, que foram quicando pelo chão. Ele arqueou as costas para trás e se afastou, apenas o suficiente para a luz das tochas revelar o que Scarlett supôs ser uma cicatriz acima do coração. Mas não era. Mais fraca do que lembranças de um ano atrás, havia, perto do alto das costelas do marinheiro, os contornos de uma tatuagem em tinta branca. *Uma rosa*.

— A cor é diferente, mas tenho certeza de que você viu esse desenho em Dante — explicou Julian.

— Isso não prova nada. Vi rosas por todo o Caraval. — Lenda estava obcecado por essas flores. O que era mais uma prova de que o sonho enviado por Aiko estava certo. Scarlett foi avisada, por algo bem no fundo de seu ser, de que não seria prudente revelar sua última carta para o jogador que estava com todas as cartas na mão. Só que ela estava cansada de joguinhos. Havia o corpo de um homem morto estirado no chão: aquele jogo fora longe demais. — Pode parar de mentir para mim. Vi você no enterro. Sei que, na verdade, você é Lenda!

A expressão sombria de Julian congelou. Por um instante, pareceu que o marinheiro havia ficado perplexo, mas logo sua expressão se suavizou, transformando-se em uma sutil cara de quem está achando graça.

– Não sei que enterro você acha que viu, mas até hoje só compareci a um único enterro, o da minha irmã Rosa: noiva de Dante. Não sou Lenda. Estou aqui porque quero impedi-lo de destruir outras pessoas como ele destruiu minha irmã.

Rosa era *irmã* de Julian? A convicção que Scarlett tinha até então ficou abalada. Mas será que começou a acreditar em Julian porque estava desesperada para acreditar ou porque o marinheiro estava mesmo dizendo a verdade? Tentou ver a cor das emoções dele, mas não havia nada pairando sobre seu coração. Talvez a conexão que Scarlett tinha com os sentimentos de Julian tivesse passado.

– Vi desenhos – insistiu Scarlett. – Se Rosa era mesmo sua irmã, por que você só ficou ali parado, sem fazer nada? Eu te vi de cartola.

– Você acha que eu sou Lenda porque viu alguns desenhos e neles eu estava de cartola?

Pelo jeito que falou, parecia que o marinheiro estava com vontade de rir.

– Não é só por causa da cartola! – Mas esse detalhe deve ter sido o mais decisivo. Só que ainda havia outras coisas que Julian não estava contando. – Como você sabia o que fazer quando eu estava morrendo?

– Porque ouvi as pessoas comentarem da outra vez, quando apenas assisti ao jogo. Não é nenhum segredo, mas a maioria das pessoas não está disposta a abrir mão da própria vida por outra pessoa, mesmo que seja só um pedacinho. – Nessa hora, ele lançou um olhar penetrante para Scarlett. – Entendo que você tenha dificuldade de confiar nos outros – prosseguiu, curto e grosso. – Depois de conhecer seu pai, não te recrimino por isso. Mas juro que *não sou* Lenda.

– Como foi que você conseguiu entrar na La Serpiente aquele dia, depois de ter se ferido? E por que não foi me encontrar na taverna, como combinado?

Julian soltou um gemido de frustração.

– Não sei como isso prova que não sou Lenda, mas não fui encontrar você na taverna porque, na noite anterior, levei um golpe na cabeça. Peguei no sono e, quando cheguei à taverna, você já tinha ido embora.

O marinheiro deu um sorrisinho irônico, mas havia algo de errado nesse sorrisinho. Era muito forçado.

Julian até podia não ser Lenda, mas não estava sendo completamente sincero. Suas mãos estavam fechadas, segurando segredos com a mesma força que Scarlett, com tanta frequência, segurava o próprio medo. Dava a impressão de que o marinheiro iria se desfazer se abrisse as mãos.

– Se você realmente está aqui para impedir que Lenda destrua outras pessoas, não consigo imaginar que tenha dormido uma noite inteira. E isso ainda não explica como conseguiu entrar na La Serpiente aquele dia.

– Por que você está tão obcecada por isso? – Julian sacudiu a cabeça, de frustração. – Certo, tudo bem. Quer saber a verdade?

O marinheiro, então, se aproximou tanto de Scarlett que seu hálito gelado ficou soprando no pescoço da garota. O cheiro gelado do rapaz tomou conta da pele dela, e Scarlett ficou com a impressão de que o túnel era feito inteiramente do marinheiro.

– Não dormi nada. Deixei você sentada esperando na taverna de propósito. Porque, depois do que aconteceu entre nós no quarto, no dia anterior, não achei que seria uma boa ideia te ver de novo.

Julian baixou os olhos até os lábios de Scarlett, que estremeceu. Estava muito escuro naqueles túneis mal iluminados para enxergar a cor dos olhos do marinheiro. Mas, quando ele ergueu a cabeça, a garota imaginou duas poças de âmbar líquido famintas, emolduradas por cílios escuros. Foi desse jeito que Julian fitou Scarlett quando a segurou, de costas para a porta.

– Entrei nesse jogo com uma missão muito simples. – Ele ficou em silêncio por alguns instantes, engoliu em seco e, quando tornou a falar, sua voz saiu rouca e grave, como se fosse difícil pronunciar estas palavras: – Vim aqui para encontrar Lenda e vingar a morte de minha irmã. Meu relacionamento com você deveria ter terminado assim que consegui entrar no jogo. Então, sim, não fui completamente sincero. Mas juro: não sou Lenda.

Scarlett pensou que o marinheiro poderia ter esmigalhado uma rocha com a força de suas palavras. Julian sempre parecia estar escondendo seus verdadeiros sentimentos, mas as últimas cinco palavras que disse foram pura sinceridade. O tom podia até não ser carinhoso, mas a garota só percebeu verdade nele.

Dando um passo atrás decidido, o marinheiro pôs a mão no bolso e foi, lentamente, tirando um bilhete de dentro dele.

– Encontrei no quarto de Dante. Fui lá para encontrá-lo, não para matá-lo.

J

Valentina ainda está desaparecida. Acho que Lenda está atrás de nós.

Uma memória vaga.
Valentina era irmã de Dante.

Scarlett tremeu ao recordar da última vez que vira Dante com vida. Estava desesperado de preocupação, lá na escada da estalagem. Talvez, se Scarlett não tivesse perdido aquele dia de vida, poderia tê-lo ajudado a encontrar Valentina.

— Eu deveria ter feito alguma coisa — murmurou.

— Não havia nada que você pudesse fazer — declarou Julian, seco. — Era para Valentina ter nos encontrado aqui na noite em que levei uma pancada na cabeça. Só que ela não apareceu.

Julian explicou que havia túneis por baixo de tudo. Gravado na entrada de cada um, havia o respectivo mapa. Esses túneis eram usados, principalmente, pelos artistas do Caraval, para se deslocarem com mais facilidade.

— E, às vezes, são usados para cometer assassinato — completou, sarcástico.

O marinheiro estava com os olhos mortiços, as maçãs do rosto mais salientes do que o normal, uma expressão formada por coisas despedaçadas.

Scarlett gostaria de saber como curar a dor dele. Mas, pelo jeito, Julian já estava quase tão traumatizado quanto ela.

— Você ainda está disposto a se vingar? — perguntou.

— Você vai tentar me impedir se eu estiver?

Julian dirigiu o olhar para o corpo contorcido e sem vida de Dante.

Scarlett ficou com a sensação de que deveria ter dito "sim". Gostava de acreditar que sempre havia opções à violência. Mas o assassinato de Dante e o desaparecimento de Valentina acabaram com qualquer ilusão de que o Caraval não passava de um jogo.

A garota achava que o pai era cruel, mas Lenda era um monstro igualmente cruel. Pelo jeito, vovó não havia mentido quando disse que, quanto mais Lenda interpretasse o papel de vilão, mais se tornaria um na vida real.

Desconfiada, Scarlett segurou a mão de Julian. Os dedos do marinheiro estavam tensos, gelados.

— Sinto muito pela sua...

Um eco de passos a interrompeu. Passos firmes, determinados, bem perto dali. Ela não conseguiu ouvir vozes, mas jurou ter reconhecido aquele andar. Por instinto, soltou a mão do marinheiro.

— Acho que é meu pai!

Julian virou a cabeça de supetão, na direção dos ruídos. Em um instante, sua tristeza desapareceu.

— Seu *pai* está aqui?

— Sim — respondeu Scarlett.

Os dois saíram correndo.

24

— Vamos por aqui. – Julian puxou Scarlett até o corredor de tijolos iluminado por teias de aranha reluzentes.

— Não. – Scarlett o puxou para a esquerda. – Vim por um caminho de pedras. – Ela não recordava que as paredes também eram salpicadas de pedras radiantes, mas não estava prestando muita atenção.

Atrás dos dois, o ruído de botas estava ficando cada vez mais alto. O marinheiro fez careta, mas foi atrás da garota. Roçou o cotovelo no dela, porque as paredes do túnel foram ficando estreitas, e as pedras salientes cutucavam as laterais do corpo dos dois.

— Por que você não me contou que seu pai está aqui?

— Eu ia contar, mas...

Julian tapou a boca de Scarlett com a mão, sal e terra pressionaram os lábios dela, e o rapaz sussurrou:

— *Shhh...*

Ele segurou uma das pedras reluzentes que salpicavam a parede, girou como se fosse uma maçaneta e puxou Scarlett para um lugar nenhum na penumbra. As paredes que abraçaram as costas da garota eram como gelo, úmidas e gélidas. Ela sentia a umidade se infiltrando através do vestido fino enquanto tentava se lembrar como se faz para respirar.

Anis, lavanda e algo parecido com ameixa podre estava substituindo o aroma frio de Julian, passando feito fumaça por baixo da porta insólita do lugar-nenhum para o qual o marinheiro havia acabado de arrastá-la.

— Você está segura comigo – sussurrou Julian.

Em seguida, aproximou-se de Scarlett, como se quisesse fazer um escudo com o corpo, enquanto os pesados passos calçados com bota chegaram bem na frente do esconderijo dos dois, que parecia estar ficando cada vez menor. As paredes gélidas cutucavam Scarlett, fazendo a garota chegar cada vez mais perto do marinheiro. Os cotovelos dela bateram no peito de Julian, obrigando-a a entrelaçar os braços em volta da cintura do rapaz e obrigando o corpo firme dele a se aninhar no corpo de Scarlett.

O coração da jovem batia acelerado e fora do ritmo. A áspera barba por fazer do marinheiro arranhou o rosto dela. Então Julian baixou as mãos, até os quadris de Scarlett. Através do tecido insignificante do vestido, ela sentiu cada curva dos dedos do rapaz. Se o pai abrisse a porta e visse a filha daquele jeito, a mataria.

Scarlett tentou se afastar, ofegante. Agora parecia que o teto também estava afundando, chegando mais perto, pingando frio no alto de sua cabeça.

– Acho que este cômodo está tentando nos matar – disse. Ela ouviu os passos do pai darem meia-volta do lado de fora, até que o ruído se transformou em nada. Gostaria de ficar escondida por mais um ou dois minutos, mas seus pulmões estavam sendo espremidos, formando um sanduíche entre Julian e a parede gelada. – Abra a porta!

– Estou tentando – resmungou o marinheiro.

Scarlett soltou um suspiro de pânico. Seu delicado vestido se enroscou e subiu acima dos joelhos. Os nós dos dedos de Julian passeavam pelas suas costas, e com as palmas das mãos ele procurava a saída.

– Não consigo achar – falou ele, com dificuldade. – Acho que está do seu lado.

– Não consigo sentir nada.

A não ser você.

Enquanto as mãos de Scarlett tentavam tatear a parede, os dedos roçavam em lugares que ela sabia que não deveria estar tocando. Só que, quanto mais tentava, mais o cômodo parecia resistir.

Como o mar da ilha.

Quanto mais Scarlett se debatera, com mais medo ficara, e mais as águas a castigaram.

Talvez fosse isso.

Julian disse que os túneis intensificavam o medo, mas talvez se alimentassem dele também.

– Este lugar está conectado às nossas emoções – concluiu. – Acho que precisamos relaxar.

Julian soltou um ruído abafado.

– Isso não vai ser nada fácil neste exato momento.

Os lábios do marinheiro estavam encostados no cabelo da garota, e as mãos, logo abaixo dos quadris dela, agarradas às curvas de seu corpo.

– Ah – disse Scarlett.

Sua pulsação ficou acelerada de novo e, quando isso aconteceu, ela sentiu o coração de Julian batendo acelerado contra seu peito. Uma semana atrás, jamais teria relaxado nessa situação: mesmo naquele momento era difícil. Mas, apesar das mentiras do marinheiro, de algum modo ela sabia que estava segura com ele. Julian jamais lhe faria mal. Scarlett se obrigou a respirar fundo e a se acalmar. E, quando fez isso, a parede parou de se movimentar.

Respirou fundo outra vez.

O lugar ficou sutilmente maior.

Do lado de fora, ainda não havia ruídos de seu pai. Nada de passos, nada de respiração. Nada de seu odor fétido.

Instantes depois, as paredes que pressionavam suas costas estavam menos frias, um choque de temperatura em relação às partes encharcadas de suas roupas. À medida que o recinto foi se expandindo, Scarlett sentiu que Julian também relaxava. Boa parte do corpo dela ainda estava espremida contra o do marinheiro, mas não com tanta força quanto antes. O peito de Julian se movimentava no ritmo do peito dela, devagar e constante, e as paredes foram voltando ao tamanho normal.

Cada vez que respiravam, a câmara ficava mais quente. Logo, apareceram minúsculos pontos de luz, salpicando o teto feito poeira lunar e iluminando uma maçaneta cintilante, logo acima da mão direita de Scarlett.

– Espere... – alertou Julian.

Mas Scarlett já tinha aberto a porta. No instante em que fez isso, o recinto sumiu. Para a frente e para trás dele, estendia-se uma passagem baixa, incrustada de conchas partidas que brilhavam com o mesmo tipo de brilho das pedras, e o chão estava coberto por uma trilha de areia rosa-pétala.

O marinheiro soltou um palavrão e declarou:

– Odeio esse túnel.

– Pelo menos, despistamos meu pai – disse Scarlett.

Não havia ruído de passos vindo de nenhuma direção. Ela só conseguia ouvir as ondas encrespadas do mar, arrebentando ao longe. Trisda não tinha praias de areia cor-de-rosa, mas a força da água que ecoava no túnel a fez lembrar de casa – e de outra coisa também.

– Como você sabia que eu poderia conseguir que você entrasse no jogo? – perguntou. – Só recebi os ingressos depois que você chegou a Trisda.

Julian começou a andar um pouco mais rápido, levantando ainda mais areia com as botas.

– Você não acha estranho nem sequer saber o nome do homem com o qual vai se casar?

– Você está mudando de assunto.

– Não, isso faz parte da resposta que você quer.

– Tudo bem. – Ela falou mais baixo. Ainda não havia detectado mais passos, mas queria ter certeza. – Meu pai é controlador, então o nome dele é segredo.

O marinheiro ficou mexendo na corrente do relógio de bolso e questionou:

– E se não for só por isso?

– Aonde você quer chegar?

– Acho que seu pai pode, na verdade, estar tentando te proteger. Antes de ficar chateada, apenas me escute – Julian foi logo dizendo. – Não estou falando que seu pai é uma boa pessoa. Pelo que pude ver, eu diria que ele é um desgraçado nojento, mas posso entender os motivos para o governador ter guardado segredo.

– Pode falar – disse Scarlett, seca.

O marinheiro explicou o que a garota já sabia a respeito de Lenda e de Annalise, avó dela. Só que a versão de Julian da história era diferente da versão da avó. Em seu relato, no início, o Mestre do Caraval tinha mais talento e muito mais inocência. Só se importava com Annalise. A jovem era o único motivo para ele ter se transformado em Lenda: não tinha nada a ver com desejo de ser famoso. E aí, antes de sua primeira apresentação, Lenda encontrou Annalise nos braços de outro homem, mais rico, com o qual ela pretendia se casar, desde o início.

– Depois disso, Lenda enlouqueceu um pouco. Jurou destruir Annalise, fazendo mal à família, assim como ela o magoara. Como Annalise estraçalhou o coração de Lenda, o Mestre do Caraval jurou que faria a mesma coisa com as filhas ou as netas que tivessem a infelicidade de ser descendentes dela. Acabaria com as chances dessas mulheres terem um casamento feliz ou encontrar o amor. E se, nesse meio-tempo, enlouquecessem, melhor ainda.

Julian tentou contar essa última parte como se não estivesse falando muito sério, mas Scarlett ainda recordava claramente do sonho que tivera. Lenda não apenas fazia as mulheres se apaixonarem por ele, as fazia enlouquecer. E Scarlett não tinha dúvidas de que o Mestre do Caraval estava fazendo a mesma coisa com Tella naquele exato momento.

– Então, quando eu e meus amigos ficamos sabendo de seu noivado – prosseguiu Julian –, sabíamos que era só uma questão de tempo até Lenda convidar você para participar do Caraval, só para poder acabar com seu noivado.

Mais uma vez, o marinheiro fez aquilo parecer muito menos nocivo do que era. Só que, para Scarlett, o noivado era a única possibilidade de futuro. Sem aquele casamento, estava condenada a uma vida inteira em Trisda com o pai.

À medida que o caminho de areia foi ficando mais íngreme, a garota foi tendo dificuldade para avançar, pensando nas cartas tolas que havia enviado para o Mestre do Caraval. Só assinara o nome completo na última, a que contara do casamento – e foi justamente essa que Lenda resolveu responder.

Scarlett podia ver que a história de Julian fazia sentido, mas imaginou como um simples marinheiro poderia saber de tudo aquilo. Desconfiada, olhou para o rapaz de cabelos castanho-escuros que estava ao seu lado e fez a pergunta que surgiu em seus pensamentos em diversas ocasiões:

– Quem é você, de verdade?

– Digamos apenas que minha família tem bons contatos.

Julian sorriu de um jeito que poderia parecer encantador para certas pessoas, mas Scarlett podia ver que não havia nada de feliz naquele sorriso, nem de longe.

Recordou da fofoca que ouvira no sonho. A família de Julian havia expulsado a irmã dele de casa depois de descobrir sua relação ilícita com Lenda. Pelo que Scarlett conhecia de Julian, não conseguia imaginá-lo sendo tão preconceituoso, mas o rapaz deve ter sentido culpa mesmo assim. Essa era uma emoção que Scarlett conhecia bem, bem até demais.

Os dois caminharam em silêncio por alguns instantes, até que, finalmente, ela criou coragem para dizer:

– Não é culpa sua, sabe, o que aconteceu com a sua irmã.

Por um frágil instante, delicado e comprido, feito uma teia de aranha espichada, reinou apenas o som das ondas ao longe e o ruído das botas de Julian pisando na areia.

– Então você não se culpa quando seu pai bate na sua irmã?

As palavras do marinheiro foram suaves como um sussurro, mas Scarlett sentiu cada uma delas de forma aguda, recordando de todas as vezes que não conseguira proteger Donatella.

Julian parou de andar e se virou para Scarlett lentamente. Seu olhar firme era ainda mais suave do que sua voz. Penetrou nas partes machucadas dela feito uma carícia. O tipo de toque que passa pela pele machucada, por ossos fraturados e entra na alma ferida da pessoa. Scarlett sentiu seu sangue ferver enquanto Julian olhava para ela. Poderia estar usando um vestido que tapasse cada centímetro da pele, que ainda se sentiria exposta aos olhos do marinheiro. Era como se toda a sua vergonha, sua culpa, as terríveis lembranças secretas que tentava enterrar tivessem sido desveladas, para que Julian as visse.

– O único culpado disso é seu pai. Você não fez nada de errado.

– Você não sabe – retrucou Scarlett. – Toda vez que meu pai bate na minha irmã é porque eu fiz algo de errado. Porque eu não consegui...

– Socorro! – Um grito interrompeu a conversa dos dois, feito uma lufada de vento. – Por favor!

Um gritinho estridente bem conhecido veio em seguida.

– Tella? – Scarlett começou a correr, fazendo voar uma nuvem de areia cor-de-rosa.

– Não! – advertiu Julian. – Não é sua irmã.

Só que a garota o ignorou. Sabia que era a voz da irmã. Parecia ter vindo de poucos metros de distância: ainda conseguia sentir a vibração. O som, cada vez mais alto, ecoava pelas paredes de arenito, até que...

– Pare!

Os braços de Julian serpentearam em volta da cintura de Scarlett, puxando-a para trás no instante em que a trilha de areia terminou abruptamente. Uns poucos grãos desafortunados escorregaram beirada abaixo, caindo nas águas verde-azuladas e espumantes que se agitavam a mais de quinze metros de distância.

O ar foi expulso dos pulmões de Scarlett.

As bochechas do marinheiro estavam coradas, as mãos tremiam enquanto ele a segurava.

– Você está be...

Mas o final da frase foi cortado por uma risada maligna. Um som azedo, de pesadelos e outras coisas nefastas. Ele saía das paredes, cujos pedaços se retorceram formando bocas minúsculas.

Mais um truque dos túneis enlouquecedores.

– Precisamos seguir em frente, Carmim.

Julian encostou sutilmente na cintura dela, fazendo-a voltar para uma trilha mais segura, enquanto os túneis continuavam gargalhando, uma versão distorcida da preciosa risada da irmã de Scarlett.

Por um instante, ela teve a sensação de estar tão perto de encontrar Tella. Mas e se já fosse tarde demais para salvar a vida da irmã? E se Donatella tivesse se apaixonado tão loucamente por Lenda, tivesse se entregado a ele tão completamente que, quando o jogo terminasse, também quisesse pôr fim à própria vida? Tella adorava o perigo, assim como as velas adoram queimar. Pelo jeito, nunca tinha medo de que certas coisas que desejava pudessem consumi-la, feito uma chama.

Quando era pequena, Scarlett se sentiu atraída pela ideia da magia de Lenda. Mas Tella sempre queria ouvir a respeito do lado sombrio do Mestre do Caraval. Em parte, Scarlett não podia negar que havia algo de sedutor em conquistar o coração de alguém que jurou jamais amar de novo.

Só que Lenda não era apenas apático: era demente, adepto a fazer as pessoas não apenas se apaixonarem, mas também enlouquecerem. Sabe-se lá a que tipo de coisas perversas estava levando Tella a acreditar... Se Julian não tivesse segurado Scarlett há poucos instantes, ela poderia muito bem ter caído daquele penhasco, se espatifado e morrido antes mesmo de se dar conta de que fora enganada. E Donatella se atirava de cabeça nas coisas, sem pensar, com muito mais frequência do que Scarlett.

Tella só tinha 12 anos na primeira vez que tentou fugir com um garoto. Ainda bem que Scarlett a encontrou antes que o pai percebesse sua ausência. Mas, desde então, Scarlett temia que, mais dia, menos dia, a irmã se meteria em uma encrenca da qual ela não seria capaz de livrá-la.

Por que não bastava para Lenda acabar com seu noivado?

– Vamos encontrá-la – garantiu Julian. – O que aconteceu com Rosa não vai acontecer com sua irmã.

Ela queria acreditar no marinheiro. Depois de tudo o que acabara de acontecer, estava morrendo de vontade de cair no choro e se abraçar nele, de confiar em Julian de novo, como confiava antes. Mas as palavras que ele disse para tranquilizá-la fizeram vir à tona a pergunta na qual Scarlett temia pensar desde que Julian havia confessado o verdadeiro motivo para estar ali.

A garota se desvencilhou da mão do marinheiro e obrigou-se a se distanciar dele.

– Você sabia, quando nos trouxe para o Caraval, que Lenda iria sequestrar Tella, como sequestrou sua irmã?

Julian titubeou e respondeu:

– Sabia que existia essa probabilidade.

Em outras palavras, "sim".

– E a probabilidade era grande? – Scarlett falou com a voz embargada.

Os olhos de caramelo de Julian brilharam, transmitindo algo parecido com arrependimento.

– Nunca falei que sou uma boa pessoa, Carmim.

– Não acredito nisso. – Nigel veio à tona nos pensamentos de Scarlett: o adivinho havia dito que o futuro de alguém pode mudar, baseado no que a pessoa mais quer. – Acredito que você pode ser uma boa pessoa, se quiser.

– Você só acredita nisso porque é boa demais. Pessoas respeitáveis como você sempre acreditam que os outros podem ser virtuosos, mas eu não sou. – Ele ficou em silêncio. Algo doloroso transformou sua expressão por alguns instantes. – Eu sabia o que ia acontecer quando trouxe você e sua irmã para cá. Não sabia que Lenda iria sequestrar Tella, mas sabia que ele levaria uma de vocês duas.

As pernas de Scarlett ficaram sem ossos, a pele fina revestia músculos inúteis. Os pulmões doíam, de tanta pressão exercida pelas lágrimas não derramadas. Até o vestido parecia cansado e morto. O tecido preto desbotara para um tom de cinza, como se não tivesse mais forças para segurar a cor. Ela não recordava que a renda havia se rasgado, mas agora a bainha de seu bizarro vestido de noite matinal estava em frangalhos, batendo nas panturrilhas. A garota não sabia se a magia do vestido havia deixado de funcionar ou se o traje estava apenas refletindo a exaustão e a confusão que ela sentia. Abandonara Julian no início da escadaria de mogno e pedira para que o marinheiro não a seguisse.

Quando voltou para o quarto da estalagem, com a lareira em brasa e a cama enorme, só queria se perder debaixo dos cobertores. Cair em um sono inconsciente até conseguir esquecer os horrores daquele dia. Mas não podia se dar ao luxo de dormir.

Quando chegou à ilha, sua única preocupação era voltar para casa a tempo de se casar. Mas, agora que Lenda havia matado Dante e o pai dela estava ali, a situação havia mudado. Scarlett sentia a pressão do tempo, mais pesada do que a esmagadora sensação transmitida por todas aquelas contas vermelhas das ampulhetas do Castillo Maldito: tinha que encontrar Donatella antes que o pai a localizasse – ou que Lenda a consumisse, feito uma chama que derrete a vela. Se Scarlett falhasse, a irmã morreria.

Em menos de duas horas seria noite, e ela precisava estar preparada para recomeçar a procurar.

Sendo assim, só se permitiu um minuto. Um minuto para chorar por Dante e soluçar pela irmã e de raiva, porque Julian não era quem imaginava que fosse. Um minuto para cair na cama, choramingar e gemer por todas as coisas que haviam saído do controle. Para pegar o ridículo vaso de rosas enviado por Lenda e atirá-lo na cornija da lareira.

– Carmim... Você está bem aí?

O marinheiro bateu na porta e entrou no mesmo instante.

– O que você está fazendo aqui?

Scarlett segurou as lágrimas e olhou feio para ele. Não suportaria se Julian a visse chorar, apesar de ter quase certeza de que era tarde demais para isso.

O rapaz tentou encontrar o que dizer enquanto examinava o quarto, procurando uma ameaça que não estava ali, visivelmente aflito por tê-la encontrado aos prantos sem que houvesse um perigo iminente.

– Achei que tinha ouvido algo – comentou.

– O que você achou que ouviu? Você não pode simplesmente ir entrando! Saia daqui! Preciso terminar de me arrumar.

Só que Julian não saiu, apenas fechou a porta sem fazer ruído. Reparou no vaso estilhaçado e na poça d'água que havia no chão e, em seguida, voltou a olhar para o rosto manchado de lágrimas de Scarlett.

– Não chore por minha causa, Carmim.

– Você está se achando uma pessoa melhor do que realmente é. Minha irmã está desaparecida, meu pai nos encontrou e Dante morreu. Essas lágrimas não são por sua causa.

O marinheiro, pelo menos, teve a decência de ficar envergonhado. Mas permaneceu no quarto. Sentou-se, constrangido, na cama, fazendo o colchão afundar, enquanto mais lágrimas escorriam pelo rosto de Scarlett. Lágrimas quentes, úmidas e salgadas. O acesso de choro havia purgado parte da dor que ela sentia. Mas as lágrimas não queriam parar, e talvez Julian tivesse razão: talvez algumas *fossem* por causa dele. O rapaz se aproximou e secou as lágrimas de Scarlett com as pontas dos dedos.

– Pode parar.

A garota se afastou do marinheiro.

– Eu mereço. – Julian baixou a mão e foi mais para trás, até os dois ficarem em lados opostos da cama. – Não deveria ter mentido nem trazido você para cá contra a sua vontade.

– Você não deveria ter nos trazido para cá, ponto final – retrucou Scarlett.

– A sua irmã teria dado um jeito de vir, com ou sem minha ajuda.

– Por acaso isso é um pedido de desculpas? Se for, não é lá grandes coisas.

O rapaz teve cautela ao responder:

– Não estou me desculpando por ter feito o que sua irmã queria. Acredito que as pessoas devem ter liberdade para tomar as próprias decisões. Mas *estou* pedindo desculpas por todas as vezes que menti para você.

Ele ficou em silêncio por alguns segundos e, quando dirigiu o olhar para Scarlett, seus olhos castanho-claros e afetuosos estavam mais gentis do que ela jamais vira e bem abertos, como se Julian quisesse que ela visse algo que mantinha escondido.

– Sei que não mereço mais uma chance, mas você disse que acha que posso ser uma boa pessoa. Não sou, Carmim. Pelo menos, não tenho sido. Sou um mentiroso e sou amargurado e, às vezes, tomo decisões terríveis. Venho de uma família orgulhosa, que está sempre fazendo joguinhos. E, depois do que aconteceu com Rosa... – O marinheiro titubeou. Sua voz ficou com aquele tom rouco, embargado, que surgia sempre que Julian tocava no nome da irmã, como se fosse difícil falar de Rosa. – ...depois que ela morreu, perdi a fé em tudo. Não que isso sirva de desculpa. Mas, se você me der mais uma chance, juro que vou me esforçar para compensar o mal que te causei.

Diante dos dois, o fogo da lareira crepitava, e o calor desse fogo fez a poça d'água que havia no chão encolher. Logo, só restariam as rosas e os cacos de vidro. Scarlett lembrou da tatuagem de rosa de Julian. Desejou que o rapaz realmente fosse apenas um marinheiro que havia aparecido por acaso na ilha onde morava. Odiava o fato de Julian ter mentido para ela por tanto tempo. Mas podia entender o sentimento de devoção por uma irmã. Scarlett sabia como era amar alguém de modo tão irrevogável, acima de qualquer coisa.

Julian se encostou no pilar da cama, todo trágico e encantador, com o cabelo castanho-escuro tapando seus olhos cansados, uma careta nos lábios perversos e as costelas amarrotando a camisa que já fora impecável.

Scarlett também havia cometido erros por causa daquele jogo. Só que o marinheiro nunca a recriminou por eles, e tampouco queria castigá-lo.

– Eu te perdoo. Apenas prometa: chega de mentiras.

Com um pesado suspiro, Julian fechou os olhos e franziu o cenho, em uma expressão que ficava a meio caminho entre a gratidão e a dor. E disse, com voz rouca:

– Prometo.

– Olá?

Uma batida na porta assustou os dois.

O marinheiro pulou da cama antes que a garota conseguisse se mexer.

– Vá se esconder – falou, sem emitir som.

Não. Scarlett já havia ficado escondida o suficiente por aquele dia. Ignorando os olhares de recriminação que Julian lhe lançou, pegou o atiçador da lareira e se aproximou da porta com todo o cuidado, chegando mais perto dele.

– É uma entrega – disse uma voz feminina.

– Para quem? – perguntou Julian.

– Para a irmã de Donatella Dragna.

Scarlett segurou o atiçador com mais força, e seu coração se acelerou de leve.

– Fale para ela deixar na porta – instruiu Scarlett, sem emitir som.

Queria ter esperança de que fosse uma pista. Mas só conseguia pensar na mão decepada de Dante. Com um arrepio, imaginou Lenda cortando a mão de Donatella e mandando entregá-la no quarto.

Quando não ouviu mais os passos da entregadora, deixou que Julian abrisse a porta.

A caixa que estava do lado de fora era toda preta, da cor do fracasso e dos enterros. Esparramava-se diante da porta do quarto, comprida e quase da largura de Scarlett. Ao lado dela, havia um vaso com duas rosas vermelhas.

Mais flores!

A garota chutou o vaso, derramando as flores na soleira, e só então puxou a caixa para dentro do quarto. Não soube dizer se o embrulho era leve ou pesado.

– Quer que eu abra? – perguntou Julian.

Scarlett fez que não. Também não queria abrir a caixa preta, mas cada segundo que desperdiçava era um segundo que poderia estar procurando por Tella. Com cuidado, levantou a tampa.

– O que é isso?

As sobrancelhas de Julian formaram um "V" bem pronunciado.

– É o outro vestido que comprei naquela butique.

Scarlett soltou uma risada de alívio, já tirando o vestido da caixa. A balconista havia dito que o traje seria entregue dentro de dois dias.

Mas havia algo de errado naquele vestido. Parecia diferente do que Scarlett recordava. A cor era muito mais apagada, quase um branco puro, um branco de vestido de noiva.

26

O vestido parecia debochar de Scarlett. Com suas mangas inexistentes e um decote em coração profundo, que estava longe de ser recatado, o traje era mais escandaloso do que o escolhido na modista.

Os botões cor de creme brilhavam, feito marfim, na luz quente do quarto. No fundo da caixa, Scarlett encontrou um pequeno cartão, preso por um alfinete quebrado.

— Deve ter caído do vestido.

De um lado, o cartão tinha o desenho de uma cartola. Do outro, uma breve mensagem:

> *Imagino que ficará encantador em você.*
>
> *Com carinho,*
>
> *D*

— Quem é esse tal de D? — perguntou Julian.
— Acho que alguém quer que eu acredite que foi Donatella quem mandou.

Mas Scarlett sabia que aquele presente não fora enviado pela irmã. O deboche de um vestido de noiva só poderia ter vindo de uma pessoa, e a cartola desenhada no cartão só poderia significar uma coisa. Lenda.

Aranhas invisíveis percorreram sua pele, uma sensação tão diferente das cores vivas evocadas pela primeira carta que recebera do Mestre do Caraval.

— Acho que é a quinta pista.

Julian fez uma careta e perguntou:

— Por que você acha isso?

— O que mais poderia ser?

A garota pegou o papel onde havia anotado todas as pistas.

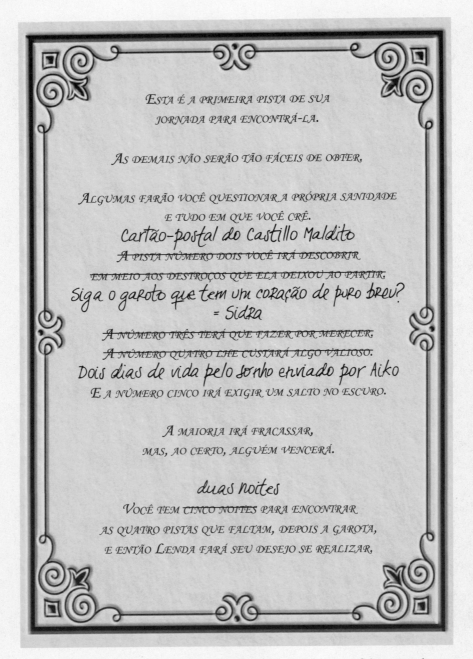

Esta é a primeira pista de sua
jornada para encontrá-la.

As demais não serão tão fáceis de obter.

Algumas farão você questionar a própria sanidade
e tudo em que você crê.
Cartão-postal do Castillo Maldito
A pista número dois você irá descobrir
em meio aos destroços que ela deixou ao partir.
Siga o garoto que tem um coração de puro breu?
= Sidra
A número três terá que fazer por merecer.
A número quatro lhe custará algo valioso.
Dois dias de vida pelo sonho enviado por Aiko
E a número cinco irá exigir um salto no escuro.

A maioria irá fracassar,
mas, ao certo, alguém vencerá.

duas noites
Você tem cinco noites para encontrar
as quatro pistas que faltam, depois a garota,
e então Lenda fará seu desejo se realizar.

— Viu só, já descobri as quatro primeiras pistas — falou Scarlett. — Só falta a número cinco.

— Mas como esse vestido pode ser a quinta pista? — questionou Julian, ainda olhando para o traje como se ele estivesse coberto por algo bem mais ofensivo do que apenas botões.

E foi aí que a garota juntou os pontos. Tanto os botões quanto a cartola eram símbolos.

– Lenda é famoso por suas cartolas, e tenho encontrado botões por todo o jogo. Não sabia se os botões significavam algo ou não. Mas, depois de ver esse vestido todo coberto de botões, tenho quase certeza que sim. Quando comprei o vestido, ao lado da modista, havia uma trilha de botões que levava a uma chapelaria e armarinho em forma de cartola.

– Ainda não consigo ver como isso pode significar alguma coisa. – A careta do marinheiro continuou firme enquanto ele lia as anotações que Scarlett havia feito no cartão que continha as instruções do jogo. – "E a número cinco irá exigir um salto no escuro." Como esse lugar que você viu se encaixa nisso?

– Não sei. Acho que é aí que entra a parte do escuro. Talvez seja uma espécie de desafio, e a gente precise ir à chapelaria e encarar o que estiver lá, à espreita.

Scarlett não estava completamente convencida disso, mas começara a entender que, por mais que tentasse raciocinar de forma lógica, sempre havia variáveis que ela não via. Às vezes, a cautela a cerceava em vez de garantir sua segurança.

Só que, pelo jeito, Julian estava começando a achar o contrário. Fez cara de quem queria pôr a garota no ombro e mantê-la trancada a sete chaves, escondida do resto do mundo.

– O sol vai se pôr em menos de uma hora – disse Scarlett, com um tom firme. – Se você pensar em algo melhor antes disso, estou aberta a sugestões. Senão, assim que anoitecer, acho que a gente precisa ir para a chapelaria e ver o que encontra.

O marinheiro olhou para o vestido mais uma vez, e abriu a boca, como se quisesse dizer algo. Mas fechou logo em seguida e fez que sim com a cabeça.

– Vou dar uma olhada no corredor para ver se seu pai está por aí antes de a gente sair.

Quando ele saiu do quarto, Scarlett vestiu o modelito novo e pegou os botões que havia encontrado nos últimos dias. Pareciam um presente sem valor, mas talvez possuíssem algo mágico que ela ainda não havia se dado conta.

QUARTA
NOITE
DO CARAVAL

27

Quando Scarlett saiu da estalagem, não sentiu um vestígio sequer do perfume fétido do pai. Pouco antes de passarem pela porta, Julian jurou que viu o governador Dragna sair do prédio. Mas a garota continuou olhando para trás discretamente, imaginando que o pai estivesse seguindo os dois, aguardando o melhor momento para dar o bote.

Os prazeres do Caraval continuavam dançando ao seu redor. Garotas duelavam com sombrinhas, em palcos montados na calçada, e grupos de jogadores esforçados continuavam à caça de pistas. Só que Scarlett tinha a sensação de que a noite havia levado um golpe e ficado meio torta. O ar estava mais úmido do que de costume. E a luz tampouco lhe parecia natural. Só havia um pedacinho de lua, que lançava um brilho prateado sobre as lojas, normalmente tão coloridas, e transformava a água em metal líquido.

— Ainda não estou convencido desse plano.

Julian falou mais baixo, porque entraram na via que contornava o carrossel de rosas.

— Uma canção em troca de uma doação? — perguntou o organista.

— Hoje, não — respondeu Scarlett.

O homem começou a tocar assim mesmo. Desta vez, o carrossel não girou. As flores vermelhas continuaram no lugar, mas a música bastou para abafar as palavras do marinheiro:

— Acho que essa chapelaria que você falou é óbvia demais para ser a última pista.

– Talvez seja uma ousadia tão grande que passou despercebida por todo mundo.

Os pés de Scarlett foram se movimentando mais rápido à medida que se aproximavam da butique de três andares onde havia comprado os vestidos.

Nuvens pesadas, de tempestade, cobriram a lua e, ao contrário da última vez que a garota havia estado naquele local, todas as vitrines da modista estavam às escuras. A chapelaria e armarinho ao lado da butique estava tão na penumbra que quase não dava para vê-la. Mas seus contornos eram inconfundíveis.

Emoldurado por um grande fosso formado por floreiras pretas, que contornavam a construção redonda de dois andares, feito uma aba de chapéu, o lugar tinha o formato exato de uma cartola, e uma trilha de botões levava à porta de veludo preto.

– Isso não parece mesmo coisa de Lenda – insistiu Julian. – Sei que ele é famoso por suas cartolas ridículas, mas não seria tão descarado assim.

– Está tão escuro que mal dá para ver a loja. Eu não chamaria isso de óbvio.

– Tem alguma coisa de errado – falou o marinheiro, com os dentes cerrados. – Acho que é melhor entrar sozinho e dar uma olhada primeiro.

– Nenhum de vocês dois deveria entrar aí.

Aiko surgiu de repente ao lado de Scarlett. Desta vez, a saia e a blusa que estava usando eram prateadas, os olhos e os lábios estavam pintados da mesma cor. Parecia uma lágrima que a lua havia chorado.

– Fico muito feliz por você ter resolvido usar esse vestido – completou. Então aproximou-se de Scarlett e ficou balançando a cabeça, em um gesto de aprovação. – Acho que está ainda mais bonito do que naquela noite.

Julian repartiu o olhar entre as duas garotas, um olhar que ficava entre a confusão e a descrença.

– Vocês duas se conhecem?

– Fizemos compras juntas – respondeu a historiógrafa.

A expressão do marinheiro se transformou em pedra.

– Foi você que a convenceu a comprar esses vestidos?

– E deve ter sido você quem a deixou esperando na taverna. – Aiko ergueu as duas sobrancelhas contornadas por pérolas, mediu Julian de cima a baixo, mas já deveria saber quem o marinheiro era, por causa dos desenhos em seu diário. – Se você não queria que ela fizesse compras, não deveria tê-la abandonado.

– Não ligo se ela faz compras ou não – retrucou Julian.

– Não gostou do vestido, então?

– Desculpe – interrompeu Scarlett. – Mas estamos com uma certa pressa.

Aiko fez questão de olhar o armarinho de alto a baixo, com um nojo exagerado, e declarou:

– Recomendo que vocês dois fiquem bem longe do chapeleiro esta noite. Não vão encontrar nenhuma boa promoção aí.

Relâmpagos ribombaram nos céus.

A historiógrafa olhou para cima, porque gotas de um líquido cintilante começaram a cair.

– É melhor eu ir embora. Nunca gostei de chuva: derrete toda a magia. Só queria alertar vocês: acho que *os dois* estão prestes a cometer um erro.

A chuva prateada continuou caindo enquanto Aiko se afastava, às pressas.

Gotas grudaram no cabelo castanho-escuro de Julian, que ficou sacudindo a cabeça, com uma expressão dividida.

– Você tem que tomar cuidado com essa aí. Mas realmente acho que ela tem razão a respeito dessa chapelaria.

Scarlett não tinha tanta certeza assim. Obtivera algumas respostas com os sonhos provocados por Aiko, mas nem todas foram acertadas. Ela não fazia a menor ideia de que lado a historiógrafa realmente estava.

A chuva foi caindo um pouco mais forte à medida que Scarlett se aproximava, com passos decididos, das portas da chapelaria e armarinho. O marinheiro tinha razão: aquilo não parecia coisa de Lenda. Não tinha nada de romântico nem de mágico. Mas, ao mesmo tempo, parecia ser *alguma coisa*. A garota teve um pressentimento verde-esmeralda de que descobriria algo lá dentro.

– Vou entrar – declarou. – A quinta pista exige um salto no escuro. Mesmo que isso não me leve até Lenda, pode me levar mais para perto de Tella.

Uma sineta tilintou quando ela abriu a porta daquela loja insólita.

Boinas cor de pêssego, chapéus-coco cor de limão, toucas de tricô amarelas, cartolas de veludo e tiaras chamativas cobriam cada centímetro do teto abobadado. E também havia pedestais com coisas esquisitas brotando pela loja, feito flores silvestres bizarras. Tigelas cheias de calçadeiras de vidro, fios de linha invisível, gaiolas repletas de laços feitos de penas, cestos transbordando de agulhas que costuravam sozinhas, e abotoaduras que, supostamente, eram feitas de ouro produzido por duendes, daquele que fica escondido em um pote, no final dos arco-íris.

A contragosto, Julian entrou atrás dela e ficou se sacudindo, espalhando a chuva que caíra em seus ombros por tudo o que havia à vista, incluindo o cavalheiro de trajes ousados que estava parado na diagonal, a poucos metros da porta.

Mesmo em meio a tantas cores e coisas refinadas, o tal cavalheiro se destacava. Usava uma casaca de um vermelho-escuro e um lenço da mesma cor em torno do pescoço. Parecia que poderia, muito bem, fazer parte da decoração. O tipo de jovem que as pessoas convidam para as festas, só porque tem aquele jeito de parecer, simultaneamente, belo e intrigante. Por baixo da casaca, usava um colete vermelho do mesmo tom, que contrastava tanto com a camisa escura quanto com as calças justas, cuja bainha enfiara, com capricho, dentro das botas prateadas de cano comprido.

Mas o que mais chamou a atenção de Scarlett foi a cartola forrada de seda.

– Lenda – falou.

Em seguida, soltou um suspiro de assombro e sentiu um aperto no coração.

– Desculpe, o que foi que você disse? – Um cabelo escuro como nanquim se espalhava pela testa do cavalheiro e chegava à altura do colarinho preto. Ele tirou a cartola, a colocou em um expositor repleto de bonés idênticos e comentou: – Fico lisonjeado, mas acho que você me confundiu com outra pessoa.

O jovem, então, deu um sorriso um tanto debochado, deu meiavolta e se aproximou de Scarlett.

Julian, ao lado dela, ficou todo tenso, e os músculos de Scarlett também se enrijeceram. Já vira aquele rapaz. Aquele não era o tipo de rosto que as garotas esquecem facilmente. As costeletas compridas emendavam na barba aparada com capricho. Parecia uma obra de arte, contornando lábios feitos para sussurros sombrios e dentes brancos e retos, perfeitos para morder.

Scarlett ficou arrepiada, mas não desviou o olhar. Continuou a examiná-lo, subindo pelo seu rosto até chegar ao seu tapa-olho preto.

Era o mesmo rapaz que vira na noite em que sua visão ficou em branco e preto. Na ocasião, o cavalheiro não havia reparado em Scarlett. Mas, agora, a observava. Intensamente. Seu olho direito era verde, parecia uma esmeralda recém-lapidada.

O marinheiro chegou mais perto, e seu casaco molhado fez a garota sentir arrepios gelados nos braços. Ele não disse uma palavra, mas o olhar que lançou para o outro rapaz foi claramente de ameaça. Scarlett jurou que sentiu o recinto mudar. As cores da loja pareciam ter ficado mais vivas, de um jeito violento.

– Acho que ele não pode nos ajudar – murmurou Julian.

– Ajudar com o quê? – interpelou o cavalheiro.

Ele tinha um leve sotaque, que Scarlett não conseguia dizer de onde era. Mas, apesar de Julian continuar a lançar olhares mortíferos para o rapaz, seu tom de voz permaneceu convidativo. Olhou para Scarlett quase como se estivesse à sua espera.

Aquele jovem podia até não ser Lenda, mas a garota tinha a sensação de que ele era *alguém*. Mostrou os botões que havia amealhado ao longo do jogo para o cavalheiro. Não sabia bem o que dizer sobre aqueles botões, mas tinha esperança de que, se os mostrasse para o rapaz, ele poderia abrir alguma porta secreta, como as que Scarlett descobrira no Castillo Maldito e no quarto de Donatella.

– Estávamos aqui pensando se você poderia nos ajudar com isso – disse.

O cavalheiro segurou sua mão. Usava luvas pretas, mas ela sentiu que, por baixo do tecido aveludado, as mãos do rapaz eram macias. Era o tipo de aristocrata que deixava os outros fazerem o trabalho pesado que lhe cabia.

O rapaz ergueu a mão de Scarlett para ver os botões mais de perto, mas seu olho verde e aguçado permaneceu fixo nos olhos dela. Um olho vibrante, elegante e venenoso.

Julian pigarreou e resmungou:

– É melhor você olhar de verdade para os botões, camarada.

– E olhei. Mas não estou muito interessado em bugigangas.

O cavalheiro fechou a mão de Scarlett e, antes que ela pudesse soltar a mão, beijou o dorso da mão da garota, permanecendo com os lábios encostados ali por muito mais tempo do que o necessário.

– Acho melhor irmos embora – declarou Julian.

As juntas de seus dedos estavam brancas, tamanha a força que empregava para cerrar os punhos nas laterais do corpo. Parecia que estava se segurando para não agir com violência.

A garota chegou a pensar em ir embora com o marinheiro antes que acontecesse algo do qual pudesse se arrepender. Mas saltos no escuro não são fáceis. Recordou que o lenço amarrado no pescoço daquele rapaz ficara colorido depois que ela bebeu a sidra, ou seja: aquele cavalheiro só podia ser importante.

Ele ficou observando Scarlett, como se estivesse torcendo para ela fazer mais uma pergunta. Seus lábios esboçaram outro sorriso, que deixou à mostra os dentes brancos e perigosos.

Julian passou o braço nos ombros de Scarlett, em um gesto protetor.

– Gostaria muito que você parasse de olhar para minha noiva desse jeito.

– Que engraçado – falou o cavalheiro. – Esse tempo todo, achei que ela era *minha* noiva.

28

Os instintos de Scarlett lhe diziam para sair correndo, mas seu corpo se recusava a sair do lugar. Cores vivas rodopiavam dentro dela.

Ouviu o homem dizer o próprio nome – *Conde Nicolas d'Arcy* –, no instante em que sentiu o braço de Julian apertar mais seu ombro.

– Acho que você está enganado – disse o marinheiro, confiante. – Deve ter confundido minha noiva com outra pessoa. Ela passou a semana toda ouvindo isso. Não é, amor?

Então apertou o ombro de Scarlett de um jeito que mais pareceu um alerta.

Mas a garota continuava chocada demais para conseguir se mexer. Os botões nunca foram pistas. A caixa preta, contendo o vestido coberto de botões, não fora enviada por Lenda nem pela sua irmã. *"D" de d'Arcy.*

Assim como Lenda, o noivo, pelo jeito, também gostava de joguinhos. Só que, quanto mais Julian ficava com o braço em volta de Scarlett, menos o Conde Nicolas d'Arcy parecia gostar.

Ela mal podia acreditar que aquele era o mesmo homem que havia lhe enviado tantas cartas encantadoras. Não parecia ser maldoso e estava longe de ser feio. Mas, ainda assim, não era nem um pouco parecido com as cartas que mandou. O conde com o qual Scarlett se correspondia dera a entender que mal podia esperar para os dois se conhecerem e não haver mais necessidade de segredos. Agora, Scarlett ficou se perguntando se o cavalheiro não havia escrito tudo o que imaginava que ela queria ouvir, porque aquele rapaz parecia longe de ser sincero. Parecia ser do tipo que gosta de guardar segredos.

— Espero que você não esteja decepcionada — disse o conde.

Então ajeitou o lenço amarrado em volta do pescoço. No mesmo instante, uma porta se abriu atrás dele, e o alfaiate apareceu, acompanhado por outro homem. Lavanda. Anis. Ameixa podre.

— Amor, acho melhor irmos embora já.

Julian escancarou a porta da frente da loja bem na hora em que o pai de Scarlett surgiu.

Todas as nuances de roxo reluziram diante dos olhos dela.

Só que o marinheiro não titubeou. No segundo em que o conde tentou segurar a noiva, Julian derrubou um pedestal de olhos de vidro e aproveitou que o rival ficou distraído para arrastá-la até o arco da porta, obrigando-a a ficar no meio de uma cortina de chuva prateada. Scarlett agarrou a mão de Julian, e as palavras raivosas do pai foram perseguindo a garota.

— Faça o que for preciso para fazê-la parar! — gritou o governador Dragna.

— Scarlett, você não precisa fugir! — A voz do conde não era tão dura quanto a do pai, mas ele era rápido: ainda mais para um cavalheiro finamente trajado.

A garota arrastou o marinheiro até uma ponte coberta. Torceu para que fosse a mesma ponte traiçoeira que vira há duas noites. Mas não era. O pai e o conde continuavam perseguindo os dois pelas ruas tortuosas, passando por lojas bem iluminadas e pessoas que batiam palmas, como se aquilo fizesse parte do espetáculo.

— Por aqui... Espere. — Julian arrastava Scarlett para longe da rua principal escorregadia, indo em direção aos canais, acotovelando-se pelo mundaréu de gente que tentava se abrigar da chuva. — Entre.

— Mas está relampejando! Não podemos embarcar em uma gôndola.

— Você tem alguma ideia melhor?

Julian pegou dois remos e pulou dentro da embarcação em forma de meia-lua.

— Scarlett! — gritava o governador, mais alto do que o ruído da chuva. — Não faça isso...

Suas palavras foram interrompidas por um relâmpago e pelo estrondo de um trovão. Naquela noite banhada de prata, Scarlett testemunhou algo que jamais vira na vida.

Parecia que o pai estava com medo. As gotas de chuva escorriam pelo rosto dele, feito lágrimas. Ela tinha certeza de que devia ser por causa da luz. Mas, por um instante, imaginou que o pai realmente a amava. Que talvez, lá no fundo, realmente se importasse com a filha. A expressão do conde, que estava ao lado do governador Dragna, ficara escondida pela escuridão. Mas, enquanto corriam, Scarlett podia jurar que o cavalheiro parecia empolgado com o desafio representado por ela.

Scarlett virou o rosto e segurou os joelhos molhados perto do peito, enquanto os remos de Julian singravam a água. Mesmo que o pai ainda fosse capaz de certa bondade – e mesmo que o conde realmente aparentasse ser o tipo de homem que ela havia imaginado –, a garota ainda não conseguira criar coragem para se aproximar de nenhum dos dois.

Já havia tomado sua decisão, e fizera isso antes de sair correndo da chapelaria com Julian. Não saberia dizer o exato momento em que isso aconteceu, mas um casamento arranjado com um homem que Scarlett só conhecia por carta deixara de ser algo que queria. Finalmente, entendeu o que Tella queria dizer quando falou que segurança não era tudo na vida.

Ficou observando o marinheiro dar mais um impulso forte na gôndola, usando os remos, enquanto os relâmpagos formavam teias de aranha pelos céus. Antes de conhecê-lo, Scarlett acreditava que poderia ser feliz se casasse com alguém que cuidasse dela. Mas Julian havia despertado o desejo por algo a mais.

Recordou de ter pensado que se apaixonar por ele seria como se apaixonar pela escuridão. Só que agora imaginava que Julian era mais do que uma noite estrelada: sempre haveria constelações, uma presença constante, guias magníficas para orientá-la naquele breu incessante.

– Carmim, você ouviu o que eu disse?

Scarlett tirou os olhos do céu e deu de cara com o rapaz empapado de chuva diante dela.

– Que foi?

– A gente precisa sair da gôndola! – gritou Julian.

Seu grito foi abafado pela chuva, bem na hora em que bateram no deque às escuras.

– Onde estamos?

– No Castillo Maldito.

– Não... – Fios de pânico violeta voltaram a surgir. Nigel já havia dito para Scarlett que Tella não estava dentro do Castillo. – Precisamos continuar procurando minha irmã. Eu me enganei a respeito dos botões, mas tem que ter...

— Não podemos continuar dentro d'água — interrompeu o marinheiro. — Vamos morrer fulminados por um raio.

Enquanto ele falava, mais relâmpagos, de um branco prateado, cortavam o céu.

— Mas, se meu pai encontrar Tella antes...

— Você ao menos sabe onde procurar, neste exato momento?

Como Scarlett não respondeu, Julian a pegou pela mão e a puxou para cima do deque mal iluminado, que não parava de balançar. A única luz vinha das enormes ampulhetas do Castillo e suas contas de um vermelho ardente. Pelo jeito Aiko estava dizendo a verdade quando falou que a chuva derretia toda a magia, porque o Castillo não estava mais brilhando. De dourado, ficara meio enferrujado. No pátio, tendas abandonadas batiam ao vento fazendo um ruído sem melodia que substituía a música vibrante dos pássaros que ali cantavam havia poucas noites.

— Precisamos encontrar um lugar para esperar nossas roupas secarem — falou Julian.

— Prefiro ficar de olho na gôndola. — Scarlett se encolheu debaixo de um arco próximo, de onde conseguia enxergar o deque e quem pudesse aparecer por ali. — Assim que a chuva parar, precisamos recomeçar a busca por Tella.

Julian não respondeu logo de cara, mas acabou falando:

— Acho que o jogo ou, pelo menos, sua participação nele, precisa se encerrar aqui. Eu nunca deveria ter trazido você para cá. Posso te levar até um lugar seguro, fora da ilha...

— Não! — interrompeu Scarlett. — Não vou sair daqui sem minha irmã. Depois do que acabei de fazer, meu pai vai estar ainda mais furioso e, quando encontrar Tella, vai descontar nela.

— E você? Vai continuar só se sacrificando? Vai se casar com Nicolas d'Arcy?

A garota gostaria de poder ignorar a pergunta. Se continuasse no jogo e o pai a encontrasse, não a mataria: obrigaria a filha a se casar com o conde, e aquele casamento seria quase o mesmo que a morte. Mas, se não se casasse com o conde, de que outra maneira poderia proteger a irmã?

— Não sei o que vou fazer — respondeu.

O marinheiro soltou um ruído que mais pareceu um urro e questionou:

— Então você ainda pretende levar adiante esse compromisso?

— Não *sei* se vou ou se não vou! Mas que outra opção eu tenho?

Lençóis de chuva prateada caíram com ainda mais força.

Scarlett ficou esperando que Julian dissesse alguma coisa. Algo que a tranquilizasse, de alguma maneira. Talvez ele pudesse dizer que *ele* poderia ser sua opção. Mas, no mesmo instante em que pensou isso, a garota se deu conta do quanto aquela ideia era ridícula. Havia pensado mesmo que Julian diria que queria levá-la para longe dali e lhe dar outra vida ou se casar com ela?

Mais raios despedaçaram a noite, e com eles Scarlett obteve a resposta que tanto queria. Julian estava ao lado dela, bem perto, mas com uma expressão fechada. A jovem recordou do instante em que o marinheiro tirou um fiapo do ombro, na primeira noite. Julian podia até não querer que Scarlett se casasse com o conde, mas isso não significava que pretendia ficar com ela.

— Eu sou muito tonta mesmo. — Sua voz estava se equilibrando na linha tênue entre o chorar e o gritar. — Tudo isso não significa nada para você. Viu meu noivo, ficou com ciúme, agiu sem pensar e agora se arrependeu.

— É isso que você acha? — As palavras de Julian saíram com um tom profundo e duro. — Acredita mesmo que eu correria o risco de me indispor com seu pai, de colocar você em perigo desse jeito, porque estou com *ciúme*?

O marinheiro deu risada, como se pensar que ele poderia ter ciúme de Scarlett fosse algo ridículo.

— Você é tão mentiroso — alfinetou a garota.

Julian apertou os lábios, em uma expressão dura e disparou:

— Já te disse que sou.

— Não. Você mente para si mesmo. Você me puxa para perto quando está com medo de me perder. Mas, quando me aproximo demais, você me enxota.

— Eu só te enxotei uma vez. — O tom de Julian ficou mais firme, e ele deu um passo, aproximando-se de Scarlett. — Eu estava mesmo com ciúme, mas esse não é o único motivo para eu querer você longe daqui.

— Então me conte quais são os outros motivos.

Ele foi se aproximando, até quase não restar mais espaço entre os dois. Scarlett podia sentir a umidade das roupas de Julian grudadas nas suas. Lentamente, o rapaz foi passando o braço na cintura dela, como se quisesse lhe dar tempo e oportunidade de se afastar. Só que a garota já havia tomado sua decisão. O coração bateu mais rápido, porque o outro braço de Julian a enlaçou, apertando suas costas, trazendo-a mais para perto das planícies rígidas do peito do marinheiro, até que os lábios de ambos sentiam o mesmo ar gelado.

– Agora estou perto de você o suficiente? – Os lábios de Julian ficaram pairando acima dos de Scarlett. Faltava um sussurro para aquilo ser um beijo. – Tem certeza de que é isso que você quer?

A garota fez que sim, com medo de que o marinheiro fosse se afastar se dissesse algo errado. O que sentia por Julian não tinha nada a ver com proteção: Scarlett só queria estar com ele. Com o rapaz que salvara sua vida quando ela estava se afogando, mais de uma vez.

Julian desceu a mão pelas costas de Scarlett com suavidade e firmeza. Puxou a jovem mais para perto de si novamente, bem devagar, e passou a outra mão por baixo do cabelo dela, em volta do pescoço. Ficou massageando aquela pele sensível e depois se enveredou por outros lugares.

– Não quero que você se arrependa de nenhuma decisão que tomar. – O tom de Julian parecia quase sofrido, como se quisesse que Scarlett se afastasse. Mas todas as carícias, que não pararam, a fizeram sentir exatamente o contrário. Ele estava passando os dedos na boca dela, acompanhando o contorno do lábio inferior. Aqueles dedos tinham gosto de madeira e de chuva, de umidade, por terem passado no cabelo molhado de Scarlett. – Ainda tem algumas coisas que você não sabe a meu respeito, Carmim.

– Então me conte.

Ele havia revelado o que havia acontecido entre a irmã e Lenda, mas era óbvio que havia mais sombras na vida do marinheiro.

Julian ainda estava com os dedos pousados nos lábios de Scarlett. Ela os beijou bem devagar, um por um. Só um leve toque dos lábios, mas sentiu que isso o afetou, porque a outra mão do marinheiro pressionou suas costas. Scarlett precisou se concentrar para que sua voz não ficasse ofegante quando olhou para o rosto de Julian, meio eclipsado pela escuridão, e disse:

– Não tenho medo dos seus segredos.

– Gostaria de poder dizer que você não precisa ter medo deles.

Julian acariciou os lábios de Scarlett uma última vez e, em seguida, encostou os próprios lábios nos dela. Eram mais salgados que seus dedos e mais intensos do que a mão que agora descia pelas costas de Scarlett e do que a outra mão, que apertava sua cintura. Julian abraçou a garota como se ela fosse escorregar pelos seus dedos, e ela o apertou, adorando a sensação de tocar nos músculos das costas do marinheiro.

Ele murmurou palavras com os lábios encostados nos de Scarlett, tão baixo que ela não conseguiu ouvir, mas pensou ter uma forte impressão do que o marinheiro queria dizer, porque o rapaz fez os lábios da garota se entreabrirem, permitiu que Scarlett sentisse o gosto gelado de sua língua e das pontas de seus dentes, que roçaram no lábio dela. Cada toque criava cores que Scarlett jamais vira na vida. Cores suaves como o veludo, reluzentes como faíscas que se transformam em estrelas.

29

Naquela noite, a lua ficou no céu um pouco além do normal, observando, com seus olhos prateados, Julian segurar a mão de Scarlett e entrelaçar seus dedos nos dela, com toda a delicadeza. O marinheiro a beijou mais uma vez, com carinho e intensidade, tranquilizando-a com palavras que davam a entender que ele não pretendia largá-la.

Se essa fosse uma história de outra espécie, os dois teriam ficado assim, nos braços um do outro, até o sol acordar e formar um arco-íris naquele céu depredado pela tempestade.

Só que boa parte da magia do Caraval dependia de tempo, infiltrava-se nas horas do dia e as transformava em maravilhas à noite. E aquela noite estava chegando ao fim. Quase todas as contas vermelhas e reluzentes de ambas as ampulhetas do Castillo Maldito já haviam caído. Pareciam gotas de pétalas de rosa se esvaindo.

Scarlett olhou para Julian.

— Que foi? — perguntou ele.

— Acho que sei qual é a última pista: são as rosas.

Ela recordou do vaso de flores que encontrara ao lado da caixa que continha o vestido. Foi tolice supor que as duas coisas haviam sido enviadas pela mesma pessoa. Scarlett não sabia o que as rosas significavam, mas haviam aparecido ao longo de todo o jogo, por toda parte. Fazia sentido acreditar que podiam levar à quinta pista: tinham que simbolizar *alguma coisa* além de uma homenagem de mau gosto a Rosa.

– Precisamos voltar para a La Serpiente e dar uma olhada nas rosas. Talvez tenha algo nas pétalas ou um cartão grudado no vaso.

– E se dermos de cara com o seu pai quando voltarmos para lá?

– Vamos pelos túneis.

Scarlett arrastou Julian pelo pátio. Já estava frio, mas o ar parecia ainda mais frio quando chegaram ao jardim abandonado. Plantas desfolhadas os cercavam, e o chafariz lúgubre ao centro pingava um canto de sereia melancólico.

– Não sei, não – disse o marinheiro.

– E desde quando você é o mais nervoso de nós dois? – debochou Scarlett, apesar de também estar sentindo os tons de ocre da inquietação e de saber que não era por causa do encantamento do jardim.

Acabara de cometer um grande erro entrando na chapelaria, e não estava disposta a cometer outro. Mas Aiko tinha razão quando disse que certas coisas valem a pena independentemente do preço. Scarlett agora tinha a sensação de que estava tentando salvar a própria pele, além da de Tella. Não havia parado para pensar no prêmio daquele ano – realizar um desejo –, mas agora estava pensando nisso. Se realmente vencesse o jogo, talvez pudesse mesmo salvar a pele de ambas.

Soltou a mão de Julian e apertou o símbolo do Caraval dentro do chafariz. Como acontecera da outra vez, a água foi drenada, e a base se transformou em uma escadaria em espiral.

– Venha logo. – Ela fez sinal para Julian se aproximar. – O sol vai raiar a qualquer instante.

Scarlett já podia imaginar o astro ardendo em meio à escuridão, trazendo o raiar do dia em que havia planejado ir embora. E, pela primeira vez, apesar de tudo o que havia acontecido, ficou feliz por não ter ido embora, porque agora estava determinada a vencer o jogo e sair dali de barco, levando não apenas a irmã, mas algo a mais.

A garota pisou nas escadas e segurou a mão do marinheiro.

– Por que tenho a impressão de que você está sempre tentando fugir sempre que eu apareço?

O governador Dragna surgiu do outro lado do jardim malcuidado, acompanhado pelo conde. O cabelo castanho-escuro do cavalheiro pingava água em seu olho: sua aparência não era mais a de quem estava empolgado com um desafio.

Scarlett arrastou Julian pelos degraus úmidos que levavam à entrada do túnel e ficou apertando a mão dele enquanto os dois eram perseguidos pelo governador e pelo conde. Não teve coragem de olhar para trás, mas conseguia ouvi-los, o barulho alto das botas de ambos, o tremor do chão, o bater acelerado do próprio coração, enquanto corria escada abaixo.

– Julian, você tem que ir na frente. Encontre a alavanca que fecha o túnel antes que...

A garota deixou a frase no ar, porque o pai e o conde haviam alcançado a escadaria. As sombras dos dois se esparramavam na luz dourada, tentando pegá-la a distância. Era tarde demais para impedir que entrassem nos túneis.

Só que Scarlett e Julian estavam quase no fim da escada. Ela conseguia enxergar que os túneis iam em três direções: uma iluminada por ouro; uma que era praticamente um breu, e outra com uma luz de um prata azulado.

Puxou o braço, desvencilhando-se da proteção de Julian, e empurrou o marinheiro para o mais escuro dos três túneis.

– Precisamos nos separar, e você precisa se esconder.

– Não...

Julian tentou segurá-la.

Scarlett se esquivou.

– Você não entende... Depois do que aconteceu hoje à noite, meu pai vai te matar.

– Então não vamos permitir que ele nos alcance.

O marinheiro entrelaçou os dedos nos da garota e correu com ela até entrar na passagem dourada da esquerda.

Scarlett sempre gostou de dourado. A cor lhe dava uma sensação de esperança e magia. E, por um breve e reluzente instante, ousou sonhar que era isso mesmo. Ousou ter esperança de que poderia correr mais rápido do que o pai, criar seu próprio destino. E quase conseguiu.

Só que não conseguiu ser mais rápida do que o noivo.

Scarlett sentiu a mão enluvada do conde agarrar seu braço. Um instante depois, sua cabeça foi puxada para trás, e cada centímetro de seu couro cabeludo ardeu, porque o pai a segurava pelo cabelo.

Ela gritou quando os dois homens a afastaram de Julian.

– Deixem ela em paz! – gritou Julian.

– Não dê mais nem um passo ou as coisas vão piorar – ameaçou o governador Dragna.

Em seguida, pôs a mão em volta do pescoço da filha e continuou puxando o cabelo dela.

Scarlett segurou um grito de dor, e uma lágrima sofrida rolou pelo seu rosto. Como estava com o pescoço inclinado, não conseguia enxergar o pai, mas conseguia imaginar sua expressão doentia. As coisas só iriam piorar.

– Julian – suplicou. – Por favor, saia daqui.

– Não vou deixar você...

– Nem mais um passo – repetiu o governador Dragna. – Lembra da última vez que brincamos disso? Se fizer algo que eu não gostar, minha filha querida paga o preço.

O marinheiro ficou petrificado.

– Muito melhor. Mas só para você não esquecer...

O governador Dragna soltou a filha e deu um soco no estômago dela.

Scarlett caiu de joelhos, porque todo o ar saiu de seus pulmões. Sua visão ficou turva. Enquanto tentava ficar de pé novamente, só conseguia sentir aquela dor, o eco do soco e a terra em que havia caído, na qual sujara as mãos.

As vozes ricocheteavam pelas paredes ao seu redor. Vozes raivosas e vozes amedrontadas. E, quando se levantou, o mundo havia mudado.

– Isso é mesmo necessário?

– Se encostar nela de novo, vou...

– Acho que você não entendeu minha demonstração.

Ela foi conectando as palavras com o homem, uma por uma, enquanto tentava compreender o novo cenário. A expressão caprichada do conde, que a ajudou a levantar, havia se tornado algo enevoado e incerto. Do outro lado do túnel, fora do alcance de Scarlett, o pai segurava uma faca rente ao pescoço de Julian.

– Esse rapaz simplesmente não quer ficar longe de você – disse o governador Dragna.

– Pare com isso, pai – suplicou Scarlett, com a voz rouca. – Desculpe por ter fugido. O senhor já me encontrou. Solte ele.

– Mas, se eu soltar, como vou saber que você vai se comportar?

– Concordo com sua filha – interveio o conde, que agora estava com o braço nos ombros da noiva, de um jeito quase protetor. – Acho que isso foi um pouco longe demais.

– Não vou matar o rapaz. – O pai de Scarlett espremeu os olhos, como se achasse que todos estivessem agindo de modo insensato, menos ele. – Só quero que minha filha tenha um pouquinho de estímulo para não fugir de novo.

Uma emoção grudenta cor de lama revestiu as entranhas da garota, porque o governador Dragna mudou a faca de posição. Ela achava que nada poderia ser mais doloroso do que assistir ao pai bater em Tella. Mas aquela faca, tão perto do rosto de Julian, havia criado todo um novo mundo de pavor.

– Pai, por favor. – Scarlett pronunciou cada palavra com a voz trêmula e com o corpo todo tremendo. – Eu juro, nunca mais vou desobedecer ao senhor.

– Já ouvi suas promessas vazias antes. Mas, depois disso, acho que você, finalmente, vai cumprir com sua palavra.

Dito isso, o governador Dragna lambeu o canto dos lábios e girou o pulso.

– Não...

O conde tapou a boca de Scarlett com a mão enluvada, abafando seus gritos, enquanto o pai da garota passava a adaga no belo rosto de Julian. Fez um corte que começava no maxilar e atravessava a bochecha, até chegar embaixo do olho.

O marinheiro segurou um grito de dor, e a jovem se debateu, tentando chegar mais perto. Mas Scarlett estava impotente e só conseguiu dar um chute: ficou com medo de que o pai machucasse ainda mais o rapaz. Provavelmente, já havia demonstrado emoção demais.

Scarlett ficou esperando Julian reagir. Pegar a faca da mão do pai. Sair correndo. Lembrou-se de seus músculos dourados e bem definidos. Imaginou que, mesmo ferido e sangrando, ele poderia subjugar o governador. Mas, para um rapaz que, de início, havia sido tão egoísta, o marinheiro agora parecia determinado a cumprir sua promessa ridícula e ficar ao lado de Scarlett. Julian ficou parado, de um jeito estoico, feito uma estátua ferida, enquanto a garota desmoronava por dentro.

– Agora acho que estamos conversados – declarou o governador.

– Sabe... – Julian se virou para o conde e falou com um sorriso ensanguentado: – ...é patético ter que torturar um homem só para conseguir que uma mulher fique com você.

– Talvez eu tenha me enganado quando falei que estamos conversados – pronunciou-se o governador Dragna, erguendo a faca mais uma vez.

Scarlett tentou se desvencilhar do conde, mas o noivo continuou com os braços firmes em volta do peito dela. Braços que a apertaram tanto que mais pareciam cordas e chegaram a esfolá-la.

– Você não está ajudando – resmungou o conde. E aí falou mais alto, dirigindo-se ao pai de Scarlett, em um tom meio de tédio: – Acho que isso não será necessário. Ele só está tentando nos provocar. – O conde, então, deu um sorrisinho irônico, como se não desse a mínima para o que Julian disse, mas Scarlett sentiu que o coração do noivo bateu acelerado. Sentiu também o calor da respiração rasa do conde em sua nuca, quando ele completou: – E, pelo amor dos santos, dê um lenço para o homem: ele está pingando sangue por tudo.

O governador atirou um quadrado de tecido minúsculo para Julian, mas mal foi suficiente para estancar o sangue. Scarlett conseguia ver as gotículas caindo no chão enquanto o grupo sinistro que formavam ia avançando lentamente.

Durante todo o trajeto de volta à La Serpiente, a garota tentou pensar em maneiras de fugir. Apesar do ferimento, Julian ainda era forte. Scarlett pensou que o marinheiro poderia ter fugido com facilidade ou, pelo menos, tentado revidar. Mas ele caminhava em silêncio ao lado do governador, enquanto o conde segurava a mão adormecida da noiva.

– Vai ficar tudo bem – sussurrou o conde.

Scarlett imaginou em que tipo de mundo delirante o conde vivia para pensar uma coisa dessas. Quase torceu para encontrar mais um cadáver, já que isso poderia lhe dar uma oportunidade de se desvencilhar dele. Odiou-se por pensar tal coisa, mas isso não a impediu de ter esse pensamento.

Quando saíram do túnel e entraram no quarto saqueado de Donatella, o conde se deu ao trabalho de bater a poeira do casaco, enquanto Scarlett ponderava quais seriam as vantagens de fugir. Era claro que o pai não pretendia soltar Julian. Olhava para o marinheiro com a cobiça que uma criança olharia para a boneca da irmã mais nova um segundo antes de cortar todo o cabelo dela ou decapitá-la.

– Vou libertá-lo amanhã, no fim da noite, se você se comportar – declarou o governador Dragna.

Então passou o braço pelos ombros de Julian. O pano no rosto do marinheiro continuava pingando sangue.

– Mas, pai, ele precisa de cuidados médicos!

– Não se preocupe comigo, Carmim.

Obviamente, Julian não sabia o quanto as coisas podiam piorar.

Scarlett tentou uma última vez. Não conseguia se imaginar saindo daquela situação, mas talvez não fosse tarde demais para o marinheiro. Se ele conseguisse escapar, ainda poderia salvar Tella.

– Por favor, pai. Faço tudo o que o senhor quiser, mas só se o soltar.

O governador Dragna esboçou um sorriso. Era exatamente isso que queria ouvir.

– Já falei que vou libertá-lo, mas acho que ele não quer ir embora ainda. – Então apertou o ombro de Julian e perguntou: – Você tem vontade de nos abandonar agora, rapaz?

Scarlett tentou cruzar o olhar com o de Julian, tentou implorar, com um olhar, para ele ir embora. Só que o marinheiro estava sendo mais teimoso do que nunca. A garota gostaria que ele voltasse a ser o rapaz displicente que conhecera em Trisda. Seu altruísmo não valeria de nada ali, a menos que Julian tivesse vontade de morrer.

Pelo jeito, cabia a Scarlett encontrar um modo de pôr fim àquela situação.

– Não tenho nenhum compromisso – disse Julian. – Vamos todos lá para cima agora ou você pretende obrigar todo mundo a dormir aqui?

– Ah, não vamos dormir juntos. Não todos, pelo menos.

O pai de Scarlett piscou, e um tremor percorreu o corpo dela. Estava olhando para a filha com o tipo de expressão que, em outra pessoa, poderia ser radiante, da alegria que antecede a entrega de um presente – só que os presentes do governador Dragna nunca eram agradáveis.

– Eu e o conde d'Arcy estamos dividindo um quarto, mas é muito pequeno para quatro pessoas. Sendo assim, o marinheiro fica lá comigo, e Scarlett... – o governador Dragna pronunciou as palavras bem devagar, sílaba por sílaba, e todas foram inconfundíveis – ...você vai dormir no seu quarto com o conde d'Arcy. Vocês dois logo vão se casar mesmo. Seu noivo pagou uma bela quantia por você. Não vejo por que preciso fazê-lo esperar mais para desfrutar do que comprou.

O pavor de Scarlett aumentou, porque seu pai esboçou outro sorriso. Aquilo era tão distante do que havia imaginado. Já era horrível ter sido comprada como se fosse uma ovelha, de terem lhe atribuído um preço, dando a entender que aquilo era tudo o que ela valia.

– Por favor, pai. Ainda não nos casamos, isso vai contra as regras da decência...

– Vai, sim – interrompeu o governador Dragna. – Mas nunca fomos uma família decente, e você não vai reclamar. A menos que queira ver seu amigo sangrar de novo.

Dito isso, o governador acariciou o lado não machucado do rosto de Julian.

O marinheiro nem se mexeu, só que não estava mais com a expressão plácida que assumira nos túneis. Tudo nele havia se intensificado. Cruzou o olhar com Scarlett: um fogo silencioso ardia em seus olhos. Julian estava tentando dizer alguma coisa para ela, mas a garota não fazia ideia do que era. Só conseguia sentir a proximidade do conde d'Arcy: imaginou suas mãos afoitas, querendo tomar posse de seu corpo. Afoitas como as mãos do pai, querendo infligir ainda mais dor em Julian.

– Encare como um presente de casamento adiantado o fato de eu não mutilar ainda mais seu amigo neste exato momento – falou o governador Dragna. – Mas, se você disser qualquer outra coisa que não for um "sim", minha generosidade acaba por aqui.

– Não – retrucou Scarlett. – O senhor não vai encostar nele de novo, porque não vou fazer mais nada se não o soltar neste exato momento.

Ela se virou para o conde, que parecia não estar gostando muito daquilo. Rugas maculavam sua testa perfeita. Mas d'Arcy não havia feito nada para deter o governador e, só de olhar para ele, parado ali, com seu lenço carmim no pescoço e suas botas prateadas, Scarlett ficou com ânsia de vômito.

Donatella tinha razão: "Você acha que o casamento vai ser sua salvação e servirá de proteção. Mas... e se o conde for tão mau quanto nosso pai ou coisa pior?".

Scarlett não sabia se o conde d'Arcy era mesmo pior do que o pai. Mas, naquele momento, parecia ser tão vil quanto ele. Não segurava mais a mão dela com a delicadeza que havia segurado lá na chapelaria: segurava com firmeza, com segurança. O conde era mais forte do que deixava transparecer. Tinha o poder de pôr fim àquilo, se assim desejasse.

– Se você permitir que isso aconteça – Scarlett ficou em silêncio por alguns instantes e olhou o conde nos olhos, procurando vestígios do rapaz com quem trocara tantas cartas –, se você ameaçar ferir Julian para me controlar, jamais vou obedecer nem respeitar você. Mas, se permitir que ele vá embora, se demonstrar um pouco da humanidade que pude perceber em suas cartas, serei a esposa perfeita pela qual pagou. – Ela recordou das palavras que Julian havia dito no túnel e completou: – Você quer mesmo uma esposa que só vai dormir com você porque outro homem será torturado caso ela não durma?

O conde ficou corado. O coração da garota batia mais rápido a cada nuance que turvava a expressão do noivo. Frustração. Vergonha. Orgulho ferido.

– Solte o rapaz – ordenou d'Arcy, a contragosto. – Ou nosso trato já era.

– Mas...

– Não vou discutir. – A voz elegante do conde então se tornou ríspida: – Apenas quero que isso seja feito.

O governador Dragna não parecia feliz de se separar daquele brinquedo, com o qual mal havia brincado. Mas, para surpresa de Scarlett, soltou Julian sem discutir, o empurrou na direção da porta e declarou:

– Você ouviu o que ele disse. Fora daqui.

– Não faça isso por mim, Carmim. – Julian lançou um olhar de súplica para Scarlett. – Você não pode se entregar para ele. Não ligo para o que possa acontecer comigo.

– Mas eu ligo – retrucou Scarlett. E, por mais que quisesse olhar para o belo rosto de Julian uma última vez, por mais que quisesse demonstrar que não achava que ele era um patife nem mentiroso, longe disso, não teve coragem para olhá-lo nos olhos. – Agora, por favor, vá embora antes que você dificulte ainda mais as coisas.

30

Os corredores em curva da La Serpiente pareciam mais curtos do que Scarlett recordava. Já estava no quarto andar, bem na frente da porta do quarto, com o conde d'Arcy.

As possibilidades de seu plano dar errado eram tantas...

O cavalheiro estava com a chave de vidro na mão, mas olhou para ela antes de colocá-la na fechadura e disse:

— Scarlett, quero que você saiba que eu não pretendia que as coisas tivessem transcorrido entre nós dessa maneira. O que aconteceu naquele túnel... aquele não era eu. — Então a olhou nos olhos, de um jeito mais carinhoso do que havia olhado lá na chapelaria. Por um instante, a garota quase conseguiu ver algo por baixo da aparência esmerada em demasia do noivo, como se as atitudes de d'Arcy fossem apenas uma outra espécie de casaca, que ele usava para manter as aparências. Mas, na verdade, parecia estar tão encurralado quanto ela. — Este casamento é muito importante para mim. Só de pensar em perder você, enlouqueci um pouco. Lá nos túneis, eu não estava pensando direito. Mas tudo vai ser diferente quando nos casarmos. Vou fazer você feliz, prometo.

Com a outra mão, o conde tirou a mecha de cabelo branco do rosto de Scarlett. E, por um instante de pavor, ela temeu que o noivo fosse baixar a cabeça e beijá-la. Precisou de cada gota da força que conquistara na última semana para não sair correndo nem se encolher toda.

— Acredito em você — falou.

Só que as palavras não podiam ser menos verdadeiras. A garota sabia que as coisas ocorridas nos túneis poderiam levar um ser humano à loucura, poderiam perverter o medo de alguém e obrigar essa pessoa a fazer coisas – ou a permitir que os outros fizessem coisas – que não faria nem permitiria normalmente. Mas, mesmo que o conde garantisse a segurança de Scarlett dali para frente e jamais levantasse a mão para ela, não existia um universo no qual o conde Nicolas d'Arcy conseguiria fazer Scarlett Dragna feliz. Até porque, a única pessoa com a qual ela queria estar era Julian.

O medo apertou suas entranhas quando o conde abriu a porta do quarto.

Mais uma vez, ela pensou em todas as possibilidades de seu plano dar errado.

Scarlett poderia ter interpretado mal as atitudes de Julian.

Julian poderia ter interpretado mal as atitudes de Scarlett.

O pai poderia voltar e ficar ouvindo do outro lado da porta – a jovem já ficara sabendo de histórias deploráveis em que isso acontecia.

Suas mãos foram ficando suadas à medida que adentrava o recinto aquecido na companhia do conde. A enorme cama, que lhe parecera tão convidativa da primeira vez que a viu, agora mais parecia uma ameaça silenciosa. Os quatro pilares de madeira a fizeram lembrar de uma jaula. Scarlett imaginou o conde fechando as cortinas e a aprisionando lá dentro. Olhou de relance para o guarda-roupa, torcendo para que Julian aparecesse, para que saísse da porta escondida que havia do outro lado do quarto, ou, quem sabe, do próprio armário. Cabia uma pessoa dentro do móvel. Só que as portas estavam fechadas e assim permaneceram.

Scarlett estava sozinha com o conde e com a cama.

Agora que estavam só os dois, o cavalheiro havia mudado de atitude. A sofisticação ensaiada havia desaparecido completamente, fora substituída por uma precisão clínica, como se aquela situação fosse um assunto de negócios que ele precisava encerrar.

D'Arcy tirou primeiro as luvas e as atirou no chão. Em seguida, começou a desabotoar o colete, e os botões fizeram estalos ínfimos que deixaram Scarlett com vontade de vomitar. Não ia conseguir fazer aquilo.

Depois de ver o pai ferir Julian, a garota finalmente entendeu o que o marinheiro estava tentando lhe dizer, lá nos túneis. Crescera acreditando que era culpada pelas agressões do pai – que aquilo era o resultado de seus erros. Mas agora conseguia ver claramente: o pai era o único responsável. Ninguém merecia seus *castigos*.

E a situação em que se encontrava também estava errada. Quando beijou Julian, Scarlett teve a sensação de que tudo estava certo. Duas pessoas entregando, por livre e espontânea vontade, partes minúsculas e vulneráveis de si mesmas, uma para a outra. Era isso que queria. Era isso que merecia. Ninguém mais tinha o direito de decidir por ela. Sim, o pai sempre havia tratado Scarlett como uma posse, mas ela não era algo que podia ser comprado nem vendido.

Até então, a garota sempre havia achado que não tinha escolha. Mas agora estava começando a se dar conta de que tinha, sim. Só precisava ter coragem para fazer as escolhas difíceis.

Mais um estalo. O conde já estava desabotoando a camisa e olhava para Scarlett como se estivesse prestes a arrancar o vestido molhado dela e completar a transação.

– Está frio aqui, você não acha?

A garota pegou o atiçador da lareira e cutucou a lenha. Ficou observando o fogo aquecer o metal até ficar com tons reluzentes de laranja avermelhado – a cor da bravura.

– Acho que você já atiçou o suficiente.

O conde pôs a mão no ombro de Scarlett, com firmeza.

Ela se virou e apontou aquele atiçador vermelho como fogo para a cara do noivo e disse:

– Não encoste em mim.

– Querida... – D'Arcy parecia estar apenas levemente surpreso e longe de ter ficado tão amedrontado quanto Scarlett gostaria. – Podemos ir mais devagar, se você quiser. Mas é melhor soltar isso antes que você se machuque.

– Não sou burra a esse ponto. – Ela aproximou, bem devagar, o atiçador do rosto do conde e parou logo abaixo do olho verde-claro. – Mas você pode não ter a mesma sorte. Não se mova nem diga uma palavra. A menos que queira ficar com uma cicatriz igual a de Julian no rosto.

D'Arcy soltou um leve suspiro, mas disse, com uma voz irritante de tão átona:

– Acho que você não sabe o que está fazendo, querida.

– Pare de me chamar assim! Não sou sua querida e tenho plena consciência das minhas ações. Agora deite na cama. – Scarlett apontou o atiçador, mas a ponta vermelha já estava perdendo a cor. Chegara a pensar em amarrar o conde na cama, mas não tinha como isso dar certo. No instante em que soltasse a arma, o noivo viria para cima dela. E, apesar das ameaças que fez, não sabia se teria coragem de feri-lo.

– Sei que você está assustada – disse o conde, calmamente. – Mas, se parar com isso, vou esquecer o que se passou, ninguém sairá ferido. Não haverá mal nenhum.

Mal.

O elixir de proteção.

Tinha esquecido da ampola que comprara na barraca do Castillo. Ela ainda estava dentro do bolso do vestido encantado. Scarlett só precisava conseguir chegar até o guarda-roupa.

– Vá para trás, até encostar nos pilares da cama – ordenou.

Assim que o conde obedeceu, ela se afastou. E foi correndo até o guarda-roupa. O conde pulou no instante em que ela lhe deu as costas, mas aí ela já estava abrindo as portas de madeira.

Com um ruído alto, Julian caiu lá de dentro. Estava com a pele acinzentada e sangrava. Scarlett sentiu uma dor no coração.

– O que ele está fazendo aqui?

O conde ficou imóvel tempo suficiente para ela pôr a mão dentro do armário e pegar o elixir. Scarlett não poderia fazer nada por Julian se não se livrasse de d'Arcy primeiro.

Quebrou a ampola e derramou o líquido em cima do conde. O elixir tinha cheiro de margaridas e urina.

D'Arcy se engasgou e ficou cuspindo.

– O que é isso? – indagou.

Então ficou de joelhos e tentou agarrar Scarlett, mas parecia um bebê tentando pegar um pássaro. O elixir fez efeito rápido, embotando os reflexos do cavalheiro até ele começar a rastejar, todo desajeitado.

– Você está cometendo um erro! – exclamou.

O conde continuou murchando no chão, e Scarlett correu para o lado de Julian.

– É exatamente isso que Lenda quer – falou d'Arcy, com a língua enrolada. Os lábios estavam ficando anestesiados, assim como o restante do corpo. – Seu pai me contou a história... de sua avó e Lenda.

Não faço ideia de quem *ele* é. – O conde lançou um olhar para Julian, já fechando as pálpebras. – Mas, assim, você só se prejudica e ainda ajuda Lenda a conseguir o que quer. Ele trouxe você até esta ilha para destruir nosso casamento, acabar com sua vida.

– Bom, pelo jeito, Lenda não conseguiu acabar com a minha vida – retrucou Scarlett. – Acho até que ele me fez um favor.

Julian entreabriu os olhos, e Scarlett o ajudou a levantar do mesmo chão em que o ex-noivo, por fim, tombou por inteiro.

– Não esteja tão certa disso – murmurou o conde. – Lenda não faz favores para ninguém.

31

— Você consegue caminhar? – perguntou Scarlett.
— E por acaso não é isso que estou fazendo?

O tom de Julian foi de brincadeira. Mas não havia nada de engraçado no ferimento que ia do maxilar até o olho do marinheiro. A garota passou os braços nos ombros dele, para mantê-lo em pé.

— Não se preocupe comigo, Carmim. É melhor a gente ir procurar sua irmã.

— Antes, você precisa levar uns pontos. — Ela dirigiu os olhos para o corte grande e bem aberto no rosto de Julian. Ia deixar cicatriz. E, por mais que isso não fosse deixar o rapaz menos belo, Scarlett se sentiu mal ao lembrar da aparência frágil que ele tinha quando caiu de dentro do armário.

— Você está exagerando — disse Julian. — Não é tão ruim quanto parece. Seu pai mal me arranhou. Duvido que ele se divirta quando as vítimas estão inconscientes.

— Mas você estava desmaiado dentro do armário.
— Já me recuperei. Sou desses que sara logo.

Quando chegaram ao térreo, o marinheiro se desvencilhou da garota, como se quisesse provar o que estava dizendo. A luz se infiltrava pelas frestas das portas, iluminando velas que brotavam de dentro dos candeeiros, preparando-se para mais uma noite traiçoeira. Alguns participantes dedicados dormiam encolhidos no chão. Esperavam o cair da noite e o abrir das portas.

— Ainda acho que a gente devia dar um jeito de fazer um curativo — sussurrou Scarlett.

— Só preciso de um pouco de álcool.

Julian passou pelos participantes adormecidos todo empertigado e entrou na taverna. Mas Scarlett podia jurar que ele ainda era metade do que já havia sido. Os passos reticentes faziam as botas rasparem no chão de vidro. O rapaz foi para trás do balcão e derramou meia garrafa de uma bebida transparente no rosto.

— Viu só? — Julian se encolheu de dor e sacudiu a cabeça, espalhando gotas do líquido pelo chão. — Não é tão ruim quanto parece.

Ainda havia uma linha que ia do canto do olho até o fim do maxilar. O corte não era tão fundo quanto Scarlett imaginara. Mas, mesmo assim, continuava a causar nela uma sensação ruim.

Com tudo o que aconteceu, Scarlett acabou perdendo a noção do tempo, mas achava que o sol iria se pôr dali a mais ou menos duas horas, dando lugar à última noite do jogo.

Para vencer, a garota precisava encontrar a irmã antes de todo mundo. E, depois do que acabara de fazer com o conde – não havia apenas nocauteado o ex-noivo, mas também amarrara d'Arcy na cama antes de sair do quarto –, podia imaginar, muito claramente, o quanto o pai ficaria furioso quando acordasse, assim como os castigos malignos que infligiria em Tella, se a encontrasse antes de Scarlett. Não iria apenas matá-la: a torturaria primeiro.

— Esqueci de olhar as rosas quando estava no quarto — comentou ela.

Julian tomou um gole da garrafa antes de colocá-la de volta no lugar.

— Foi você quem disse que havia rosas por todos os lados.

Ou seja: seria impossível descobrir quais rosas eram mesmo pistas. Sem contar que era muito provável que ela não tivesse visto todas as rosas espalhadas por todo o Caraval. A primeira pista que recebera instruía: "E a número cinco irá exigir um salto no escuro". Mas Scarlett não fazia ideia de como isso se relacionava com as flores. Rosas demais e tempo de menos.

— Carmim, não vá desmoronar agora.

Scarlett ergueu a cabeça, e Julian estava bem na frente dela. Puxou-a para perto de si antes que Scarlett pudesse dizer "Não vou". Mas pensou que, se o marinheiro a soltasse, ela desmoronaria. Cairia no chão. E continuaria caindo, atravessando o chão. Caindo e caindo...

O marinheiro lhe deu um beijo, abrindo os lábios dela com os dele, até que Scarlett só conseguia sentir o gosto de Julian e só conseguia pensar em Julian e tudo era Julian. Ele tinha gosto de vento e meia-noite, nuances de marrom-escuro e azul-claro. Cores que faziam a garota se sentir segura e protegida.

– Vai ficar tudo bem – murmurou ele.

E deu um beijo na testa de Scarlett em seguida.

Agora ela estava cambaleando por motivos completamente diferentes. Afundando em uma sensação de segurança que jamais conhecera. Porque os lábios de Julian continuaram grudados na sua testa, e os braços se mantinham em volta de seu corpo, como se ele quisesse protegê-la – e não possuí-la ou controlá-la.

Julian não deixaria Scarlett desmoronar. Não iria atirá-la de uma sacada, como Lenda havia feito no sonho que ela teve.

– Julian... – Scarlett ergueu o rosto de repente, porque as palavras da pista, "salto no escuro", de repente ricochetearam em seus pensamentos.

– Que foi?

– Preciso te perguntar uma coisa sobre sua irmã.

Julian ficou rígido.

– Eu não perguntaria se não fosse importante, mas acho que pode nos ajudar a encontrar Tella.

– Pode perguntar – disse o marinheiro. E, apesar da cara fechada, seu tom de voz era suave. – Pode perguntar o que quiser.

– Ouvi falar da morte da sua irmã, mas os relatos foram conflitantes. Você pode me contar exatamente como foi que ela morreu?

Julian respirou fundo. Era óbvio que o assunto o deixava incomodado, mas falou:

– Depois de ser rejeitada por Lenda, Rosa pulou de uma sacada e morreu.

Uma sacada. Não uma janela, como Scarlett ouvira no enterro de Rosa. Não era para menos que o marinheiro, no início do jogo, não havia ficado nem um pouco empolgado quando viu todas aquelas sacadas. Eram cinquenta formas cruéis de recordá-lo do que havia perdido. Lenda era mesmo um monstro. E, se a garota estivesse certa, o Mestre do Caraval havia planejado que aquela edição do jogo fosse um repeteco perverso da história, com Scarlett ou Donatella no papel de Rosa. Um salto no escuro mesmo.

Sentindo um arrepio, ela temeu que isso fosse mesmo preciso: ter que pular de uma sacada para salvar a vida da irmã.

Mas manteve segredo de suas suspeitas quando contou para Julian do sonho que teve com Lenda e a sacada.

— Acho que precisamos procurar a última pista nas sacadas.

O marinheiro passou a mão no cabelo, exasperado.

— O que não falta aqui são sacadas, cada uma com a própria entrada. Não entendo como esse pode ser o melhor dos planos.

— Então acho bom começarmos a procurar já. — Esperando uma discussão, Scarlett logo completou: — Sei que ir para a rua durante o dia vai contra as regras, mas não acho que Lenda obedeça a essas regras. A estalajadeira disse que, se não entrássemos lá antes de o sol raiar, na primeira noite, não poderíamos participar do jogo. Só que ela não falou nada sobre as *outras* noites. — Então falou mais baixo, só por precaução, caso alguma das pessoas que estavam dormindo no saguão estivesse acordada. — Todas as portas estão trancadas para as pessoas acharem que não podem sair. Mas podemos sair pelos túneis. Se formos agora, neste instante, teremos uma vantagem em relação ao conde e ao meu pai, e, talvez, a gente consiga vencer o jogo.

— Agora você está, finalmente, pensando como uma jogadora.

Julian deu um sorriso, mas foi um sorriso tão amarelo quanto um sol pintado em um quadro. A garota pensou que seu destemido marinheiro agora estivesse temendo o pai dela. Ou, talvez, Julian estivesse apavorado com a mesma coisa que apavorava Scarlett: a possibilidade de, para salvar sua irmã, um dos dois ser obrigado a dar um salto mortal.

32

A mão de Julian era a única coisa que parecia palpável de fato quando os dois emergiram dos túneis e entraram em uma dimensão completamente diferente, transformada pela iluminação daquele sol de fim da tarde.

O céu do Caraval era um borrão cremoso, de manteiga e toques de baunilha. Fez Scarlett ficar com a impressão de que o ar à sua volta deveria ter gosto de leite adoçado e sonhos açucarados, mas que ela só conseguia sentir gosto de poeira e névoa.

– Onde você quer olhar primeiro? – perguntou Julian.

As sacadas cercavam todo o perímetro do jogo. A garota espichou o pescoço, em busca de algum vestígio de movimento ou de qualquer coisa estranha nas sacadas mais próximas, mas o cobertor de neblina obscurecia sua vista. Lá embaixo, lojas que pareciam coloridas à noite eram quase borrões. Os chafarizes rebuscados, alternados pelas esquinas, não soltavam água. O mundo se resumia a imobilidade, silêncio e neblina leitosa. Nada de gôndolas coloridas atravessando os canais nem de pessoas caminhando pelas ruas pavimentadas.

Scarlett ficou com a impressão de estar chegando a uma lembrança apagada. Como se aquela cidade mágica tivesse sido abandonada havia muito tempo, ela tivesse voltado, e nada do que havia encontrado fosse igual à imagem que tinha na memória.

– Nem parece o mesmo lugar. – A garota foi andando, um pouco mais perto do marinheiro. Temia que, no instante em que pusessem os pés na rua, alguém tentaria tirá-los do jogo. Mas aquela realidade estranha e opaca era quase tão assustadora quanto o medo de ser desclassificada. – Não consigo ver nada nas sacadas.

– Então não vamos nos concentrar nelas. Talvez o salto no escuro signifique outra coisa – sugeriu Julian. – Você comentou que a pista poderia ter alguma relação com as rosas. Alguma outra coisa aqui faz você se lembrar do sonho que teve com Lenda?

A primeira coisa que veio à cabeça de Scarlett foi *Lenda foi embora deste lugar*. Ela não viu nenhuma cartola, nenhuma pétala de rosa. A cor mais viva que viu foi o mais pálido dos amarelos. Seus olhos a decepcionavam, mas os ouvidos perceberam uma melodia suave.

Sutil. Tão baixa que era praticamente uma lembrança. Mas, à medida que a garota foi avançando com o marinheiro, a música suave foi se tornando mais intensa e comovente. Vinha da rua onde ficava o carrossel coberto de rosas, o único local que não havia sido contaminado pela neblina, e vibrava. Ela recordou que o carrossel também foi uma das poucas coisas que permaneceu colorida quando seu mundo ficou em preto e branco.

De uma cor mais resplandecente do que sangue recém-derramado, o carrossel parecia ter criado ainda mais vida desde a última vez que Scarlett o vira. Era tão vibrante que ela quase não reparou no homem sentado diante de um órgão de igreja, ao lado da atração. Era muito mais velho do que a maioria dos trabalhadores com os quais Scarlett havia topado: o rosto era enrugado, marcado pela vida, e um tanto triste, refletindo a música que tocava. O homem parou de tocar quando a garota e o marinheiro se aproximaram, mas os ecos de sua melodia ainda pairavam no ar, feito um perfume forte.

– Mais uma canção em troca de uma doação?

O homem estendeu a mão e olhou para Scarlett com uma expressão de expectativa.

Ela deveria estranhar o fato daquele homem estar pedindo dinheiro em um lugar no qual as pessoas raramente precisavam dele.

Scarlett se virou para Julian, porque não queria repetir o erro que cometera na chapelaria e armarinho, e perguntou:

– Para você, esse lugar tem cara de Lenda?

– Se ter cara de Lenda significa ser perturbador e sinistro, sim. – Julian lançou um olhar desconfiado para o carrossel banhado em rosas e para o homem corado sentado diante daquele órgão de igreja. – Você acha que isso pode nos levar à sacada onde sua irmã está?

– Não tenho certeza, mas acho que vai nos levar a algum lugar.

Aiko teve razão ao avisar que Scarlett e Julian iriam cometer um erro se entrassem na chapelaria. Fazia sentido acreditar que a historiógrafa também estava tentando ajudar quando levou Scarlett até aquele carrossel específico. Poderia até ter sido coincidência. Mas, mesmo que fosse, Scarlett não acreditava que estar ali mais uma vez, agora na companhia de Julian, e ter encontrado o organista praticamente esperando por eles, já que não havia mais ninguém na rua, também era coincidência.

– Tudo bem, então. Tome.

Julian pôs a mão no bolso e tirou dele algumas moedas.

Lembrando das palavras de Aiko, Scarlett completou:

– Você poderia tocar uma coisa bonita para nós?

A melodia que tocou em seguida não era bonita: saía raspando do órgão, feito as últimas palavras de um homem moribundo. Mas movimentou o carrossel, sim. Girou devagar, de início, mas hipnótico e com movimentos graciosos. Scarlett poderia ficar ali, parada e observando, para sempre. Mas, em seu sonho, pouco antes de atirá-la da sacada, Lenda a tinha proibido de observar.

– Venha.

Ela soltou a mão de Julian e pulou em cima da plataforma giratória.

O marinheiro fez cara de quem queria impedi-la, mas acabou subindo também.

O carrossel começou a girar mais rápido, e não demorou para os dois ficarem em lados opostos, com os dedos sangrando de tanto procurar, nos arbustos cheios de espinhos, por um símbolo que abriria a passagem para uma escadaria.

– Não estou vendo nada, Carmim! – gritou Julian, mais alto do que a música.

A melodia foi ficando ainda mais alta e mais desafinada à medida que o carrossel girava mais rápido, soltando mais e mais pétalas, que voavam pelos ares feito um ciclone cor de rubi.

– Achei! – berrou Scarlett.

Dava para sentir, com cada furinho de seu dedo. Não haveria tantos espinhos ali se não tivesse nada escondido debaixo deles. Espinhos protegem rosas. Mais uma vez, Scarlett teve a sensação de que deveria aprender alguma coisa com aquele carrossel. Mas, antes que pudesse descobrir o que, viu um sol com uma estrela dentro e uma lágrima dentro da estrela. O símbolo estava escondido debaixo de uma roseira do tamanho de um pequeno pônei que fora podada para aparentar um corcel de cartola.

A garota se agarrou aos caules da flor, para não cair, e se agachou para conseguir apertar o símbolo do Caraval. Bastou um toque, e o emblema se encheu de sangue, por completo.

O carrossel girou ainda mais rápido. Voltas e mais voltas. E, à medida que rodopiava, em uma dança destrutiva, a parte central foi desaparecendo, dando lugar a um círculo de escuridão. Um buraco que mais parecia um céu de puro breu, do qual roubaram todas as estrelas. Ao contrário das outras passagens, esta não levava a uma escadaria. Scarlett não conseguia ver o fundo do buraco.

— Acho que temos que pular.

Talvez, ela tivesse se enganado a respeito da sacada, e aquele fosse o salto no escuro.

— Espere...

Julian se aproximou do buraco com cautela e segurou uma das mãos ensanguentadas da garota antes que ela conseguisse pular.

— O que você está fazendo? — gritou Scarlett.

— Quero que você fique com isso. — O marinheiro pegou um relógio de bolso com uma corrente comprida e circular e o colocou na palma da mão da jovem. — Dentro da tampa, gravei as coordenadas de um barco, que está logo passando a costa da ilha.

Um novo pânico tomou conta de Scarlett, porque a expressão de Julian foi ficando cada vez mais séria. Aquilo estava muito parecido com um adeus.

— Por que você está me dando isso agora?

— Caso a gente se separe ou algo inesperado aconteça. O barco já tem tripulação: vão levar você para onde quiser e... — O marinheiro deixou a frase no ar e, por um instante, pareceu que as palavras estavam presas em sua garganta. Sua expressão ficou ainda mais sofrida quando o carrossel sacolejou, passou a girar mais devagar e o buraco no meio começou a diminuir. — Você precisa pular agora, Carmim!

E aí, o marinheiro soltou a mão dela.

– O que você está me escondendo, Julian?

O sorriso do rapaz se desfez, e seus lábios ficaram apertados, deixando-o com uma cara de triste e arrependido, tudo junto.

– Não temos tempo para tudo o que eu gostaria de te dizer.

Scarlett queria fazer mais perguntas. Queria saber por que Julian, que havia poucos momentos segurava sua mão como se jamais fosse soltar, de repente olhava para ela como se estivesse com medo de nunca mais a ver de novo. Só que o buraco sombrio já estava se fechando.

– Por favor, não me faça usar esse relógio sem você!

Ela pegou a corrente e a colocou em volta do pescoço.

E aí pulou.

Enquanto caía, pensou ter ouvido Julian gritar, falando para não confiar em Lenda. Mas as palavras do marinheiro foram abafadas pela água que corria, rugindo, como se o rio de puro gelo estivesse dando as boas-vindas a Scarlett.

Ela ficou sem ar e bateu os braços loucamente, para não afundar. Estava feliz por ter caído na água e não em uma laje de pedra nem em uma cama de facas, mas enfrentou uma corrente forte demais. A água sugou a garota, puxando-a para baixo, em uma trajetória que pareceu uma eternidade de tão longa.

O frio se infiltrou por todo seu corpo, mas Scarlett não se permitiu entrar em pânico. Era capaz de enfrentar a situação. A água não estava tentando castigá-la. Relaxou até a corrente amainar. E aí, com braçadas firmes e constantes, dando impulso com as pernas, conseguiu chegar à superfície. Depois, foi chutando a água com força até chegar a uma grande escadaria.

Lentamente, seus olhos se acostumaram às minúsculas luzes verdes que ganharam vida, tão infinitesimais quanto partículas de poeira. Elas tomaram conta do ar feito um enxame de vaga-lumes, lançando uma luz cor de jade em duas estátuas de pedra-sabão, de um cinza azulado, que guardavam a entrada da escadaria.

Tinham o dobro da altura de Scarlett e estavam cobertas por vestes que desapareciam debaixo d'água; as mãos, juntas, pareciam entrelaçar uma oração silenciosa. Mas, apesar de estarem com os olhos fechados, a expressão nas faces estava longe de ser tranquila: as bocas estavam escancaradas, como que gritando em uma agonia silenciosa.

Scarlett se arrastou até a escadaria de pedra-sabão preta.

— Eu já estava começando a perder a fé em você.

Ouviu-se o estalido de uma bengala batendo na escada. No mesmo instante, um por um, os degraus lustrosos se acenderam. Mas o que chamou a atenção de Scarlett não foi a escadaria nem foram os destinos obscuros para os quais aqueles degraus poderiam levar. Foi o rapaz de cartola de veludo.

A garota piscou e, do nada, o cavalheiro estava bem diante dela, oferecendo a mão, para ajudá-la a levantar.

— Fico muito feliz por você, finalmente, ter conseguido me encontrar, Scarlett.

33

Scarlett se segurou para não ficar deslumbrada.
 Sabia que Lenda era uma víbora. Uma serpente de casaca e cartola não deixa de ser uma cobra. O fato de aquela cobra ser quase exatamente igual ao que a garota havia imaginado não fazia a menor diferença. Podia até não ser *tão* bonito quanto ela imaginara. Mas, ainda assim, era puro garbo e pura elegância, com pitadas de enigma e ilusão, complementados por um brilho nos olhos castanho-escuros que fez Scarlett ter a sensação de que *ela* é que estava encantada, envolta em uma magia que só Lenda podia ver.

Parecia mais novo do que Scarlett havia pensado, poucos anos mais velho do que ela, sem uma ruga ou cicatriz no rosto. Pelo jeito, os boatos de que o Mestre do Caraval não envelhecia eram verdadeiros. Usava uma meia capa azul real, que tirou e colocou nos ombros trêmulos da garota.

— Eu poderia sugerir que você tirasse essa roupa molhada, mas ouvi dizer que você é do tipo recatada.

— Não posso dizer que ouvi a mesma coisa a seu respeito — retrucou Scarlett.

— Ah, não! — Lenda bateu as mãos no próprio peito, fingindo-se de ofendido. — Andam dizendo coisas terríveis a meu respeito?

O Mestre do Caraval deu risada — um som intenso, apimentado, que ecoou pelas paredes da caverna: parecia haver uma dúzia de Lendas escondidos atrás das pedras. O ruído continuou, mesmo depois que ele parou de rir. Só depois que Lenda estalou os dedos é que aqueles ecos horrorosos pararam. Mas o sorriso maníaco permaneceu em seu rosto e não parou quieto: parecia que Lenda estava pensando em uma piada que ainda não havia contado para ninguém.

Ele é louco.

Scarlett recuou um pouco e seu olhar logo se dirigiu à água, de onde Julian deveria estar emergindo, bem atrás dela. Só que a água nem se mexia.

— Se você está esperando pelo seu amigo, acho que ele não nos fará companhia. Pelo menos, não por enquanto.

Os cantos dos lábios de Lenda tomaram uma expressão cruel, ensopando a garota com um frio sentimento azul-violeta, que penetrava mais fundo do que a umidade que empapava suas roupas.

— O que você fez com Julian e com minha irmã?

— Trata-se mesmo de um desperdício. Tão dramática, daria uma artista fantástica.

— Isso não responde à minha pergunta.

— Porque você está fazendo as perguntas erradas! — gritou Lenda.

Ele se colocou novamente diante de Scarlett, parecendo mais alto do que ela supunha e ainda mais louco do que há poucos instantes. Seus olhos eram puro breu: parecia que as pupilas tinham devorado a parte branca.

Scarlett recordou que os túneis por baixo do jogo faziam coisas estranhas com a cabeça das pessoas. Ela não se abalou. Nem sequer piscou e insistiu:

— Cadê minha irmã? Cadê Julian?

— Já falei que esta não é a pergunta certa. — Lenda sacudiu a cabeça, como se tivesse se decepcionado com Scarlett. — Mas, agora que você falou dessas pessoas pela segunda vez, estou curioso. Se você pudesse ver apenas um dos dois novamente, quem você escolheria, Julian ou sua irmã?

— Cansei desses joguinhos. Eu dei o seu salto no escuro. Não tenho que responder a pergunta nenhuma.

— Ah, mas, de acordo com as regras, você precisa encontrar "a garota" para vencer oficialmente. — Luzinhas verdes dançaram em volta da cabeça de Lenda, projetando uma sombra esmeralda reluzente em sua pele clara. Ele era mágico, com certeza, mas de um jeito completamente errado. – Você, por acaso, chegou a se perguntar por que o jogo ocorre durante a noite?

– Se eu responder, você vai me dizer onde encontrar minha irmã?

– Se você conseguir responder corretamente, sim.

– E se eu errar?

– Eu mato você, claro. – O Mestre do Caraval deu risada. Mas, desta vez, foi um riso vazio, feito um sino sem badalo. – Brincadeira. Não precisa me olhar como se eu fosse entrar na sua casa à noite, de fininho, e estrangular todos seus gatinhos. Se errar, vou devolvê-la para seu acompanhante e, juntos, vocês podem continuar a procurar sua irmã.

Scarlett duvidava muito que Lenda fosse cumprir a palavra, só que o Mestre do Caraval estava bloqueando a escadaria à frente. E, atrás dela, só havia o rio, rio esse que não deveria levar a nenhum lugar de bom.

Ela tentou recordar do que Julian havia dito sobre o Caraval na primeira noite que passaram ali. "Eles dizem que não querem que a gente se deixe arrebatar demais, mas esse é o objetivo do jogo."

– Imagino que o jogo não seria o mesmo à luz do dia – respondeu. – As pessoas acham que, à noite, ninguém enxerga o mal que fazem. Nem as ofensas que cometem nem as mentiras que contam, por causa do jogo. O Caraval é realizado à noite porque você gosta de assistir, de ficar vendo o que as pessoas fazem quando acham que não haverá consequências.

– Nada mal – disse Lenda. – Entretanto, achei que, a esta altura, você já teria se dado conta de que aquilo que acontece aqui não é apenas um jogo. – Ele baixou a voz e falou, em um sussurro: – Quando as pessoas vão embora desta ilha, o que fizeram aqui não *desacontece* simplesmente, por mais que elas queiram que essas coisas sejam desfeitas.

– Talvez fosse importante avisar as pessoas sobre isso quando elas entram no jogo.

O Mestre do Caraval deu mais uma risadinha. E, desta vez, seu riso quase pareceu verdadeiro.

– É um azar terrível que tudo isso vai acabar tão mal. Acho que eu teria gostado de você.

Dito isso, Lenda passou um dedo dobrado no queixo de Scarlett.

A garota pisou em falso ao dar um passo nervoso para trás, lançando outro olhar em vão para as águas imóveis.

– Respondi à sua pergunta. Agora, cadê meu amigo?

– É admirável. Acabei de contar a verdade, e você nem sequer me deixa encostar em você. Além disso, acha que está apaixonada por alguém que não fez outra coisa senão mentir, durante todo o jogo. O seu *amigo* disse para não confiar em mim, mas você tampouco pode confiar nele.

– Vindo de você, isso é um aval.

O Mestre do Caraval soltou um suspiro dramático e inclinou a cabeça para trás.

– Ah, a estupidez dos que têm fé... Vamos ver quanto tempo isso vai durar.

Bem nessa hora, Scarlett ouviu passos pesados nos degraus de arenito, logo atrás de Lenda. Um segundo depois, Julian apareceu, completamente seco e, com exceção da ferida infligida pelo governador Dragna, sem nenhum arranhão.

– Estávamos mesmo falando de você – disse Lenda. – Quer contar ou conto eu?

Os olhos do Mestre do Caraval brilharam. E, desta vez, não havia nem um sinal de loucura neles. O rapaz era o retrato em carne e osso de um cavalheiro de casaca e cartola, em pleno uso das faculdades mentais e pavorosamente vitorioso.

A água pingava do cabelo de Scarlett e descia pela nuca, esquentando sua pele. A garota não podia acreditar que o Mestre do Caraval havia cumprido o que prometera. Mas, mais do que isso, não gostara do que ele acabara de dizer nem do jeito possessivo que olhava para Julian.

– A meu ver, seu noivo só existe para fins decorativos, mas ele tinha razão a respeito de uma coisa: não faço favor a ninguém. Não faria sentido eu ter todo esse trabalho para acabar com seu noivado e permitir que você saia da ilha com outra pessoa. E é por isso que pedi a Julian para trabalhar para mim durante todo o jogo.

Não. Scarlett ouviu as palavras de Lenda, mas se recusou a processá-las. Não queria acreditar naquilo. Ficou olhando para o marinheiro, esperando por alguma espécie de sinal de que aquilo também era parte de uma farsa maior.

Nesse meio-tempo, o Mestre do Caraval ficou olhando para Julian como se o rapaz fosse uma de suas preciosas posses. E, para horror de Scarlett, o marinheiro sorriu para Lenda, e as pontas retas de seus dentes brilharam sob a luz das tochas. Era o mesmo sorriso malicioso que a garota vira pela primeira vez na praia Del Ojos: o sorrisinho irônico de quem acabou de pregar uma peça muito cruel em alguém.

– Originalmente, eu pretendia que você ficasse com Dante – explicou Lenda. – Achei que ele faria mais o seu tipo, mas suponho que seja bom eu errar de vez em quando.

– Dante e a irmã também eram só parte do jogo? – questionou Scarlett.

– Foi uma farsa brilhante, não foi? E tente não ficar com essa cara tão chateada. Mandei gente para te alertar. Duas vezes, na verdade. Você foi avisada para não acreditar em nada.

– Mas... – Boquiaberta, Scarlett se virou para Julian e perguntou: – Então, Rosa, sua irmã? Tudo isso era mentira?

Por um instante, quase pareceu que o marinheiro se encolheu ao ouvir o nome de Rosa. Mas, quando ele tornou a falar, não havia nenhuma emoção em sua voz. Até seu sotaque havia mudado.

– Existiu uma pessoa chamada Rosa, e ela morreu do jeito que eu contei, mas não era minha irmã. Foi só uma garota azarada que se deixou arrebatar demais pelo jogo.

As mãos de Scarlett tremiam, mas ela ainda se negava a acreditar. Tanta coisa havia acontecido, não podia ser tudo mentira, apenas um jogo para Julian. Ela sabia que certos momentos foram reais. Continuou olhando para o rapaz, na esperança de ver um traço de alguma coisa, o brilho de alguma emoção, um olhar que denunciasse que, na verdade, aquele teatrinho com Lenda é que era um jogo.

– Acho que sou melhor do que pensei – comentou ele.

O sorriso de Julian ficou cruel, do tipo planejado para partir corações.

Só que Scarlett já estava completamente despedaçada. Por anos, o pai a estraçalhou. Tantas e tantas vezes, porque ela havia permitido. Dera permissão para o governador fazê-la se sentir uma pessoa inútil e impotente. Mas Scarlett não era nada disso. Estava cansada de permitir que o medo a enfraquecesse, que comesse a carne de seus ossos até só lhe restar choramingar e ficar assistindo.

– Ainda acho que você me fez um favor – falou, virando-se de novo para Lenda. – Você mesmo disse. Meu ex-noivo é mais um elemento decorativo do que um homem. E estou muito melhor sem ele. Agora devolva minha irmã e nos deixe ir para casa.

– Que casa? Você ainda tem para onde ir depois de amanhã, agora que jogou seu futuro fora? Ou... – o Mestre do Caraval lançou outro olhar para o marinheiro – ...está falando isso porque ainda está iludida, achando que esse sujeito gosta de você?

Scarlett teve vontade de dizer que não era uma ilusão. O Julian que conhecia havia permitido que um homem o torturasse por causa dela. Como isso não podia ser real? A garota se recusava a acreditar, por mais que o marinheiro lhe olhasse como se ela fosse a garota mais tola do mundo. E devia ser mesmo.

Até aquele momento, não havia percebido uma verdade: desde que Julian a levou para a ilha, *o olhar* estava ali, aquela faísca a mais. Frustrado, com raiva ou dando risada, sempre tinha alguma coisa ali que dava a entender que algo dentro de Julian fora tocado por alguma faceta de Scarlett.

E agora não havia mais nada. Nem mesmo pena. Por um instante perigoso, ela duvidou de tudo que, até então, acreditava ser verdadeiro.

E foi aí que recordou. "Caso algo inesperado aconteça."

O relógio de bolso. A mão de Scarlett foi até aquela joia gelada que levava no pescoço e seu coração bateu um pouco mais rápido quando segurou o relógio e se lembrou do que Julian havia dito no carrossel.

– O que você tem aí? – perguntou Lenda.

– Nada – respondeu Scarlett.

Mas suas palavras saíram rápidas demais. As mãos de Lenda se movimentaram com ainda mais rapidez, afastando o tecido aveludado da capa azul real que ainda estava nos ombros da garota, e seus dedos gelados arrancaram o relógio do pescoço dela.

– Não lembro de ter visto você usando isso. – Lenda inclinou a cabeça na direção de Julian e completou: – Presente recente?

O marinheiro não negou nada quando o Mestre do Caraval abriu o colar improvisado. *Tique. Tique. Tique.* O ponteiro dos segundos foi até o 12, e uma voz começou a sair da joia. Pouco mais do que um sussurro, mas Scarlett reconheceu claramente o timbre de Julian.

– Desculpe, Carmim, sinto muito. Gostaria de poder dizer pelo que sinto muito, mas as palavras... – Ele ficou em silêncio durante diversos *cliques* tensos, enquanto o ponteiro dos segundos continuava a correr em volta dos números. E, aí, com a voz rouca, como se isso o ferisse, Julian terminou a gravação falando: – Para mim, não foi apenas um jogo. Espero que você me perdoe.

Lenda piscou, um tique nervoso, fechou o relógio e se dirigiu ao marinheiro:

— Até onde lembro, isso não era parte do plano. Pode fazer a gentileza de se explicar?

— Acho que é meio autoexplicativo — respondeu Julian.

Então se virou para Scarlett com aquele olhar que ela estava esperando, com todo tipo de promessas tácitas nos olhos castanhos. Julian queria lhe contar a verdade. Mas parecia que seu corpo não podia fazer isso. Algum feitiço ou encantamento o impedia de pronunciar as palavras. Mas ainda era *seu* Julian. Scarlett sentiu que os pedacinhos de seu coração esmigalhado criavam coragem para se unir novamente. E poderia até ter sido um lindo momento se Lenda não tivesse resolvido puxar a faca e golpear Julian no peito justo naquele instante.

— Não! — berrou Scarlett.

Julian cambaleou, parecia que o mundo inteiro balançava e se inclinava com ele. As luzes cor de jade da caverna ficaram marrons.

A garota correu para o lado do marinheiro, porque o sangue começou a borbulhar nos belos lábios dele.

— Julian!

Scarlett caiu de joelhos, porque o marinheiro desmaiou no chão da caverna. Lenda não havia acertado o coração dele, mas devia ter perfurado um dos pulmões. Saía sangue. Tanto, tanto sangue. Devia ser por isso que Julian olhava para Scarlett de um modo tão frio, não se dignando a revelar a verdade nem com um olhar. Sabia que seria castigado pelo Mestre do Caraval por ter traído sua confiança.

— Julian, por favor...

Ela pôs as mãos em cima da ferida. Era a segunda vez naquele dia que suas mãos ficavam encharcadas de vermelho.

— Tudo bem. — O marinheiro tossiu, e mais sangue manchou sua boca. — Acho que mereci.

— Não diga isso! — Scarlett arrancou a capa dos ombros e a pressionou contra o peito de Julian, com força, para tentar estancar o sangramento. — Não acredito nisso e não acredito que era assim que essa história deveria terminar.

— Então não permita que termine aqui. Eu já disse... não mereço suas lágrimas.

Julian ergueu a mão para secar uma das lágrimas de Scarlett, mas a mão tombou antes que ele conseguisse fazer isso.

– Não! Não desista – implorou a garota. – Por favor, não me abandone. – Ela queria dizer tantas outras coisas, mas temia que, se dissesse adeus, ficaria mais fácil para Julian desistir de lutar pela vida. – Você não pode me abandonar. Você falou que ia me ajudar a vencer o jogo!

– Eu menti... – Os olhos de Julian se fecharam e abriram em seguida. – Eu...

– Julian! – berrou Scarlett, apertando ainda mais o peito do rapaz, porque o sangue já havia ensopado a capa e suas mãos. – Não me importo que você tenha mentido. Se você não morrer, eu te perdoo por tudo.

Os olhos de Julian se fecharam, como se ele não estivesse ouvindo.

– Julian, por favor, não pare de lutar. Você lutou comigo durante todo este jogo, não desista agora.

Lentamente, as pálpebras do marinheiro foram se abrindo. Por um instante, parecia que Julian havia voltado para Scarlett.

– Eu menti quando falei que bateram na minha cabeça – murmurou ele. – Queria resgatar seus brincos. Mas o homem era mais forte do que parecia... Eu me meti em uma pequena confusão. Mas valeu a pena, só para ver sua cara... – O fantasma de um sorriso movimentou os lábios de Julian. – Eu deveria ter ficado longe de você... Mas queria tanto que você fosse bem no jogo... Eu queria...

A cabeça de Julian caiu para trás.

– Não! – Sob suas mãos, Scarlett sentiu o peito do marinheiro descer uma última vez. – Julian. Julian. Julian!

Ela massageou o coração do rapaz, mas nada se moveu.

Scarlett não saberia dizer quantas vezes repetiu o nome dele. Pronunciou o nome de Julian como se fosse uma oração. Uma súplica. Um sussurro. Um adeus.

34

Até aquele dia, Scarlett nunca quis que o tempo parasse, que se arrastasse com tamanha lentidão que uma batida de coração durasse um ano, uma respiração levasse uma vida, e uma carícia pudesse durar por uma eternidade. Normalmente, queria o contrário, que o tempo acelerasse, passasse correndo, para conseguir escapar da dor que estivesse sentindo no momento, pular para um instante novo e imaculado.

Mas sabia que, quando aquele instante terminasse, o próximo não seria novo, nem estaria repleto de promessas de futuro. Seria incompleto, ofuscado, oco, porque Julian não estaria presente.

As lágrimas vieram com mais força quando sentiu Julian morrer. Os músculos perdendo a tensão. O corpo ficando mais frio. A pele assumindo uma palidez cinzenta, da qual não haveria mais volta.

Scarlett sabia que Lenda estava olhando. Sentindo um prazer doentio com a dor dela. Mas, em parte, não suportava a ideia de abandonar o corpo de Julian ali; era como se, milagrosamente, o marinheiro fosse respirar mais uma vez ou que seu coração voltaria a bater novamente. A garota já ouvira dizer que as emoções e os desejos alimentam a magia que realiza esses desejos. Mas, das duas, uma: ou não sentia o suficiente ou as histórias que ouvira, de desejos que se realizam, eram pura mentira. Ou, talvez, estivesse pensando nas histórias erradas.

A esperança é uma coisa poderosa. Há quem diga que é uma outra linha de magia, completamente diferente. Ilusória, esquiva. Mas não é preciso ter muita.

E Scarlett não tinha muita, só a lembrança de um poema mal escrito.

Esta garota foi vista pela última vez na companhia de Lenda.

QUEM A ENCONTRAR também o encontrará.

É claro: pelo inferno talvez tenha que se aventurar.

Mas, se conseguir, uma grande riqueza pode entrar em seus planos.

Ter um desejo realizado é o prêmio deste ano.

Scarlett havia se esquecido momentaneamente da possibilidade de realizar um desejo. Mas, se conseguisse encontrar Tella antes de todo mundo e, como desejo, pedir que Julian voltasse à vida, talvez aquela história pudesse ter um final feliz, no fim das contas. Para Scarlett, a possibilidade de alguma coisa voltar a ser feliz era quase tão irreal quanto a de realizar um desejo, mas só podia contar com a esperança naquele momento.

Levantou a cabeça, pronta para exigir, mais uma vez, que Lenda revelasse a localização da irmã e percebeu que o Mestre do Caraval havia sumido. Deixara apenas o relógio de bolso de Julian e a própria cartola de veludo, em cima de um envelope escuro.

Pétalas de rosas pretas voaram pelo ar quando Scarlett pegou o cartão. A borda era preto-ônix metalizado, uma sombra da primeira carta que Lenda havia lhe enviado.

Cara Srta. Dragna,

Sua presença é requisitada no funeral de Donatella Dragna, amanhã, uma hora depois do raiar do sol. A menos que consiga impedir a morte dela.

Sinceramente,

Lenda

P.S. Recomendo pegar a escada da direita.

Scarlett cerrou o punho com a carta na mão. Aquilo ia além da loucura. Era algo pervertido que ela não compreendia. Nem sequer sabia se queria entender.

Mais uma vez, foi tomada pelo sentimento de que aquilo era algo pessoal contra ela, que ia muito além do passado sórdido de Lenda e de seu relacionamento com Anna, avó da garota.

Atrás de Scarlett, a água voltou a se movimentar. Ela não sabia se isso queria dizer que mais pessoas estavam chegando. Odiou ser obrigada a abandonar o corpo de Julian ali – o rapaz merecia muito mais do que ser abandonado dentro de uma caverna. Mas, se quisesse salvar a vida do marinheiro, precisava pôr fim àquilo, encontrar Tella e ter seu desejo realizado.

Scarlett levantou a cabeça e viu mais vaga-lumes luminosos cor de jade dançando no ar, movimentando-se feito uma cortina de fumaça reluzente, para iluminar as três direções da escadaria que estava diante de seus olhos.

Lenda havia recomendado a da direita. A garota pensou que o Mestre do Caraval devia saber que não confiava nele, então havia uma boa possibilidade de ter dito a verdade por causa disso. Entretanto, era ardiloso ao ponto de saber que Scarlett também pensaria isso.

Foi se dirigindo aos degraus da esquerda, mas mudou de ideia no último instante, porque se lembrou do que Lenda havia dito a respeito de contar a verdade. O governador Dragna raramente contava toda a verdade, mas raramente mentia de forma descarada. Reservava as mentiras para situações mais importantes. Scarlett imaginou que Lenda também era assim.

Obrigou-se a subir a escadaria correndo, de espiral em espiral e mais espiral, recordando de todas as escadarias pelas quais havia andado com Julian. A cada lance, tinha que lutar contra as lágrimas e contra a exaustão. Sempre que conseguia não chorar por Julian, imaginava que encontraria a irmã no mesmo estado em que havia abandonado o marinheiro: um corpo imóvel, um coração que não bate, olhos que não veem.

O mundo parecia mais rarefeito quando Scarlett chegou ao topo da escadaria. Seu vestido estava empapado de suor, e suas pernas ardiam e tremiam. Não conseguia se imaginar tendo forças para voltar correndo e depois subir de novo, caso tivesse escolhido a escadaria errada.

Diante dela, havia uma escadinha bamba que levava a uma pequena porta de alçapão quadrada. A garota perdeu o equilíbrio várias vezes tentando subi-la. Não fazia ideia do que encontraria do outro lado da porta. Sentiu calor. Ouviu um crepitar também. Com certeza, de fogo aceso.

Scarlett cambaleou e bateu na escada, torcendo para que fosse fogo dentro de uma lareira, simplesmente, não um quarto inteiro em chamas. Respirou fundo e abriu o alçapão.

QUINTA NOITE: ÚLTIMA NOITE DO CARAVAL

Luz de estrelas por todos os lados.
Constelações que Scarlett nunca vira na vida formavam uma abóbada naquela noite vasta, cor de nanquim. Parecia que o mundo se resumia a uma sacada sem parapeito: o chão era um pedaço de ônix luminoso, com divãs estofados, de um tamanho exagerado, em tons de poeira de estrela, e pequenas fogueiras lançavam chamas azuis incandescentes.

Bem acima do resto do mundo, deveria ser frio, mas o ar estava morno quando Scarlett passou se arrastando pela abertura do alçapão, tilintando de leve os botões do vestido no chão lustroso. Tudo naquele lugar fedia a Lenda, até o cheiro das fogueiras, parecia que a lenha era de veludo com alguma coisa levemente doce. O ar passava uma sensação suave e venenosa. Mais perto da parede dos fundos do quarto, uma enorme cama preta, lotada de travesseiros sombrios como pesadelos, debochava da garota. Ela não sabia para qual finalidade Lenda usava aquele quarto, mas sua irmã não estava...

– Scar?

Um corpo miúdo se sentou na cama. De cachos cor de mel, que balançavam, emoldurando um rosto que poderia ser angelical, se não fosse o sorriso diabólico.

– Ah, meu amor! – disse Tella, com uma voz estridente.

Em seguida, pulou da cama e deu um abraço bem apertado em Scarlett, antes que ela conseguisse chegar na metade do quarto. Quando

Donatella enlaçou a irmã em seus braços fortes, fez Scarlett acreditar que finais felizes eram possíveis. A irmã estava viva. Tocar nela dava uma sensação de maciez, de luz do sol e de sementes para plantar sonhos.

Agora Scarlett só precisava reaver Julian.

Ela se afastou um pouco, só para se certificar de que aquela era mesmo Tella. A irmã mais nova costumava abraçá-la com frequência, mas não com tanto entusiasmo.

– Você está bem? – Scarlett examinou Donatella, procurando sinais de cortes e machucados. Não iria permitir que a empolgação a fizesse esquecer do verdadeiro motivo para estar ali. – Você tem sido bem tratada?

– Ah, Scar! Sempre se preocupando. Estou tão feliz por você, finalmente, ter conseguido chegar aqui. Pela primeira vez na vida, estava começando a ficar receosa. – Donatella respirou bem fundo, ou talvez tenha estremecido, já que estava usando apenas uma camisola fina, azul-clara. – Eu estava começando a ficar com medo de que você não viesse. Não que aqui em cima não seja incrível.

Donatella apontou para todas aquelas estrelas, algumas delas pareciam estar tão perto que daria para pegar e guardar no bolso. Perto demais, na opinião de Scarlett. Como a beirada mais alta em volta da sacada, tão perto do chão que daria na mesma se não houvesse barreira nenhuma. Uma prisão disfarçada de suíte de luxo, com vista palaciana.

– Mil desculpas, Tella.

– Tudo bem. Eu só estava ficando absurdamente entediada.

– Entediada...

Scarlett engasgou ao pronunciar a palavra. Não esperava que Tella fosse tão transformada pelo Caraval quanto ela. Mas "entediada"?

– Não me entenda mal. Tive minhas vantagens e fui bem tratada... Pelos dentes do Altíssimo! – Os olhos redondos de Tella se arregalaram quando viram as mãos e o vestido ensanguentados de Scarlett. – O que foi que aconteceu? Você está coberta de sangue!

– Não é meu.

Scarlett sentiu um nó na garganta ao olhar para as próprias mãos. Apenas uma gota daquele sangue havia lhe dado um dia da vida de Julian. Doía pensar quantos dias estavam respingados por seu corpo – *dias que ele deveria ter vivido.*

Donatella franziu o cenho e perguntou:

– De quem é esse sangue?

– Prefiro não explicar isso aqui.

Scarlett então ficou em silêncio, sem saber direito o que dizer. Precisavam sair dali, ir para bem longe de Lenda, mas ela seria obrigada a encontrar o Mestre do Caraval se quisesse cobrar o prêmio e ter o desejo de salvar a vida de Julian realizado.

– Tella, precisamos ir embora. – A garota levaria a irmã até um local seguro, depois voltaria para cobrar o prêmio. – Se arrume rápido, não pegue nada pesado, que possa nos retardar. Por que você ainda está parada, Tella? Não temos muito tempo!

Mas Donatella não se mexeu. Só ficou ali parada, com aquela camisola azul tão frágil. Um anjo amarrotado, que fitava Scarlett com olhos arregalados e preocupados.

– Me avisaram que isso poderia acontecer. – Tella abaixou a voz e começou a falar naquele tom terrível que as pessoas costumam reservar para crianças manhosas ou idosos: – Não sei para onde você acha que a gente precisa correr, mas está tudo bem. O jogo terminou. Este quarto é o fim, Scar. Você pode se sentar e respirar tranquila.

Dito isso, Donatella levou a irmã até um daqueles ridículos divãs estofados.

– Não! – Scarlett se desvencilhou dela. – Não sei quem foi que te deu esse aviso, mas é mentira. Isso nunca foi apenas um jogo. Não sei o que te falaram, mas você está correndo perigo. Nós duas estamos correndo perigo. O pai está aqui.

As sobrancelhas de Tella se ergueram em uma expressão de surpresa, mas ela logo alisou a testa, como se não estivesse nem um pouco alarmada.

– Tem certeza de que não foi só uma espécie de ilusão?

– Certeza absoluta. A gente precisa sair daqui. Tenho um *amigo*... – Scarlett não conseguiu pronunciar o nome de Julian: mal conseguia dizer a palavra "amigo", mas se obrigou a ser forte por Tella. – Meu *amigo* tem um barco e vai nos levar para onde a gente quiser. Como você sempre quis.

Scarlett tentou segurar a mão da irmã. Mas, desta vez, foi Tella quem deu um passo para trás. Apertou os lábios e falou:

– Scar, por favor, ouça o que você está dizendo. Seus olhos estão te pregando uma peça. Não lembra do aviso que nos deram quando chegamos, "tome cuidado para não se deixar arrebatar demais?".

– E se eu te disser que o jogo deste ano é diferente? – Scarlett tentou explicar a história de Lenda com a avó o mais rápido possível. – Ele nos trouxe para cá por vingança. Sei que você tem sido bem tratada, mas tudo o que Lenda te disse é mentira. Precisamos ir embora.

Enquanto Scarlett falava, a expressão de Donatella mudou. Ela começou a morder o lábio, mas se foi porque temia pela vida das duas ou pela sanidade da irmã, Scarlett não soube dizer.

– Você realmente acredita nisso? – perguntou Tella.

A outra garota fez que sim, e torceu, desesperada, para que a ligação que tinha com a irmã fosse mais forte do que as dúvidas de Donatella.

– Sei que parece estranho, mas vi as provas.

– Tudo bem. Me dê um minuto.

Tella deu as costas para a irmã e sumiu atrás de um grande biombo preto que havia perto da cama. Enquanto isso, Scarlett foi empurrando um dos divãs até tapar a porta do alçapão, eliminando a possibilidade de alguém entrar pelas mesmas escadas que a tinham levado até ali. Assim que terminou de posicionar o móvel, Tella reapareceu, envolta em um robe de seda azul, segurando um pano em uma mão e uma bacia de água na outra.

– O que você está fazendo? Por que não pôs uma roupa decente?

– Sente-se. – Tella apontou para uma das muitas coisas estofadas. – Não estamos correndo perigo, Scar. Não sei do que você tem medo, mas sei que acredita que isso é real. Só que esse é o objetivo do Caraval. Tudo é feito para parecer real, mas nada é. Agora, sente-se, que vou limpar um pouco desse sangue. Você vai se sentir melhor quando estiver limpinha.

Scarlett não se sentou.

Donatella estava falando naquele tom de novo. Aquele, reservado para crianças ensandecidas e adultos delirantes. Não que Scarlett pudesse recriminá-la por isso. Se não tivesse ficado cara a cara com o pai ou visto Julian morrer, se não tivesse sentido o coração do marinheiro parar e o sangue quente dele em suas mãos nem assistido à vida ir se esvaindo de Julian, Scarlett bem poderia ter duvidado de que essas coisas tivessem sido reais.

Ah, se ao menos conseguisse duvidar...

– E se eu puder provar? – Ela pegou o convite para o enterro. – Pouco antes de eu subir até aqui, Lenda deixou isso para mim – declarou.

Em seguida, enfiou o cartão na mão da irmã e completou: – Veja com seus próprios olhos. Ele pretende te matar!

– Por causa da vovó Anna? – Tella fez careta enquanto lia o cartão. E aí, ficou com cara de quem estava se segurando para não rir. – Ah, Scar, acho que você entendeu errado a mensagem.

A garota abafou mais uma risadinha e devolveu o cartão para a irmã mais velha.

A primeira coisa de diferente que Scarlett percebeu foram as bordas. Não eram mais pretas. Agora estavam douradas, e a letra também havia mudado.

Cara srta. Dragna,

Como minha convidada especial, gostaria de convidá-la, assim como sua irmã, para uma festa, normalmente reservada aos meus artistas do Caraval. Tem início uma hora depois do pôr do sol. Sei que não sou o único que espera ver a senhorita e a sua irmã lá.

Com carinho,

Lenda

36

— Não há nada de ameaçador nisso. — Tella deu risada. — A menos que a ideia de que Lenda pode gostar de você te deixe nervosa.
— Não! Não era isso que estava escrito. Era um convite para um funeral. O *seu* funeral. — Scarlett dirigiu um olhar de súplica para a irmã e insistiu: — Não estou louca. Este cartão está diferente do que quando o li, lá nos túneis.
— Aqueles que passam por baixo do jogo? — interrompeu Donatella. — Não é nesses túneis que as pessoas enlouquecem?
— Eram outros. Juro, Tella, não estou maluca. O cartão dizia que você iria morrer amanhã, a menos que eu pudesse impedir que isso acontecesse. Por favor, mesmo que não acredite em mim, preciso que tente acreditar.

Donatella deve ter visto o desespero da irmã mais velha, porque pediu:
— Deixe eu ver esse papel de novo.

Scarlett devolveu o cartão para ela.

Sua irmã examinou o convite com extremo cuidado. Desta vez, aproximou o cartão de um dos braseiros. Mas, por mais que fizesse, o que estava escrito não mudou.
— Juro, Tella, era o convite para um enterro, não para uma festa.
— Acredito em você.
— Acredita mesmo?
— Bom, acho que é igual aos ingressos que você recebeu lá em Trisda, que mudavam sob certas luzes. Mas, Scar... — Aquele tom dolorosa-

mente cuidadoso, mais uma vez. – Será que não pode ser só mais uma coisa do jogo, um subterfúgio para trazer você até aqui, já que estava demorando tanto? E agora que você está aqui, *tarãn*! O cartão deixou de conter uma ameaça e agora dá direito a um prêmio. Me fale, o que faz mais sentido?

Donatella falou de um jeito que fez tudo parecer muito racional. E, ai... como Scarlett queria que a irmã tivesse razão. Sabia que os túneis – e Lenda – podiam ludibriar as pessoas. Só que o Mestre do Caraval não era a única ameaça.

– Você pode não acreditar em mim em relação ao Caraval, Tella, mas juro que o pai está aqui. Procurando por você, por nós duas, neste exato momento. E pode acreditar que a presença dele não é uma miragem mágica do jogo. Nosso pai está aqui com o conde Nicolas d'Arcy, meu noivo. Para conseguir fugir, tive que dar um sossega-leão em d'Arcy, usando um elixir de proteção, depois o amarrei a uma cama... Tenho certeza de que você consegue imaginar o quanto o pai vai ficar furioso se nos encontrar agora.

– Você amarrou seu noivo na cama?

Donatella deu uma risadinha.

– Isso não é uma piada! Por acaso você não ouviu o que eu disse que vai acontecer se o pai nos encontrar?

– Não sabia que você era dessas, Scar! Só imagino que outras coisas o jogo pode ter mudado em você.

A garota deu um sorriso ainda mais amplo e, pelo jeito, havia ficado perplexa e impressionada mesmo. O que poderia ter deixado Scarlett feliz se ela não estivesse torcendo para a irmã ficar apavorada e em pânico.

– Você não está entendendo. Tive que fazer isso porque nosso pai ia me obrigar a...

Quando tentou pronunciar as palavras, Scarlett ficou com um nó na garganta, de vergonha. Pensar no que o pai tentara obrigá-la a fazer lhe dava a sensação de que não era uma pessoa de verdade. Era mais outra coisa.

A expressão de Donatella se suavizou. Ela abraçou Scarlett como só uma irmã poderia abraçar. Com a ferocidade de um gatinho que acabou de ganhar as garras, parecia estar louca para estraçalhar o mundo inteiro e remediar aquela situação. E, por um instante, Scarlett achou que tudo seria remediado.

– Agora você acredita em mim?

– Acredito que esta semana foi uma loucura para você, mas já passou. Nada disso foi real. – Donatella tirou, com carinho, uma mecha de cabelo escuro que havia caído no rosto de Scarlett. – Você não tem com o que se preocupar, minha irmã. E, um dia, o pai vai pagar por todos os pecados que cometeu. Todas as noites, rezo para um anjo descer do céu e cortar as mãos dele, para que nosso pai nunca mais possa machucar alguém.

– Acho que os anjos não fazem coisas desse tipo – resmungou Scarlett.

– Talvez os anjos que moram no céu não façam, mas existe todo tipo de anjos.

A garota soltou a irmã mais velha, e seus lábios rosados esboçaram um sorriso composto de esperança, de sonhos e de outras coisas traiçoeiras.

– Não me diga que você mesma pretende cortar as mãos do pai.

– Depois desta noite, acho que as mãos do pai não serão mais um problema. Não para nós, pelo menos. – Os olhos de Tella reluziram com o mesmo brilho perigoso de seu sorriso. – Não fiquei aqui em cima sozinha esse tempo todo. *Conheci* uma pessoa. Ele sabe de tudo que nosso pai fez e prometeu cuidar da gente. De nós duas.

Donatella estava radiante, reluzia mais do que a chama de velas e do que *glitter* feito de vidro. O tipo de alegria que só podia significar uma coisa terrível.

Quando Tella disse "entediada" pela primeira vez, Scarlett ousou ter esperança de que Lenda não tivesse seduzido sua irmã mais nova. Mas, pelo tom de voz dela e pelo olhar que fez naquele momento, Scarlett temeu que o Mestre do Caraval tivesse conseguido seduzi-la: cada gota de razão havia sumido dos olhos de Donatella, que assumiu uma expressão sonhadora, denunciando que a garota ou estava apaixonada ou estava maluca.

– Você não pode confiar nele – disparou Scarlett. – Por acaso não ouviu o que eu disse? Lenda nos odeia. É um assassino!

– E quem foi que falou de Lenda?

– Não é dele que você está falando?

Donatella fez uma cara engraçada e declarou:

– Nunca o vi na vida.

– Mas você ficou aqui, nesta torre. A torre de Lenda.

– Eu sei. E você não faz ideia de como fiquei irritada, tendo que assistir a todo mundo lá embaixo, enquanto eu estava presa aqui em cima.

Ela bufou e lançou um olhar que foi além da sacada sem parapeito.

As duas estavam a uns bons quatro metros da beirada, mas Scarlett não se sentia segura. Seria fácil demais pular. Sua irmã mais nova podia até não ter sido seduzida por Lenda. Mas, sabendo que o Mestre do Caraval havia colocado tanto Dante quanto Julian em seu caminho, Scarlett não conseguia imaginar que com o novo pretendente de Tella fosse diferente – o rapaz perfeito para fazer sua irmã enlouquecer.

– Como é o nome dele?

– Daniel DeEngl – anunciou Tella. – É um lorde bastardo do Império do Extremo Norte. Isso não é absurdamente delicioso? Você vai adorar, Scar. Lá tem castelos, com fossos, torres e todo tipo de coisa dramática.

– Mas, se você ficou aqui em cima esse tempo todo, onde conheceu esse tal de Daniel?

– Não fiquei aqui em cima esse tempo *todo*. – As bochechas de Donatella coraram, ficando com o mais claro dos tons de rosa, e Scarlett recordou da voz masculina que ouvira saindo do quarto de Tella quando a primeira noite do jogo terminou. – Eu estava com Daniel quando fui sequestrada pelo jogo. Ele até tentou afugentar as pessoas, mas também foi levado.

A garota sorriu, como se essa fosse a coisa mais romântica que já tivesse lhe acontecido.

– Isso é errado, Tella. Você não pode estar apaixonada por alguém que acabou de conhecer.

Donatella se encolheu toda, e a cor de suas bochechas ficou mais intensa, transformando-se em um vermelho raivoso.

– Sei que você passou por muita coisa. E é por isso que não vou jogar na sua cara o fato de que você ia se *casar* com alguém que nunca viu na vida.

– É diferente.

– Eu sei. Porque, ao contrário de você, eu realmente conheço meu noivo.

– Por acaso você disse "noivo"?

Tella fez que sim, com orgulho.

– Você não pode estar falando sério. Quando ele te pediu em casamento?

– Por que você não está feliz por mim?

A expressão da garota murchou, ficou triste como uma boneca quebrada. Quebrada por Scarlett.

Scarlett se segurou para não dizer as cinco primeiras respostas que lhe vieram à cabeça.

– Sei que rezei para coisas terríveis acontecerem, Scar, coisas que os anjos não fazem. Mas também rezei para algo exatamente assim acontecer. Posso até conseguir convencer um rapaz a ir comigo para a adega. Mas, antes de Daniel, nunca ninguém havia gostado *de mim* de verdade.

– Tenho certeza de que esse tal de Daniel deve ser maravilhoso – disse Scarlett, com todo o cuidado. – E quero ficar feliz por você, quero mesmo. Mas isso não te parece coincidência demais? Não consigo parar de pensar que Lenda pode estar fazendo um joguinho diferente com você, com a ajuda de Daniel.

– Não está, não. Sei que você não tem muita experiência com os homens, mas eu tenho. E pode acreditar quando digo que meu relacionamento com Daniel é muito real.

Donatella deu um passo abrupto para trás, deixando entrever o contraste dos pés brancos e o escuro chão de ônix. Então pegou uma sineta de prata que estava em um dos divãs estofados.

– O que você está fazendo?

– Estou chamando Daniel, para que você o conheça e veja com seus próprios olhos.

A porta se abriu, e Jovan surgiu, parecendo um arco-íris, com o mesmo traje colorido que usava na primeira noite, quando estava de monociclo.

– Ah, oi. – Ela se empertigou quando viu Scarlett. – Você finalmente encontrou sua irmã.

– Você não pode confiar nela – sussurrou Scarlett, para a irmã. – Essa garota trabalha para Lenda.

– É claro que ela trabalha para Lenda. Perdoe minha irmã, Jo, ela ainda está envolvida com o jogo. Acha que Lenda quer matar nós duas.

– E você tem certeza de que ela está enganada? – perguntou Jovan.

Em seguida, deu uma piscadela, como se estivesse brincando. Mas, quando dirigiu o olhar para Scarlett, o tom de brincadeira havia sumido.

– Viu só? – disse Scarlett. – Ela sabe!

Donatella ignorou a irmã e pediu:

– Você pode ir buscar o lorde DeEngl para mim, por favor?

Antes que Scarlett pudesse protestar, Jovan fez que sim e sumiu por onde havia entrado: uma porta escondida na parede dos fundos do quarto.

– Por favor, Tella – implorou Scarlett. – Precisamos sair daqui. Você não faz ideia de como esse jogo é perigoso. Mesmo que você esteja certa em relação a Daniel, não é seguro ficar aqui. Lenda não vai permitir que vocês fiquem juntos.

Scarlett ficou em silêncio por alguns instantes e estendeu as mãos, mostrando para a irmã, mais uma vez, todo aquele sangue precioso.

– Está vendo… isso? – Sua voz ficou embargada, e ela completou: – Isso é real. Antes de eu vir para cá, vi Lenda matar uma pessoa…

– Ou pensou que viu – interrompeu Donatella. – Não sei o que você acredita ter visto, mas tenho certeza de que não foi real. Você se esquece que tudo o que acontece lá embaixo faz parte do jogo. E não vou fugir de Daniel porque você perdeu a cabeça e se envolveu demais na competição.

Os lábios da garota formaram uma delicada curva para baixo, e ela prosseguiu:

– Sei que ninguém me ama mais do que você, Scar. Vou ficar arrasada sem você. Por favor, não me abandone agora. E não me peça para abandonar Daniel. – Nessa hora, os lábios de Tella formaram uma careta ainda mais pronunciada. – Não me faça escolher entre os dois amores da minha vida.

Dois amores. O coração de Scarlett doeu ao ouvir as palavras que a irmã havia escolhido. De repente, estava na escadaria de novo, vendo a cabeça de Julian cair para trás, segundos antes de o marinheiro parar de respirar. Tinha que dar um jeito de trazê-lo de volta à vida, mas também tinha que tirar a irmã daquela torre, em segurança, e levá-la para bem longe daquela sacada.

– Agora… – falou Donatella, toda alegre, como se tudo estivesse resolvido, apesar de Scarlett não ter dito uma palavra sequer. – Me ajuda a ficar bonita para o lorde Daniel! – A garota foi saltitando até o biombo e gritou: – Que tal você se arrumar também? Tenho uns vestidos que vão ficar deslumbrantes em você.

A noite ficou ainda mais escura, e Scarlett continuou parada no mesmo lugar, como se tivesse criado raízes.

Sabia que estava com uma aparência meio-morta e se sentia tentada a continuar daquele jeito mesmo. Gostava da ideia de assustar o noivo da irmã. Gostava ainda mais da ideia de ir embora dali – só que Tella não era do tipo que sairia correndo atrás de Scarlett, caso ela fosse embora. E se Donatella tivesse razão? Talvez fosse pretensão demais supor que o jogo inteiro girava em torno das duas. Se a irmã estivesse certa, e Scarlett estragasse o noivado, Tella jamais a perdoaria.

Mas, se não estivesse louca e Julian estivesse mesmo morto, Scarlett precisava cobrar o prêmio e realizar o desejo de salvar a vida do marinheiro.

Atrás do biombo, o guarda-roupa e diversos baús estavam abertos, transbordando de todo tipo de roupa. Scarlett ficou observando a irmã tentar se decidir entre vários vestidos.

Com sorte, depois de conhecer o tal de Daniel, daria um jeito de convencer Tella a ir embora com ela. Nesse meio-tempo, ficaria com a irmã e descobriria um jeito de cobrar de Lenda o prêmio que havia conquistado.

– O hortênsia – disse Scarlett. – Azul é a cor que mais te favorece.

– Eu sabia que você ia ficar aqui. Tome, este aqui é para você, vai ficar tão dramático com seu cabelo escuro e essa sua nova mechinha. Desculpe, não tenho sapatinhos do seu tamanho. Você vai ter que deixar essas botas secarem.

Donatella entregou para Scarlett um vestido cor de groselha, com uma saia volumosa e vaporosa, mais longa atrás, bordada com miçangas vermelhas em forma de lágrima.

O vestido tinha a mesma cor do sangue que tinha nas mãos. Enquanto finalmente as lavava, a garota jurou para si mesma que daria um jeito de trazer Julian de volta à vida. Naquela noite, nenhum outro ferimento sujaria suas mãos.

– Prometa só uma coisa – disse Scarlett. – Aconteça o que acontecer, jure que você não vai pular de nenhuma sacada.

– Só se você me prometer que não vai dizer coisas esquisitas como essa quando Daniel chegar.

– Estou falando sério, Tella.

– Eu também. Por favor, não estrague este...

Alguém bateu à porta.

– Deve ser Daniel.

Tella calçou um par de sapatinhos prateados e rodopiou com seu vestido hortênsia. Da cor dos sonhos bonitos e dos finais felizes.

– Você está linda – elogiou Scarlett.

Mas, apesar de ousar ter a esperança de que a irmã é que estivesse certa e não ela, Scarlett não tinha como ignorar a poça de pavor amarelo e amargo que se formou em seu estômago quando Donatella saiu correndo de trás do biombo e se dirigiu à porta escondida na parede dos fundos do quarto.

O mundo sacudiu quando Tella abriu a porta, e tudo se inclinou quando Scarlett viu o homem que estava do outro lado segurar sua irmã pela cintura, a puxar para perto de si e lhe dar um beijo.

Quando a garota se afastou do homem, dois pontos cor-de-rosa tingiram suas bochechas.

– Temos companhia, Daniel.

Donatella levou o homem que chamou de Daniel até os divãs estofados onde Scarlett estava, imóvel.

– Quero que você conheça minha irmã, Scarlett.

A jovem ficou radiante de novo, tão radiante que não percebeu que a irmã deu um passo para trás, involuntariamente, nem que o rapaz ao seu lado passou a língua nos lábios quando ela não estava olhando.

– Afaste-se desse homem, Donatella – disse Scarlett. – O nome dele não é Daniel.

37

Ele não estava mais de cartola e havia trocado a casaca escura por um sobretudo acinturado branco e impecável. Mas os olhos ainda tinham o mesmo brilho louco, como se, por trás deles, houvesse algo descompensado, que ele não estava preocupado em esconder.

Donatella sussurrou:
– Scar...
E, em seguida, falou, sem emitir som:
– *Você está sendo esquisita de novo.*
– Não, eu conheço este homem – insistiu Scarlett. – É Lenda.
– Scarlett, pare de bancar a louca. Daniel ficou comigo a noite toda, durante *todas as noites* do jogo. Não existe a possibilidade de ele ser Lenda.
– É verdade – confirmou Lenda.

Dito isso, passou o braço nos ombros de Tella, que ficou parecendo uma criança perto dele. O Mestre do Caraval puxou o corpo miúdo da garota para perto de si de um jeito possessivo.

– Tire as mãos dela!
Scarlett foi para cima de Lenda.
– Scar! Pare!
Donatella agarrou a irmã pelo cabelo e a puxou para longe de Lenda, antes que ela conseguisse causar mais do que um arranhão no rapaz.

– Mil desculpas, Daniel – disse Tella. – Não sei o que deu nela. Pare com essa loucura, Scarlett!

– Ele mentiu para você! – O couro cabeludo de Scarlett ardia, de tanto se debater com a irmã. – Esse homem é um assassino.

Só que Lenda não parecia um assassino naquele momento. Vestido de branco e sem o sorriso louco, parecia inocente como um santo.

– Talvez a gente devesse amarrar sua irmã, antes que ela se machuque – sugeriu.

– Não! – gritou Scarlett.

Tella ficou com uma expressão incomodada, por alguns instantes.

– Amor, ela está enlouquecida e vai machucar um de nós dois. – Nessa hora, as sobrancelhas do Mestre do Caraval se uniram, como se ele realmente estivesse preocupado. – Lembra do que avisaram, que tem gente que se deixa arrebatar demais pelo Caraval? Vou segurar sua irmã enquanto você pega a corda. Deve ter corda em algum desses baús, para incidentes como esse.

– Tella, por favor, não dê ouvidos a ele! – suplicou Scarlett.

– Amor – insistiu Lenda, com um tom de preocupação que era pura falsidade. – É para o bem dela.

Donatella olhou para o Mestre do Caraval, em toda a sua glória impecável, depois para Scarlett, que estava com o cabelo emaranhado e o rosto marcado pelas lágrimas.

– Desculpe – falou. – Não quero que você se machuque.

– Não! – Scarlett se debateu de novo.

Rasgou a manga do vestido e espalhou miçangas pelo chão, porque Lenda a arrancou dos braços da irmã. Suas mãos apertaram a garota com a força de grilhões de ferro, torceram os pulsos dela e os prenderam nas costas. Nesse meio-tempo, Donatella sumiu atrás do biombo.

– Viu só como ela está disposta a fazer tudo o que eu sugerir? – ronronou Lenda, no ouvido de Scarlett.

– Por favor – implorou ela. – Deixe Tella em paz. Faço o que você quiser se permitir que ela vá embora. Se quiser que eu pule da sacada, eu pulo. Só não faça mal à minha irmã!

Com um único e preciso movimento, o Mestre do Caraval virou a garota de frente para ele. Pele clara, maçãs do rosto pronunciadas e olhos repletos de uma loucura explícita.

– Você pularia e morreria por ela? – perguntou. Então soltou Scarlett com um empurrão e completou: – Então pule. Agora.

– Você quer que eu pule neste exato momento?

– Neste exato momento, não. – Os cantos dos seus lábios se repuxaram, formando um arremedo de sorriso demente. – Eu não teria te convidado para o enterro dela se quisesse que você morresse hoje à noite. Apenas vá até a beirada da sacada, o mais perto que conseguir, sem cair.

Scarlett não conseguia pensar direito. Imaginou que era assim que Tella deveria se sentir quando estava com Lenda: atordoada e atônita.

– Se eu fizer isso, você promete que não vai fazer mal à minha irmã?

– Dou a minha palavra. – Lenda levou a mão pálida ao coração, enfatizando a promessa, e completou: – Se você for até a beirada da sacada, juro, pela minha vida incrível, que não vou mais encostar um dedo em sua irmã.

– E promete que não vai deixar ninguém mais encostar?

O Mestre do Caraval mediu a garota de cima a baixo, da manga rasgada do vestido até os pés descalços, e respondeu:

– Você não está em condições de fazer exigências.

– Então por que você concordou com a minha primeira exigência?

– Queria ver até onde você está disposta a ir. – Seu tom ficou açucarado de tanta curiosidade, mas o olhar era de puro desafio. – Se não estiver disposta a pular, nunca vai conseguir salvar a vida dela.

Aos ouvidos de Scarlett, foi como se Lenda tivesse dito "Se você não tiver coragem de pular, não ama a sua irmã de verdade".

Determinada, a jovem se dirigiu à beirada da sacada. O ar noturno foi envolvendo seus tornozelos à medida que se aproximava. E, apesar de não ter medo de altura, Scarlett ficou tonta quando teve coragem de olhar para baixo e viu as migalhas de luz, os pontinhos de pessoas e o chão firme que não teria misericórdia se ela...

– Pare! – berrou Lenda.

Scarlett congelou, mas o Mestre do Caraval continuou gritando, com um tom de pavor artificial, embargando a voz nos momentos certos.

– Corra, Donatella. Sua irmã está tentando pular da sacada.

– Não! – berrou Scarlett. – Não estou...

Lenda lhe lançou um olhar de censura que obrigou a garota a deixar a frase no ar e ameaçou:

– Se disser mais uma palavra, não terá mais garantia nenhuma de minha parte.

Só que as promessas de Lenda não valiam nada. Scarlett fora tola de acreditar em qualquer coisa vinda do Mestre do Caraval. Lenda havia obrigado Scarlett a se aproximar da beirada da sacada para afastá-la ainda mais de Tella.

A irmã mais nova voltou com a corda, exibindo uma expressão preocupada.

— Scarlett, por favor, não pule!

O rosto de Tella estava todo vermelho e inchado.

— Eu não ia pular — insistiu Scarlett.

— Mil desculpas. Sua irmã me convenceu a soltá-la. E aí falou que, se pulasse, acordaria do jogo.

— Não é culpa sua, Daniel. Scar, por favor, fique longe daí.

— Ele está mentindo! Foi ele que me pediu para ir até a beirada. Disse que, se eu fizesse isso, não faria mal a você. — Scarlett se deu conta, tarde demais, que isso só a fazia parecer ainda mais louca. — Por favor, Tella, você me conhece. Sabe que eu não faria uma coisa dessas.

Donatella mordeu o lábio. Parecia que tinha ficado dividida novamente. Como se, lá no fundo, acreditasse que a irmã não daria o pulo fatal.

— Eu te amo, Scar, mas sei que esse jogo faz coisas estranhas com as pessoas — falou.

Em seguida, entregou o pedaço de corda para Lenda, que baixou a cabeça de um jeito dramático, como se aquilo também lhe causasse sofrimento.

— Não!

Scarlett queria se afastar, mas a beirada da sacada estava logo atrás dela. A noite cruel estava louca para engoli-la, caso pulasse.

Então foi correndo para frente, tentando ser mais rápida do que Lenda, mas ele se movimentava como uma víbora. Com uma mão, segurou seus pulsos. E, com a outra, a empurrou para cima de uma cadeira.

— Me solte!

A garota tentou chutar o Mestre do Caraval, mas sua irmã também estava por perto, tentando amarrar os tornozelos de Scarlett, que não paravam de se mexer na cadeira, enquanto Lenda segurava os braços e o peito dela contra o móvel. Scarlett sentiu o hálito quente do rapaz na nuca, porque ele sussurrou, bem baixo, para Tella não ouvir:

– Espere até ver o que vou fazer depois.

– Eu vou matar você! – berrou Scarlett.

– Será que a gente deveria dar um sedativo para ela? – perguntou Tella.

– Não, acho que a corda vai segurá-la pelo tempo necessário.

Lenda apertou a corda uma última vez, tanto que dificultou a respiração de Scarlett.

A porta escondida nos fundos do quarto se abriu, e o sorriso maníaco de Lenda voltou, no instante em que o pai das duas entrou, acompanhado do conde Nicolas d'Arcy. O governador se aproximou com passos decididos, de cabeça erguida, ombros bem retos, como se fosse um convidado de honra. O conde, pelo visto, só estava interessado em uma única pessoa: Scarlett.

– Tella!

O pânico de Scarlett foi às alturas.

Pela primeira vez, o rosto de Donatella também esboçou traços de medo.

– O que eles estão fazendo aqui? – perguntou a garota.

– Eu que convidei – respondeu Lenda.

Então abriu o braço, sinalizando Scarlett com um gesto magnânimo, enquanto ela continuava se debatendo para soltar a corda e os outros dois homens se aproximavam dela.

– Toda amarradinha e pronta para viagem, como prometido – declarou Lenda.

– O que você está fazendo, Daniel? – sussurrou Tella.

– Você devia ter dado ouvidos à sua irmã.

O Mestre do Caraval foi para o lado, abrindo caminho para o governador Dragna e o conde Nicolas d'Arcy se aproximarem de Scarlett.

O conde se arrumara desde a última vez que ela o vira. O cabelo escuro estava penteado, e a casaca fora trocada por uma nova, vermelho-granada. Olhava para Scarlett e sacudia a cabeça, como se dissesse "Eu avisei".

– Posso ficar com a corda? – perguntou o governador, com um olhar de pura vingança.

– Diga para eles ficarem longe de nós, Daniel! – gritou Tella.

– Ah, Donatella... Burra e teimosa até o fim. Não existe nenhum Daniel DeEngl. Mas foi um prazer fingir ser ele.

Lenda deu uma risada perversa. O mesmo som horroroso que Scarlett ouvira, pela primeira vez, lá nos túneis.

Os braços de Scarlett se encheram de farpas, de tanto que ela se debateu para se livrar da corda.

Tella não disse mais nem uma palavra, mas Scarlett viu que a irmã estava desmoronando. Ficando menor, mais nova e frágil, de repente, enquanto fitava Lenda do mesmo jeito que Scarlett achava que havia fitado Julian quando ficou sabendo que havia sido enganada pelo marinheiro. Acreditando, mas não aceitando. Esperando por uma explicação que – disso ela tinha certeza – jamais viria.

Até o governador Dragna parecia estar perplexo por Lenda ter confessado sua verdadeira identidade. O conde, contudo, não parecia muito surpreso. Apenas inclinou a cabeça para o lado.

– Não acredito em você – disse Tella.

– Gostaria que eu fizesse um truque de mágica para provar que sou mesmo Lenda?

– Não é nisso que eu não acredito. Você disse que me amava. E todas aquelas coisas que você falou?

– Menti – respondeu o Mestre do Caraval, curto e grosso.

E havia algo a mais naquela grosseria. Como se Tella não fosse digna nem de ser odiada.

– Mas... Mas... – balbuciou Donatella.

O feitiço lançado por Lenda estava, finalmente, se quebrando. Se fosse de porcelana – como Scarlett tantas vezes achava –, Tella teria se despedaçado. Só que ela simplesmente foi indo para trás. Chegando cada vez mais perto da perigosa beirada da sacada.

– Pare, Tella! – berrou Scarlett. – Você está quase na beirada.

– Só vou parar quando vocês se afastarem dela – respondeu a garota. Então lançou um olhar penetrante para o pai e para o conde. – Se um de vocês se aproximar mais da minha irmã, um passo que seja, juro que vou pular. E, pai, o senhor sabe que, se eu deixar de existir, nunca mais vai conseguir controlar Scarlett. Mesmo que fique com ela, não vai conseguir realizar esse casamento.

O governador e o conde pararam, mas Donatella continuou indo para trás, deslizando os sapatinhos prateados até chegar à beirada da sacada.

– Pare, Tella! – berrou Scarlett. Continuava tentando se livrar da corda, e miçangas caíam do vestido de tanto que ela se debatia contra

a cadeira. Aquilo não podia estar acontecendo. Muito menos depois de ela ter visto Julian morrer. Não podia perder a irmã daquele jeito.
— Você está perto demais da beirada!

— É um pouco tarde para isso — declarou Donatella.

Em seguida, deu risada, um som frágil, tão quebradiço quanto ela. Scarlett queria correr ao seu encontro, segurá-la, porque Donatella já se balançava na beirada da sacada. Só que a corda ainda não tinha cedido o suficiente. A garota conseguira soltar os tornozelos, de tanto chutar, mas os braços ainda estavam presos. As estrelas eram as únicas que se compadeciam dela enquanto balançava a cadeira, na esperança de que, se conseguisse derrubá-la, quebraria um dos braços do móvel para, por fim, se soltar.

— Tudo bem, Donatella — falou o pai das duas, quase com ternura. — Você ainda pode voltar para casa comigo. Eu te perdoo. Perdoo você e sua irmã.

— E o senhor espera que eu acredite nisso?! — explodiu Tella. — O senhor é um mentiroso, pior do que ele! — A garota apontou o dedo trêmulo para Lenda e completou: — Vocês todos são *mentirosos*!

— Eu não sou, Tella — rogou Scarlett.

A cadeira caiu no chão com um estrondo e um dos braços se partiu. Scarlett se desvencilhou das cordas e correu para a beirada da sacada.

— Não se aproxime, Scar!

Donatella pôs o calcanhar para fora da sacada.

Scarlett congelou.

— Por favor... — insistiu.

Em seguida, deu mais um passo reticente. Só que o corpo da irmã mais nova balançou, e ela congelou de novo, morrendo de medo de que um movimento em falso pudesse fazer Donatella cair daquela sacada da qual Scarlett queria tanto salvá-la.

— Por favor, confie em mim. — Scarlett estendeu a mão, que não estava mais suja de sangue. Rezou para conseguir salvar a vida de Tella, já que não conseguira salvar a vida de Julian, lá nos túneis. — Vou dar um jeito de cuidar de você. Te amo tanto.

— Ai, Scar — falou Tella. As lágrimas escorriam pelas suas bochechas rosadas. — Eu também te amo. E queria ser forte como você. Forte para ter esperança de que as coisas podem ser melhores, mas não aguento mais. — Os olhos castanho-claros de Donatella se fixaram nos olhos da irmã, tristes como lenha recém-cortada. E aí, ela os fechou, como se não pudesse suportar ficar olhando para Scarlett. – Eu falei sério quando disse que prefiro morrer no fim do mundo a levar uma vida miserável em Trisda. Me desculpe.

Com os dedos trêmulos, Tella mandou um beijo para a irmã.

– Não...

A garota pulou da sacada.

– Não! – urrou Scarlett, enquanto via a irmã cair, a toda velocidade, noite adentro.

Sem asas para voar até o chão, Donatella caiu de encontro à morte.

38

Depois, Scarlett só recordaria de fragmentos e partes do que aconteceu. Não recordaria que Tella ficou parecendo uma boneca que fora derrubada de uma prateleira bem alta, até que o sangue começou a formar uma poça em volta de seu corpo.

Mesmo então, ela não conseguia tirar os olhos do corpo sem vida da irmã. Continuou desejando. Desejando que Tella se movesse. Desejando que Tella levantasse e saísse andando. Desejando ter um relógio que pudesse retroceder o tempo e dar a Scarlett uma última chance de salvar a vida da irmã mais nova.

A garota recordou daquele relógio de bolso que distorcia o tempo, que havia visto em seu primeiro dia no Caraval. Se, ao menos, Julian tivesse roubado esse relógio e não o outro...

Só que Julian também estava morto.

Scarlett engoliu um soluço. Havia perdido os dois. Chorou até sentir os olhos, o peito e outras partes do corpo que ela nem sabia que poderiam doer.

O conde se aproximou, como se quisesse lhe dar algum tipo de consolo.

— Pare. — Scarlett estendeu a mão trêmula e completou: — Por favor.

Engasgou ao pronunciar essa expressão, mas não podia suportar que alguém a consolasse, muito menos ele.

— Scarlett — disse o pai. Ele se aproximou da filha enquanto o conde se afastava. Ou, melhor dizendo, o governador Dragna se arrastou. Ficou encurvado, como se tivesse um pacote pesado e invisível amarrado nas costas. E, pela primeira vez na vida, Scarlett não viu um monstro, mas apenas um valentão triste e velho. Viu que o cabelo claro dele estava ficando branco, e que seus olhos estavam injetados. Um dragão sem fogo e com as asas quebradas. – Lamento...

– Não – interrompeu Scarlett, e o pai bem que mereceu. – Nunca mais quero ver o senhor. Nunca mais quero ouvir sua voz e não quero que tente aliviar a própria consciência me pedindo desculpas. O senhor que provocou tudo isso. O senhor que fez Tella chegar a esse ponto.

– Eu só estava tentando proteger vocês. – As narinas do governador Dragna se expandiram. Ele podia até estar com as asas quebradas, mas ainda tinha lá suas chamas, afinal. – Se você tivesse me dado ouvidos em vez de ser uma desgraça de uma filha desobediente e ingra...

– Senhor! – Jovan, em cuja presença, até então, Scarlett não havia reparado, teve a ousadia de se colocar diante do governador Dragna e dizer: – Acho que o senhor já falou de...

– Saia da minha frente – ordenou o homem.

E, em seguida, deu um tapa na cara de Jovan.

– Não encoste o dedo nela!

Scarlett e Lenda falaram ao mesmo tempo, mas foi o Mestre do Caraval quem tomou a frente, em um piscar de olhos. Seus traços fortes e pálidos e seus olhos muito, muito pretos, agora estavam focados no governador.

– Você não vai ferir mais nenhum de meus artistas – declarou.

– Senão o quê? O que você vai fazer? – urrou o governador Dragna. – Sei quais são as regras. Sei que você não pode me ferir enquanto o jogo não tiver terminado.

– Então também sabe que o jogo termina com o nascer do sol, que está se aproximando rapidamente. Quando isso acontecer, não serei mais obrigado a obedecer a essas regras. – Lenda mostrou os dentes e ameaçou: – E, já que viu meu verdadeiro rosto, tenho um incentivo a mais para livrar o mundo da sua pessoa.

Dito isso, fez um movimento com o pulso, e todas as velas e fogueiras que ardiam pela sacada ficaram mais vivas, lançando uma luz laranja avermelhada e infernal no piso de obsidiana.

O pai de Scarlett ficou sem cor.

– Eu posso até não me importar com sua filha – prosseguiu Lenda –, mas me importo, sim, com meus artistas e sei o que você fez.

– Do que ele está falando? – perguntou Scarlett.

– Não dê ouvidos a ele – desconversou o governador.

– Seu pai achou que poderia *me* matar – explicou Lenda. – O governador acreditou, erroneamente, que Dante era o Mestre do Caraval e acabou com a vida dele, em vez de acabar com a minha.

Scarlett olhou para o pai, perplexa.

– O *senhor* matou Dante?

Até o conde, que agora estava parado bem mais para trás, parecia ter ficado abalado com essa revelação.

O pai de Scarlett ficou ofegante e disparou:

– Eu só estava tentando te proteger!

– Talvez devesse pensar em proteger a si mesmo – prosseguiu Lenda. – Se eu fosse você, *governador*, iria embora agora para nunca mais voltar. Nem para este lugar nem para qualquer outro onde possa me encontrar. As coisas não terão um final tão favorável em uma próxima vez.

O conde foi o primeiro a se defender:

– Não tive nada a ver com assassinato nenhum. Só vim aqui por causa dela.

D'Arcy olhou bem nos olhos de Scarlett. E continuou olhando, por um bom tempo, depois que aquele primeiro momento de constrangimento passou. Não disse mais uma palavra. Mas seus lábios esboçaram um leve sorriso, apenas o suficiente para deixar à mostra os dentes brancos, muito sutilmente. Havia olhado para Scarlett desse mesmo jeito da primeira vez que a noiva fugira dele, como se o jogo entre os dois tivesse acabado de começar, e o conde estivesse louco para jogar.

Scarlett ficou com a impressão de que, apesar de o conde Nicolas d'Arcy já estar de saída, o assunto entre os dois estava longe de terminar.

O cavalheiro inclinou a cabeça, em um arremedo de mesura. Em seguida, deu as costas e saiu pela porta. O barulho das botas prateadas ficou ecoando à medida que d'Arcy se afastava.

– Venha logo. – O governador fez sinal para a filha, com a mão trêmula. – Vamos embora.

– Não. – Scarlett estava tremendo de novo, mas se manteve firme. – Não vou a lugar nenhum com o senhor.

– Sua imbecil de uma... – O governador soltou um palavrão. – Se você ficar, este homem terá derrotado nossa família. É isso que Lenda queria. Mas, se vier comigo, ele sai perdendo. Tenho certeza de que o conde vai...

– Não vou me casar com ele, e o senhor não pode me obrigar. O *senhor* destruiu nossa família. O senhor só quer saber de poder, de controlar os outros. Mas não vai mais fazer isso comigo. Não há nada que me prenda ao senhor agora que Tella se foi.

Por um instante, a garota ficou tentada a subir na beirada da sacada e dizer: "Agora some daqui, ou vai perder as duas filhas". Mas não permitiria que o pai a destruísse como havia destruído a irmã. Ia fazer o que deveria ter feito havia muito tempo.

– Sei de todos os seus segredos, pai. Até hoje, sempre tive muito medo. Mas, agora que o senhor não pode usar Tella para me controlar, não tenho mais motivos para permanecer calada. Sei que o senhor acha que pode se safar até de um assassinato, mas imagino que sua guarda não será leal por muito tempo quando eu contar para todo mundo que o senhor matou o filho de um deles. Vou contar para toda a ilha que o senhor matou Felipe, que o afogou com as próprias mãos, só para me assustar e me obrigar a obedecer. O senhor acha que vai dormir bem depois que o pai de Felipe ficar sabendo disso? E sei de outros segredos também, segredos que podem pôr um fim a tudo o que o senhor construiu.

Scarlett nunca havia sido tão ousada na vida. Seu coração, sua alma e até suas lembranças conseguiram dar um jeito de doer. Tudo doía. Ela se sentia oca e pesada, tudo ao mesmo tempo. Respirar era um sofrimento, e falar era um grande esforço. Mas ainda estava viva. Ainda respirava, falava e sentia. Sentia agonia mais do que tudo, mas também não sentia medo de nada.

E, pela primeira vez, o pai é que parecia estar com medo *dela*.

Mas parecia que ele tinha mais medo de Lenda. De qualquer maneira, estava indo embora, e Scarlett achava que ele não iria mais persegui-la. Governadores não vivem muito tempo se não tiverem guardas leais. As Ilhas Conquistadas não eram o lugar de maior prestígio para governar, mas sempre tem alguém querendo usurpar o poder.

Sendo assim, Scarlett deveria ter se sentido vitoriosa quando o pai saiu porta afora. Estava finalmente livre. Livre do pai. Livre para ir aonde quisesse – Julian lhe dera esse presente, junto com as coordenadas gravadas em seu relógio de bolso.

Julian. O luto que sentia por ele era diferente da dor pela perda de Tella: cada um estraçalhava uma metade diferente dela, mas a deprimiam em igual medida. A garota podia sentir os soluços se acumulando no peito, assomando-se, feito ondas prestes a arrebentar. Mas, quando pensou em Julian, recordou de outra coisa. Recordou por que havia abandonado o corpo do marinheiro lá naqueles túneis.

Vencera o jogo. Ainda tinha o direito de realizar um desejo, e Lenda estava ali para isso.

Por um instante, teve esperança, uma esperança mais leve do que o peso de seu luto. Indescritível e iridescente – *e uma coisa à qual não dava para se apegar, era absolutamente impossível.*

Porque não precisava salvar apenas a vida de Julian.

Ela sentiu uma dor no peito de novo. Tanto Donatella quanto Julian haviam morrido. Achava que nem deveria ter que escolher. Mas tinha, o que a fez se sentir uma irmã de quinta categoria. Ou, talvez, o marinheiro tivesse mais importância do que Scarlett havia percebido. Porque, apesar de saber que escolheria Tella, ela não conseguiu dizer isso logo de cara. Como se, quem sabe, existisse um jeito de salvar a vida dos dois do qual ainda não havia se dado conta.

A irmã ou o rapaz pelo qual tinha quase certeza de ter se apaixonado.

Julian morrera por causa dela. Arriscara tudo por Scarlett quando enfrentou o pai da garota. E depois lhe deu aquele relógio de bolso, logo antes de ela encontrar Lenda. Scarlett pensou na voz tensa do marinheiro, como se Julian estivesse com dificuldade para dizer a verdade. Não fora contratado para protegê-la, mas tinha feito o que estava ao seu alcance. E também fez Scarlett sentir coisas que ela jamais pensou que poderia desejar. E, por isso, iria amá-lo para sempre.

Só que Donatella não era apenas sua irmã, era sua melhor amiga, a única pessoa no mundo que Scarlett deveria ter amado mais do que tudo e mais que qualquer outra pessoa. Era obrigação sua cuidar da irmã mais nova.

Tendo tomado sua decisão, a jovem se virou para o Mestre do Caraval e declarou:

– Eu venci. Você me deve. Quero que realize meu desejo.

Lenda deu uma risada debochada, como se achasse graça do que ela disse, e falou:

– Receio que minha resposta seja "não".

– O que você quer dizer com "não"?

O rapaz respondeu de um jeito seco:

– Pelo seu tom de voz, acho que você sabe exatamente o que eu quero dizer.

– Mas eu venci o jogo – argumentou Scarlett. – Resolvi suas pistas confusas. Encontrei minha irmã. Você tem a obrigação de realizar meu desejo.

– Você realmente espera que eu realize seu desejo depois de tudo isso?

As velas ao redor do Mestre do Caraval bruxulearam, como se todas estivessem rindo com ele.

Scarlett cerrou os punhos, tentando se convencer a não chorar de novo, por mais que as lágrimas ardessem em seus olhos. Conceder apenas um desejo e fazê-la escolher entre as duas pessoas que amava já era cruel demais. Mas não realizar desejo nenhum era indescritível de tão revoltante.

– Qual é o seu problema? Você não dá a mínima para o fato de duas pessoas inocentes terem morrido? Você não tem coração mesmo.

– Se sou tão vil, por que você ainda está aqui? – retrucou Lenda.

Só que, quando dirigiu o olhar para a garota, seus olhos não eram mais aquelas duas pedras preciosas reluzentes que Scarlett vira quando se conheceram. Se ele fosse qualquer outra pessoa, ela teria jurado que Lenda parecia quase triste.

Devia ser por causa do luto. Scarlett estava vendo coisas, porque agora o Mestre do Caraval também parecia estar mais apagado. Sem o brilho que apresentara lá nos túneis ou assim que chegou à sacada. Como se alguém tivesse lançado nele um certo feitiço, que agora estava desaparecendo, tornando-o menos Lenda do que era antes. Lá nos túneis, sua pele clara brilhava. Mas, agora, parecia granulada, quase borrada, como se Scarlett estivesse olhando para uma estátua do Mestre do Caraval que havia se tornado opaca com o tempo.

Por anos e anos, a garota acreditou que ninguém poderia ser pior do que o pai e mais mágico do que Lenda. Mas, apesar daqueles truques que estava fazendo com as chamas, o Mestre do Caraval não parecia mais tão mágico. Talvez a recusa de realizar o desejo de Scarlett fosse porque *não era capaz* de realizá-lo.

Scarlett havia visto tantas maravilhas que, agora, acreditava que desejos podem se realizar. Tentou recordar de todos os relatos de magia que já haviam lhe contado. Jovan dissera que a magia era alimentada por diversas coisas, como o tempo. A avó falara que era alimentada pelo desejo. Quando Julian deu um dia de sua vida para a garota, usou o próprio sangue.

Sangue. Era isso.

No mundo do Caraval, o sangue possuía alguma espécie de magia. Se uma gota podia dar um dia de vida a alguém, talvez Scarlett pudesse trazer Julian e Tella de volta à vida se desse seu sangue para eles em quantidade suficiente.

Nessa hora, se virou para Jo e perguntou:

– Como faço para chegar à rua?

Não sabia se a garota iria responder ou não, mas Jo contou de imediato como Scarlett podia encontrar exatamente o que estava procurando.

Lá fora, ficava mais escuro a cada segundo, os lampiões estavam com uma chama baixa, sinalizando a última hora da noite.

Várias pessoas se aglomeravam em volta de Tella. Da preciosa Tella, que já não era mais a Tella de Scarlett. Sem o sorriso, a risada, os segredos e os deboches e todas as coisas que faziam dela a irmã amada de Scarlett.

Ignorando os curiosos, ela caiu de joelhos e afundou na poça de sangue que havia em torno do corpo da irmã, que parecia estar quebrada de todas as maneiras possíveis. Os braços e as pernas estavam torcidos em posições horríveis e os cachos cor de mel empapados de vermelho.

Scarlett mordeu o dedo com força até o sangue escorrer pela palma de sua mão. Em seguida, apertou a mão contra os lábios imóveis e azulados da irmã.

– Beba, Tella!

Seus dedos tremiam enquanto ela ficou pressionando a boca de Donatella, mas Tella não se mexeu nem respirou.

– Por favor, você me disse que a vida não é só isso – sussurrou Scarlett. – Você não pode deixar de viver agora. Eu desejo que você volte para mim.

Scarlett fechou os olhos e repetiu aquele desejo como se fosse uma oração. Deixara de acreditar que desejos se realizam no dia em que o pai matou Felipe, mas o Caraval havia restaurado sua fé na magia. O fato de Lenda ter dito que não iria realizar seu desejo não fazia a menor diferença. Era como vovó havia explicado: "Todo mundo realiza um desejo impossível, apenas um, se quiser isso mais do que tudo e puder contar com a ajuda de um pouco de magia". Scarlett amava a irmã mais do que tudo. Talvez isso, combinado com a magia do Caraval, bastasse.

Ela continuou desejando, enquanto os lampiões ao redor ardiam lentamente, até perderem a chama, assim como a garota imóvel que estava em seus braços.

Não deu certo.

As lágrimas correram pelo rosto de Scarlett. Ela poderia ficar abraçada a Tella até as lágrimas secarem e as duas irmãs virarem pó. Seriam um alerta para qualquer um que ousasse se deixar arrebatar demais pela farsa do Caraval.

A história poderia ter terminado ali. Em uma tempestade de lágrimas e palavras murmuradas. Mas, no momento em que o sol ia raiar, naquele instante de breu que precede o amanhecer e é o momento mais escuro da noite, uma mão negra balançou delicadamente o ombro de Scarlett.

A garota ergueu a cabeça e deu de cara com Jovan. Como as velas e os lampiões já haviam quase virado fumaça, Scarlett mal conseguia enxergá-la, mas reconheceu seu leve sotaque.

– O jogo já vai terminar oficialmente. Logo, os sinos matinais irão tocar, e as pessoas vão começar a fazer as malas. Fiquei pensando se você gostaria de pegar as coisas da sua irmã.

Scarlett espichou o pescoço para a sacada sem parapeito de Tella – ou melhor, para a sacada sem parapeito de Lenda e declarou:

– Independentemente do que tiver lá, não quero nada.

– Ah, mas tem certas coisas que eu acho que você vai querer, sim – disse Jo.

O DIA SEGUINTE
AO CARAVAL

39

Quando Scarlett chegou à sacada que abrigava o quarto de Donatella, imaginou que aquilo fosse um complô, mais uma maneira de atormentá-la. Todos os pertences que havia na suíte eram recém-adquiridos. Vestidos. Peles. Luvas. Nada daquilo tinha a cara de Tella. A única coisa que realmente tinha a cara da irmã era a lembrança do vestido hortênsia que Donatella estava usando quando morreu. O vestido que não tinha lhe proporcionado um final feliz.

Seja lá o que Jo estivesse pensando...

Ela parou de pensar porque avistou algo. Na penteadeira de Tella. Uma caixa comprida e retangular de vidro jateado, com bordas prateadas. E um fecho que fez o coração de Scarlett bater atropelado. Um sol com uma estrela dentro e uma lágrima dentro da estrela.

O símbolo do Caraval.

A garota passara a odiar aquele selo mais do que odiava roxo. Só que sabia muito bem que aquela caixa, com aquele emblema maldito, não estava ali antes.

Levantou a tampa lentamente.

Um papel. Com cuidado, desdobrou a carta. Estava datada de quase um ano atrás.

1º dia da Estação Quente,
Ano 56, Dinastia Elantine

Caro Mestre-Lenda,

Acredito que o senhor seja um mentiroso, um canalha e um vilão. E gostaria muito que o senhor me ajudasse.

Meu pai também é um vilão, mas não do tipo galante, feito o senhor. É do tipo que gosta de bater nas filhas. Sei que isso não é problema seu e, como deve ter um coração de puro breu, o senhor talvez nem ligue. Mas fiquei sabendo que chegou a sentir algo de verdade quando aquela mulher se atirou da sua sacada, depois de ter sido rejeitada pelo senhor durante o Caraval, há alguns anos. Ouvi dizer que ficou tão chateado que esse foi o verdadeiro motivo para ter parado de sair em turnê.
Ajudar a mim e à minha irmã não vai compensar completamente o que aconteceu naquela ocasião, mas pode ajudar um pouco. Também acho que isso daria um jogo muito interessante e sei o quanto o senhor gosta de jogar.

Atenciosamente,
Donatella Dragna

Scarlett releu a carta, muitas e muitas vezes. Cada vez que a relia, acreditava um pouquinho mais, depois um pouquinho mais. Até que, por fim, acreditou sem sombra de dúvida.

O jogo ainda não havia terminado. E, pelo jeito, Scarlett tinha razão: o Caraval daquele ano não girava apenas em torno de Lenda e do relacionamento que ele tivera com sua avó. Na verdade, parecia que sua irmã havia feito uma espécie de trato com o próprio Mestre do Caraval.

– Jo! Jovan!

A garota apareceu na segunda vez que seu nome foi chamado. Saltitando de um jeito esquisito.

– Me leve até o Mestre-Lenda – disse Scarlett.

40

— O que significa isso? – questionou Scarlett.
Lenda estava sentado diante dela, em uma poltrona capitonê champanhe, olhando por uma janela oval. Não havia sacada nenhuma, não naquele quarto. A garota imaginou que aqueles aposentos eram doentes – se é que quartos podem ter doenças. O espaço amplo era revestido de tons de bege sem graça e só tinha duas poltronas desbotadas.

Scarlett sacudiu a carta na cara de Lenda, que ainda não tirara os olhos da janela. Olhava lá para baixo, para as pessoas que carregavam baús e bolsas de viagem, começando o êxodo que as levaria de volta para o mundo "real".

— Eu estava mesmo me perguntando quando você iria dar as caras por aqui – falou, com um tom afetado.

— Qual foi o trato que você fez com minha irmã? – perguntou Scarlett.

Um suspiro:

— Não fiz trato nenhum.

— Então por que você deixou esta carta no quarto?

— Tampouco fiz isso.

O Mestre do Caraval tirou os olhos da janela, mas havia algo de estranho em sua expressão plácida – ou, talvez, fosse algo faltando.

— Pense bem. Quem poderia querer que você encontrasse essa carta?

Mais uma vez, a primeira pessoa em que Scarlett pensou foi Lenda.

– Não fui eu – insistiu ele. – E aqui vai uma dica: não deve ser difícil descobrir quem foi. Imagine quem poderia ter deixado esta carta para você.

– Donatella? – sussurrou Scarlett. Ela poderia ter colocado a caixa lá quando foi buscar a corda. – Mas por quê?

Ignorando a pergunta, o Mestre do Caraval entregou uma pequena pilha de cartas para Scarlett e declarou:

– Eu também deveria ter te dado isso.

– Por que você simplesmente não diz o que está acontecendo?

– Porque esse não é o meu papel.

Lenda levantou da cadeira e se aproximou tanto de Scarlett que até poderia ter encostado nela, se assim quisesse. Trajava, mais uma vez, a cartola de veludo e a casaca. Mas não sorriu. Nem deu risada nem fez nenhuma daquelas loucuras às quais Scarlett passou a associá-lo. Olhava para ela como se quisesse enxergá-la e também tentasse mostrar algo de si mesmo para a garota.

Mais uma vez, Scarlett ficou com a sensação arrepiante de que faltava alguma coisa no Mestre do Caraval, parecia que as nuvens haviam se apartado para revelar o sol e descortinaram apenas mais nuvens. No quarto de Donatella, a jovem teve a impressão de que o rapaz queria que ela percebesse o quanto estava descontrolado: convenceu Scarlett de que poderia cometer uma loucura a qualquer momento. Agora, parecia que era o contrário.

As palavras "meu papel" ficaram ecoando na mente da garota.

– Você não é Lenda de fato, é?

Um sorriso fraco.

– Isso quer dizer "sim" ou "não"?

Scarlett não estava com paciência para charadas.

– Eu me chamo Caspar.

– Isso não é resposta.

Mas, no instante em que olhou feio para o rapaz, peças do quebra-cabeça se encaixaram em sua cabeça, criando o retrato completo de algo que ela não fora capaz de ver até aquele momento. O relógio pendurado em seu pescoço ficou quente, porque ela recordou da interrupção na confissão de Julian: parecia que o corpo do marinheiro não conseguia pronunciar aquelas palavras. A mesma coisa aconteceu com Julian no carrossel, pouco antes de Scarlett pular.

– Como é artista, fica incapacitado de dizer certas coisas, por causa da magia – supôs Scarlett, em voz alta.

E então se lembrou de outra coisa, palavras de um sonho que, segundo lhe disseram, ela não esqueceria. "Dizem que ele adota um rosto diferente a cada edição do jogo."

Não era magia. Eram diversos artistas. Isso também explicava por que Caspar parecia mais apagado e desbotado, feito uma cópia do verdadeiro Lenda, que Scarlett conhecera na sacada – alguém devia mesmo ter lançado um feitiço nele. E, à medida que o Caraval foi chegando ao fim, esse feitiço começou a perder o efeito. Os cantos de seus olhos agora estavam vermelhos e inchados. Lá nos túneis, sua pele clara estava assustadora de tão perfeita. Mas, agora, Scarlett conseguia enxergar cicatrizes minúsculas no maxilar do rapaz, talvez cortes que fizera ao se barbear. O garoto tinha até algumas sardas no nariz.

– Você não é Lenda de fato. – Desta vez, foi uma afirmação, não uma pergunta. – Foi por isso que disse que não realizaria meu desejo. Você é só um artista, não pode realizar desejos.

Pelo jeito, o jogo não havia terminado mesmo. Scarlett deveria ter adivinhado que o verdadeiro Lenda não apareceria diante dela. Por quantos anos havia escrito para o Mestre do Caraval antes de obter uma resposta?

– Existe mesmo um Lenda?

– Ah, sim. – Caspar deu risada, um riso fraco como o seu sorriso, temperado com algo amargo. – Lenda é bem real, mas a maioria das pessoas não faz ideia se já o viu ou não, incluindo muitos de seus artistas. O Mestre do Caraval não sai por aí dizendo que se chama Lenda. Quase sempre, finge ser outra pessoa.

Scarlett pensou na miríade de pessoas que vira durante o Caraval. E imaginou qual delas poderia ser o enganoso Lenda.

– Você já o viu? – perguntou ela.

– Não tenho permissão para responder a essa pergunta.

Em outras palavras, não.

– Parece que sua irmã, por outro lado, conseguiu chamar a atenção do Mestre do Caraval.

Caspar inclinou a cabeça na direção da mão de Scarlett.

Seis cartas, escritas por duas pessoas diferentes. Começando uma estação depois da primeira missiva de Tella.

1º dia da Estação da Colheita,
Ano 56, Dinastia Elantine

Cara Srta. Dragna,

Você me fez uma pergunta interessante, mas não sei ao certo qual foi o delírio que levou a senhorita a acreditar que posso ajudá-la. Se conhece minha história, está ciente do que aconteceu entre mim e sua avó Annalise.

L

16º dia da Estação da Colheita,
Ano 56, Dinastia Elantine

Caro Mestre-Lenda,

Estou muito ciente de sua história. Mas também sei que, certa vez, lhe disseram que os papéis que o senhor desempenha durante o Caraval afetariam quem o senhor é como pessoa. E, recentemente, fiquei sabendo que, depois que aquela mulher se matou, o senhor resolveu que não quer mais ser vilão e estava propenso a se tornar mais do tipo herói. Esta é a sua oportunidade de se redimir.

Donatella Dragna

44º dia da Estação da Colheita,
Ano 56, Dinastia Elantine

Cara Srta. Dragna,

Não tenho salvação nem como me redimir. Contudo,
dependendo de até onde esteja disposta a ir, pensei a
respeito e talvez possa trabalhar com a senhorita.

L

61º dia da Estação da Colheita,
Ano 56, Dinastia Elantine

Caro Mestre-Lenda,

Estou disposta a fazer o que for preciso. Estou disposta a morrer.

Donatella Dragna

Scarlett xingou a irmã por ter escrito palavras tão tolas. Tolas. Impulsivas. Irracionais. Impensadas...

A raiva da garota amainou quando ela leu a próxima carta.

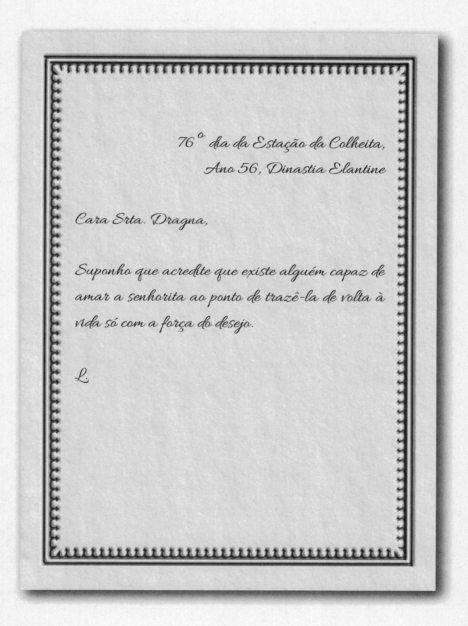

76º dia da Estação da Colheita,
Ano 56, Dinastia Elantine

Cara Srta. Dragna,

Suponho que acredite que existe alguém capaz de amar a senhorita ao ponto de trazê-la de volta à vida só com a força do desejo.

L

1º dia da Estação Fria,
Ano 56, Dinastia Elantine

Caro Mestre-Lenda,

Com certeza.

Donatella Dragna

E isso era tudo. Não havia mais cartas. Scarlett releu todas e, a cada vez que relia, seus olhos ardiam de tantas lágrimas.

O que Tella tinha na cabeça?

— Pelo jeito, sua irmã achava que você teria o poder de trazê-la de volta à vida, se desejasse de verdade – disse Caspar.

Scarlett não se dera conta de que havia feito aquela pergunta em voz alta. E, talvez, devesse ter se sentido melhor com a resposta de Caspar.

Não se sentiu.

Olhou para as cartas mais uma vez e perguntou:

— Como minha irmã sabia disso tudo?

— Não posso falar por ela – respondeu Caspar. – Mas posso dizer que não é só no Caraval que as pessoas trocam segredos por outras coisas. Se sua irmã sabe tanto, deve ter oferecido algo valioso em troca.

As mãos da garota tremiam. Por todo aquele tempo, Tella estava tentando salvar a pele das duas. E Scarlett desapontou a irmã mais nova e a si mesma. Tentou trazer Tella de volta à vida com a força de seu desejo, mas talvez não a amasse o bastante para tanto.

Do outro lado da janela oval, o mundo havia se dissipado ainda mais. A magia que sustentava o Caraval estava se transformando em poeira rapidamente, levando consigo todas as construções e as ruas. Scarlett ficou assistindo ao desaparecimento de tudo o que havia lá fora enquanto as lágrimas rolavam pelo seu rosto.

— Tella, sua tola.

— Na minha opinião, "esperta" é uma palavra mais apropriada.

Scarlett se virou.

Uma garota com sorriso diabólico e cachos angelicais.

— Tella? É você mesmo?

— Ah, faça-me o favor. Achei que você poderia ter dito algo melhor a meu respeito. – Donatella entrou no quarto correndo, balançando os cachos. – E, por favor, não chore.

— Mas eu vi você morrer – balbuciou Scarlett.

— Eu sei e pode acreditar: cair com tudo no chão não é um bom jeito de morrer. – Tella sorriu de novo.

Mas a morte dela, não importa quão curta ou falsa tenha sido, ainda parecia ser real demais – *recente demais* – para rir do assunto.

— Como você teve coragem... de me fazer passar por isso? – gaguejou a mais velha das irmãs. – Como você teve coragem de fingir suicídio diante dos meus olhos?

– Acho que vou deixar vocês duas a sós – disse Caspar, se dirigindo até a porta e lançando um olhar de despedida para Scarlett. – Desculpe qualquer coisa. Vejo você na festa?

– Que festa? – perguntou Scarlett.

– Ignore – falou Donatella.

– Pare de mandar em mim! – E foi aí que Scarlett perdeu o controle e caiu no choro mais uma vez, o tipo de choro histérico que faz a pessoa soluçar e espirrar.

– Mil desculpas, Scar. – Tella se aproximou e abraçou a irmã. – Não queria que você tivesse passado por isso.

– Então por que fez?

Scarlett se desvencilhou de Donatella e foi, aos soluços, até uma das poltronas capitonê que havia entre ela e a irmã. Por mais aliviada que estivesse de ver Tella com vida, não conseguia se livrar de tudo o que sentiu ao vê-la morrer. Da sensação de abraçar seu corpo sem vida. De acreditar que jamais ouviria sua voz novamente.

– Eu sabia que o seu amor seria capaz de me trazer de volta à vida, apenas realizando o seu desejo – disse Tella.

– Mas não fui eu quem te fez voltar à vida. Lenda não realizou meu desejo.

– Desejos não são coisas que outras pessoas podem realizar por você – explicou Donatella. – Lenda podia ser aquela magiazinha a mais que ajuda, mas o desejo só poderia se realizar se você quisesse isso mais do que tudo.

– Então você está dizendo que o que desejei, como prêmio, foi que você voltasse à vida?

A garota ainda não tinha entendido direto. Quando viu a irmã mais nova viva, respirando e fazendo suas brincadeiras irreverentes, imaginou que a morte de Tella tinha sido um truque muito bem elaborado. Mas, agora, Donatella não estava com uma expressão de brincadeira.

– E se tivesse dado errado, Tella?

– Eu sabia que você ia conseguir – respondeu Donatella, com firmeza. – Ninguém me ama mais do que você. Você teria pulado da sacada, se Caspar tivesse te convencido de que isso ia me proteger.

– Aí já não sei – murmurou Scarlett.

– Eu sei – falou Tella. – Você pode até não ter conseguido me ver durante o jogo, mas eu saí escondida para te ver, algumas vezes.

Mesmo que você não tenha passado nos testes, eu sabia que seria capaz de salvar minha vida.

— Que testes?

— Lenda fez questão de que você passasse por alguns desafios. Prometeu que poderia providenciar um pouco de magia, mas você teria que querer muito que seu desejo se realizasse, senão ele não aconteceria no fim do jogo. Foi por isso que a balconista da butique perguntou qual era o seu maior desejo.

— Mas eu não passei nesse teste.

— Mas também não foi reprovada em todos. Passou no mais importante, e foi o que bastou. Se não tivesse passado, eu não ia pular.

Scarlett se lembrou do que Caspar havia dito quando a obrigou a andar na beirada da sacada. "Se não estiver disposta a pular, nunca vai conseguir salvar a vida dela."

— Por favor, não fique brava. — A boca em formato de coração de Tella ficou retorcida, em um muxoxo. — Fiz isso por nós duas. Como você sempre dizia, o pai iria atrás de mim até o fim do mundo se eu fugisse.

— Mas não se você estiver morta — completou Scarlett.

Donatella fez que sim, com um ar de pesar, e prosseguiu:

— Na noite em que fugimos, deixei um par de ingressos para nosso pai, com um cartão de Lenda que o convidava a nos encontrar no Caraval.

Scarlett soltou um suspiro trêmulo ao imaginar Tella entrando escondida no escritório do pai delas. Ainda se sentia tentada a xingar a irmã por ter elaborado uma trama tão perigosa e terrível. Mas, pela primeira vez na vida, podia ver o quanto havia subestimado Tella, desde sempre. A irmã era mais inteligente, mais esperta e mais corajosa do que Scarlett jamais pensara.

— Você poderia ter me contado — disse Scarlett.

— Eu bem que queria.

Tella contornou a poltrona com todo o cuidado, até ficar cara a cara com a irmã. Havia trocado o vestido destruído que usava quando morreu. Agora estava de branco, um tom fantasmagórico de branco. Scarlett imaginou que Donatella o escolhera justamente por isso. Como se aquela situação precisasse ser mais dramática.

— Você não faz ideia de como foi difícil não dizer nada antes de fugirmos de Trisda. E, quando a gente estava lá na sacada, fiquei morren... fiquei nervosa. Mas fazia parte do trato não dizer nem uma palavra. Lenda disse que você ficaria sob muita pressão se soubesse, que poderia perder o jogo por medo. E aquele canalha bem que gosta de fazer os joguinhos dele.

Dito isso, Donatella ficou com uma expressão azeda.

Scarlett ficou com a impressão de que, para Tella, aquele jogo também havia saído pior do que a encomenda. O que não era de se surpreender, dado tudo o que Scarlett descobrira a respeito de Lenda.

— Então vovó Anna não tinha nada a ver com isso?

Tella fez que não.

— Eles tiveram um romance, sim. É verdade que não terminou bem porque ela decidiu ficar com outro homem, mas Lenda nunca jurou destruir todas as descendentes dela. Depois que vovó foi morar nas Ilhas Conquistadas, para se casar com vovô, começou a circular o boato de que ela tinha fugido para lá para se esconder de Lenda, que queria vingança. Mas isso tampouco é cem por cento verdade. Tenho quase certeza de que muitas mulheres esquentaram a cama do Mestre do Caraval desde então.

Scarlett pensou em Rosa e em tudo o que Tella havia escrito nas cartas. Mesmo que Lenda não tivesse jurado destruir sua avó, ao que tudo indica a decepção amorosa destruíra, pelo menos, uma outra mulher. A impressão de Scarlett era de que Lenda pregara mais peças do que de costume nela e em Donatella, porque eram netas de Annalise.

Teria feito mais perguntas. Mas, apesar de ainda ter curiosidade a respeito de Lenda, não podia mais ignorar a dor aguda da outra morte que ainda pesava sobre seus ombros.

— Preciso saber de Julian.

Tella ficou mordendo o canto do lábio e disse:

— Estava mesmo imaginando quando você perguntaria por ele.

— O que você quer dizer com isso? — As palavras de Scarlett saíram ríspidas. A garota queria fazer mais perguntas, só que ainda não tinha coragem de questionar se ele estava morto ou vivo. Desde que a irmã havia entrado ali, Scarlett ousou ter a esperança de que Julian também não estivesse morto. Mas Tella ficou com uma expressão indecifrável, deixando Scarlett com medo de que aquele dia só teria um final feliz.

— Você sabia que ele ia morrer?

Tella fez que sim bem devagar.

— Isso pode ter sido culpa minha.

41

Scarlett ficou pálida, se jogou em uma das poltronas e disparou:
— Você provocou a morte dele.
— Por favor, não fique chateada. Eu estava tentando te proteger.
— Mandando matar Julian?
— Ele não está morto de fato – jurou Tella.
— Então cadê ele? – Scarlett olhou em volta, achando que, de repente, o marinheiro poderia entrar pela porta. Mas, como a porta não se abriu e Tella franziu o cenho, parte de seu pânico voltou. – Se Julian está vivo, por que não veio até aqui com você?
— Se você se acalmar, vou explicar tudo. – A voz de Donatella estava com um tremor muito sutil. – Antes de o jogo começar, falei para Lenda que não queria ninguém fazendo você se apaixonar. Eu sabia o quanto você queria se casar com o conde. Nunca gostei da ideia, mas queria que você escolhesse outro caminho sozinha, não por causa de um artista do Caraval que fingisse ser outra pessoa. Então... – Tella ficou em silêncio por alguns instantes e pesou bem as palavras antes de completar: – Falei para Lenda que, se isso acontecesse, queria que o artista fosse retirado do jogo antes do fim, para que você tomasse a decisão definitiva em relação ao seu noivo. Agora posso ver o quanto isso foi equivocado. Mas juro que estava tentando proteger seu coração.
— Você não deveria...
— Não precisa me dizer nada. – Tella estava atônita e franzia o cenho de novo. – Sei que cometi um monte de erros. Na minha cabeça,

imaginei que as coisas ocorreriam de outra maneira. Não sabia que Lenda era assim, tão imprevisível. Era para ele ter tirado Julian do jogo antes, e nunca imaginei que mataria o rapaz na sua frente.

As desculpas de Donatella pareciam ser mesmo sinceras, mas não apagaram o pavor que se assomava dentro de Scarlett. Ninguém deveria ser obrigado a assistir à morte de duas pessoas amadas no mesmo dia.

— Então Julian está mesmo vivo?

— Sim, bem vivo. Mas por que você não está com uma cara mais feliz? — Tella franziu o cenho mais uma vez. — Pelo que ouvi falar de vocês dois, pensei que...

— Prefiro não falar dos meus sentimentos neste exato momento. — Nem de nada do que a irmã mais nova pudesse ter ouvido. Aquilo estava ficando um pouco demais para engolir. Eram muitos fios verdadeiros misturados aos falsos, e todos estavam emaranhados. Scarlett queria se empolgar por Julian estar vivo, mas ainda sentia a dor de sua morte. E saber que era tudo uma farsa queria dizer que o Julian pelo qual tinha se apaixonado jamais havia existido de fato — era apenas um papel desempenhado por um dos artistas de Lenda.

— Quero saber como as coisas funcionam. Preciso saber o que é verdade e o que não é. — As lágrimas ameaçavam começar a rolar novamente. Scarlett sabia que deveria estar feliz e, em parte, estava aliviada. Mas também estava terrivelmente confusa. — Tudo o que aconteceu estava no roteiro?

— Nem um pouco. — Tella se sentou na outra poltrona, ao lado de Scarlett. — Eu é que tive a ideia de sermos sequestradas, cada uma de um jeito. E sabia que você seria testada antes de me encontrar novamente, lá na sacada, de onde eu teria que pular. Mas boa parte do que aconteceu nesse meio-tempo não estava no roteiro.

— Antes de cada jogo, os artistas são dominados por uma magia que não permite que confessem certas verdades — admitir que, na verdade, são artistas, por exemplo. Eles recebem algumas orientações gerais e precisam segui-las, mas nem todas as atitudes são predeterminadas. Acho que você já sabe disso. Mas, durante o Caraval, há sempre um pouco de realidade misturada em tudo. Há um certo livre-arbítrio envolvido. Então, não posso dizer o que foi real para Julian. Uma coisa que sei, e que provavelmente não deveria te contar, é que o papel do marinheiro acabava assim que vocês chegassem à ilha.

Donatella fez uma pausa significativa.

Julian havia dito algo parecido. Mas, à luz de tudo o mais que ocorrera, Scarlett não sabia mais se acreditava em qualquer coisa que ele dissera. Com tudo o que ficara sabendo, Julian, no fim das contas, era mesmo Lenda.

Mesmo assim, ela teve que perguntar:

— O que você quer dizer com isso?

— De acordo com os demais artistas, a missão de Julian era de apenas nos trazer para a ilha e depois ir embora. Acho que era para ele ter te dado as costas em uma relojoaria. Mas, para todos os efeitos, não te contei nada disso, certo? E, caso você esteja se perguntando, a gente nunca se envolveu de fato, nem sequer demos um beijo.

Scarlett ficou corada: ela estava tentando não pensar naquele assunto.

— Eu posso explicar, Tella. Eu jamais teria...

— Você não precisa explicar nada – interrompeu Donatella. – Nunca te recriminei por nada. Mas vou admitir que ficava surpresa sempre que alguém relatava o desenrolar dos acontecimentos – falou, com uma voz mais aguda, como se estivesse prestes a cair na risada.

Scarlett tapou o rosto com as duas mãos. A palavra "mortificada" não tinha força suficiente para descrever o que estava sentindo. Apesar do que a irmã mais nova havia dito, ela se sentia enganada e humilhada.

— Não fique envergonhada, Scar. – Tella tirou os dedos da irmã do rosto, que ardia de tão vermelho. – Não teve nada de errado no seu relacionamento com Julian. E, caso você esteja preocupada com isso, não foi ele quem me contou o que estava acontecendo entre vocês. Fiquei sabendo de quase tudo por Dante, que me pareceu bem mordido com o fato de você não gostar mais dele do que de Julian.

Donatella fez uma cara engraçada, parecia que estava feliz com aquilo.

— Suponho que Dante tampouco tenha morrido de verdade?

— Isso. Ele morreu, mas também voltou à vida, como Julian – respondeu Tella. Então ela tentou explicar o melhor que podia como era a verdadeira relação entre a morte e o Caraval.

Tella não sabia detalhes de como funcionava. Era uma daquelas coisas que as pessoas não comentavam. Donatella só sabia que, se um dos artistas de Lenda morresse durante o jogo, morria mesmo – mas não de modo definitivo. Os artistas sentiam toda a dor e toda a deterioração que acompanhava a morte. E permaneciam mortos até o jogo terminar oficialmente.

— Então isso quer dizer que você teria voltado à vida de todo jeito? — perguntou Scarlett.

Tella ficou pálida, mais branca do que o vestido. E, pela primeira vez, Scarlett imaginou como a experiência da morte havia sido para a irmã mais nova. Donatella escondia muito bem suas verdadeiras emoções. Mas, apesar disso, deu a impressão de não conseguir controlar o tremor em sua voz, quando disse:

— Não sou artista. As pessoas normais que morrem durante o jogo continuam mortas. Agora ande. — Tella levantou da poltrona, livrou-se da palidez e assumiu um tom muito alegre: — Está na hora de se arrumar.

— Para quê?

— Para a festa. — Donatella respondeu como se isso fosse óbvio. — Lembra do convite que recebeu?

— O convite de Lenda? Aquilo era de verdade? — Scarlett não conseguia se decidir se achava aquilo perverso ou absurdamente brilhante.

Tella pegou a irmã pelo braço, se dirigiu à porta e avisou:

— Não vou permitir que você se negue a participar dessa comemoração!

Scarlett não queria sair do lado da irmã, mas ir a uma festa era a última coisa que tinha vontade de fazer. Gostava de ver pessoas. Mas, naquele momento, não conseguia se imaginar flertando, comendo e dançando.

— Ande logo! — Tella a puxou com mais força. — Não tenho muito tempo. Prefiro não aparecer na festa com cara de espectro.

— Bom, então deveria ter escolhido outro vestido — alfinetou Scarlett.

— Eu morri — falou Tella, nem um pouco abalada. — Que vestido poderia ser mais perfeito? Você vai ver só: no próximo jogo, tenho certeza de que você vai se envolver nesse drama todo ainda mais do que eu.

— Ah, não. Não vai ter próximo jogo para mim.

— Talvez você mude de ideia depois desta noite.

Donatella deu um sorriso enigmático e abriu a porta antes que a irmã pudesse discutir.

Como os túneis que passavam por baixo do jogo, a porta levava para um outro corredor, um que Scarlett nunca havia visto. O chão era revestido de lajotas de pedras preciosas que tilintavam de leve enquanto Tella arrastava Scarlett por corredores cobertos de desenhos que a fizeram lembrar do diário de Aiko.

Scarlett parou na frente de um desenho que nunca havia visto, um retrato dela na modista, de olhos arregalados e boquiaberta, examinando cada modelito, enquanto Tella espiava, escondida, no terceiro andar.

– O meu quarto é por aqui, não é o mesmo quarto em que você me encontrou ontem à noite. – Donatella continuou puxando Scarlett, fazendo várias curvas e passando por uma infinidade de artistas, que lhe davam "oi" apressados, até que parou diante de uma porta arredondada azul-celeste. – Desculpe pela bagunça.

O interior do quarto estava um desastre, cheio de espartilhos, vestidos de baile, chapéus elaborados e até algumas capas. Scarlett não viu nenhum cabelo branco na cabeça da irmã, mas imaginou que deveriam estar escondidos, porque Tella devia ter perdido pelo menos um ano de vida para conseguir adquirir tantas coisas novas e requintadas.

– É difícil manter o quarto arrumado porque não tem muito lugar para guardar as coisas – desculpou-se Donatella, pegando roupas do chão e abrindo caminho para Scarlett entrar. – Não se preocupe. O vestido que escolhi para você não está no chão.

– Acho que não consigo ir à festa – confessou Scarlett.

Em seguida, se sentou na beirada da cama.

– Você tem que ir. Já comprei um vestido, e ele me custou cinco segredos. – Tella foi até um baú e, quando se virou, segurava um vestido cor-de-rosa e etéreo. – Essa cor me faz lembrar do pôr do sol na Estação Quente.

– Então você é que deveria usá-lo.

– Fica muito comprido em mim, e comprei para você.

Tella jogou o vestido para a irmã. Quando Scarlett encostou nele, o tato transmitiu a mesma sensação do que sua visão: era um deleite surreal com mangas minúsculas que caíam nos ombros e corpete marfim coberto de fitas que fluíam pela saia esvoaçante. As fitas eram adornadas por flores de seda, e Scarlett reparou que as flores mudavam de cor dependendo da luz, uma combinação de tons de creme fogosos e de rosas flamejantes.

– Use este vestido hoje à noite – disse Donatella. – Se, quando a festa terminar, você quiser deixar o Caraval e todas as pessoas que fazem parte desse mundo para trás, irei com você. Mas não vou permitir que você perca a festa. Me contaram que Lenda não convida ninguém que não seja de sua trupe, e acho que você não vai ser feliz se não resolver esse assunto com Julian.

Ao ouvir o nome de Julian, Scarlett sentiu um aperto no coração. Estava feliz por ele estar vivo. Mas, seja lá o que fosse existir entre os dois, tinha certeza de que não chegaria aos pés do que existia antes. Apesar de Julian ter tentado contar a verdade para ela, pode ter feito isso só porque estava com pena de Scarlett. Ou, talvez, também fosse parte da farsa. Até porque Julian nunca disse que a amava.

— Tenho a sensação de que nem sequer o conheço.

Ela se sentia uma boba, mas também se sentia ridícula para admitir isso.

— Então esta noite é a sua chance de *conhecê-lo*. — Donatella segurou as mãos da irmã e a puxou da cama. — Eu gostaria de poder dizer que o que aconteceu entre vocês foi real.

— Tella, você não está ajudando.

— É porque você não me deixa terminar de falar. Mesmo que não tenha sido o que você achava que era, a experiência da semana que passou foi significativa, para vocês dois. Acho que ele gostaria de virar a página tanto quanto você.

Virar a página. Outra maneira de dizer terminar, acabar.

Agora fazia todo o sentido Julian ter avisado Scarlett que a maioria das pessoas que ela iria conhecer durante o Caraval não eram quem pareciam ser.

Mas ela não podia negar que queria vê-lo de novo.

— Deixe comigo, você vai ser a garota mais bonita da festa. Depois de mim, claro. — Tella deu uma risadinha, suave e bela, e, por mais que Scarlett tivesse a impressão de que seu coração estava desmoronando mais uma vez, por causa de Julian, lembrou que estava com a irmã e que as duas eram, finalmente, abençoadas e gloriosamente livres. Era isso que ela sempre quis e vinha acompanhado de um futuro que ainda precisaria ser escrito, cheio de esperança e de possibilidades.

— Eu te amo, Tella.

— Eu sei. — Donatella levantou a cabeça com uma expressão de ternura indescritível. — Eu não estaria viva se você não me amasse.

42

Scarlett teve a sensação de entrar em um mundo de contos de fadas ancestrais e sonhos que se tornaram realidade. O ar tinha cheiro de pinheiro, algo denso com pitadas de luz dourada dos lampiões.

A garota não sabia onde a neve tinha ido parar, mas não restava nem um floco. O chão estava coberto de pétalas de flores. A floresta era em tons de verde, oliva, jade e marfim. Até os troncos das árvores eram revestidos de líquen de um tom de esmeralda intenso, tirando as partes decoradas com fitas de papel creme e dourado. As pessoas bebericavam drinques de um dourado intenso e denso como mel, e outras comiam bolos que pareciam nuvens.

E lá estava Julian. O coração de Scarlett quase saiu pela boca quando ela o avistou. Estava procurando pelo rapaz desde o instante em que chegou à festa e, de repente, não conseguia se mexer nem respirar.

Julian estava parado, do outro lado do salão, debaixo de um laço de folhas verdes e fitas douradas, bebendo mel em uma taça de champanhe. Parecia bem vivo e batia papo com uma morena de cabelo brilhoso, bonita demais para o gosto de Scarlett. Quando o rapaz deu risada de algo que a garota disse, o coração de Scarlett foi parar nos pés.

— Que erro.

— Acho que você está precisando da minha ajuda de novo.

Aiko surgiu bem no meio de Donatella e Scarlett. Havia trocado os trajes brilhantes e coloridos que usara durante o Caraval por um vestido de anquinhas, discreto e escuro. Azul ou preto, Scarlett não soube dizer. Tinha saia reta até os pés, mangas compridas e gola alta.

– Eu fico com frio – declarou a historiógrafa, apenas. – E, pelo jeito, você também está arrepiada, mas acho que não seja por causa da temperatura.

Aiko dirigiu o olhar para a morena que estava conversando com Julian e ficou só olhando quando a garota pegou no braço dele. Então explicou:

– Aquela é Angelique. Você deve recordar, da modista. Ela adora paquerar os rapazes que já estão de olho em outra pessoa.

E, nessa hora, a historiógrafa lançou um olhar sugestivo para Scarlett.

– Esse é seu jeito de dizer que eu deveria ir lá falar com ele?

– Foi você que disse, não nós – respondeu Tella.

Aiko balançou a cabeça, concordando.

– Ah! – exclamou Donatella.

Scarlett acompanhou o olhar da irmã que, de repente, se fixou em Dante. O rapaz havia acabado de entrar na festa. Ainda estava vestido de preto, mas agora tinha duas mãos e uma garota bonita em cada braço.

– Dante! Que bom ver você por aqui! Eu estava te procurando e acho que Aiko também estava.

Donatella se aproximou do rapaz. Sem dizer uma palavra, a historiógrafa fez a mesma coisa, deixando Scarlett completamente sozinha.

Ela tentou se acalmar, respirando fundo. Mas seu coração batia mais rápido a cada passo que dava. O orvalho da grama umedeceu seus finos sapatinhos dourados. Julian ainda não lhe dirigira o olhar, e Scarlett estava com medo do que poderia ver nos olhos do rapaz quando ele fizesse isso. Será que daria um sorriso? Será que seria um sorriso por educação ou verdadeiro? Ou será que daria as costas e continuaria falando com Angelique, para deixar claro que tudo o que havia vivido ao lado de Scarlett não significava nada mesmo?

Ela parou a vários metros de distância, incapaz de chegar mais perto. Agora conseguia ouvir o rumor grave da voz do rapaz, que estava dizendo para Angelique:

– Acho que é para lá que vamos depois daqui.

– E você pretende roubar a cena de novo? – perguntou a garota.

Um sorriso lupino, mostrando os dentes.

Angelique lambeu os lábios.

Scarlett queria se fundir com a noite, deixar de existir em um átimo, feito uma estrela partida.

E então ele a avistou.

Sem dizer uma palavra, Julian deixou a taça de lado e andou na direção de Scarlett. As folhas acima dela estremeceram, fazendo chover partículas de verde e dourado à medida que o rapaz se aproximava. O andar dele mudou, variando entre confiante e algo que não parecia nada confiante.

O *seu* Julian. Mas como poderia ser dela se Scarlett não sabia nada de verdadeiro a respeito dele?

Scarlett disse "oi", mas saiu feito um sussurro. E, por um instante, os dois ficaram apenas parados ali, debaixo das árvores que tinham ficado tão imóveis quanto o coração dela.

— Então, você tem mesmo outro nome? — perguntou Scarlett, por fim. — Tipo Caspar?

— Felizmente, não. Não me chamo Caspar.

Como Scarlett não sorriu, ele completou:

— Confunde muito se todo mundo usar vários nomes. Só o artista que representa Lenda faz isso.

— Então seu nome é mesmo Julian?

— Julian Bernardo Marrero Santos.

Os lábios do rapaz esboçaram um leve sorriso, que erguia apenas os cantos da boca. Não era aquele esgar malicioso que ela conhecia. Mais uma forma de fazê-la lembrar, com toda a certeza, de que aquele não era o rapaz que conhecia. Nuances do tom intenso de rubi do amor que Scarlett havia sentido durante o jogo se misturaram a tons de mágoa índigo-escuro, tornando tudo apenas um pouco mais violeta.

— Tenho a sensação de que não conheço você.

— Ai. Assim você me magoa, Scarlett.

O tom era mais sério do que de deboche. Mas a garota só ouviu que ele a chamou de Scarlett — não de Carmim. O apelido devia ser só uma coisa do jogo, não deveria significar nada. Não ouvi-lo a fez lembrar, mais uma vez, de quem Julian realmente era e de quem deixava de ser.

— Acho que não tenho forças para isso — falou.

Em seguida, deu as costas para o rapaz, pronta para ir embora.

— Espere, Scarlett.

Julian a segurou pelo braço e a virou de frente para ele. De longe, os dois até poderiam parecer um dos muitos casais que dançavam por ali — caso ninguém enxergasse a frustração na expressão de Julian ou a mágoa na expressão de Scarlett.

— Por que você está me chamando de Scarlett?

— Não é esse o seu nome?

— É, mas você nunca me chamou assim antes.

– Também nunca fiz isso antes. – Um músculo do maxilar de Julian estremeceu. – Quando o jogo termina, a gente vai embora, deixa tudo para trás. Não estou acostumado a conversar com os jogadores depois que o jogo termina.

– Quer que eu vá embora?

– Não. Achei que isso era óbvio – resmungou Julian. – Mas quero, sim, que você pare de olhar para mim como se eu fosse um desconhecido.

– Mas você é.

O rapaz se encolheu todo.

– Tem coragem de negar? – prosseguiu ela. – Você sabe tanto ao meu respeito, e eu não sei nada de verdadeiro sobre você.

A mágoa na expressão de Julian ficou mais acentuada.

– Sei que é isso que deve parecer, mas nem tudo que falei foi mentira.

– Mas quase tudo. Você...

Julian encostou o dedo nos lábios de Scarlett.

– Por favor, deixe eu terminar de falar. Nem tudo foi uma farsa. Os papéis que interpretamos durante o Caraval sempre refletem parte de quem somos. Dante continua achando que é mais bonito do que todo mundo. Aiko é imprevisível, mas costuma ajudar os outros. Você pode até pensar que não me conhece, mas conhece. O que contei sobre a minha família, que são pessoas bem relacionadas, que gostam de joguinhos, é verdade. – Nessa hora, ele abriu os braços, sinalizando todas aquelas pessoas que rodeavam os dois. – Esta tem sido minha família, durante boa parte da minha vida.

Uma mistura de orgulho e de outra emoção que Scarlett não conseguiu distinguir carregavam a expressão do rapaz. E, de repente, a garota reconheceu um dos sobrenomes dele, que ouvira nas histórias da vovó: *Santos*.

– Você é parente de Lenda?

Julian não respondeu, mas examinou a festa e, em seguida, tornou a olhar para ela.

– Quer dar uma volta comigo? – disse, estendendo a mão.

Scarlett ainda recordava de ter beijado aqueles dedos, de ter sentido o gosto de cada um, pressionados contra seus lábios. Só de lembrar, seus ombros à mostra tremeram. Julian avisara que a jovem deveria ter medo dos segredos dele, e agora Scarlett entendia o porquê.

Não pegou na mão do rapaz, mas o acompanhou mesmo assim, esmagando pétalas de flores com os sapatinhos. Julian a levou até um salgueiro-chorão e afastou os longos galhos, que batiam no chão, para ela conseguir entrar debaixo da árvore. Algumas das folhas brilhavam no escuro, lançando uma luz verde e suave, escondendo os dois do restante da festa.

– Durante quase toda a minha vida, admirei Lenda, queria ser como ele. Eu era igual a você, quando começou a escrever cartas para o Mestre do Caraval. Eu idolatrava Lenda. Fui crescendo e queria *ser* Lenda. E, quando me tornei um artista, nunca me importei com o fato de as mentiras que eu contava poderem magoar alguém. A única coisa que me importava era impressioná-lo. E aí surgiu Rosa.

Julian pronunciou o nome da garota de um jeito que fez Scarlett sentir um aperto incômodo no peito. Ela sabia que Rosa realmente existia, mas achava que Lenda é que a havia seduzido.

– Era você o artista com o qual ela se envolveu?

– Não – respondeu Julian, imediatamente. – Nem cheguei a conhecê-la. Mas, quando falei que perdi a fé em tudo depois que ela se matou, eu disse a verdade. Depois que isso aconteceu, percebi que o Caraval não era mais o jogo que costumava ser, feito para dar às pessoas uma aventura inofensiva. E, quem sabe, um pouco mais de juízo. Lenda mudou com o passar dos anos e não mudou para melhor. Absorve parte de qualquer papel que desempenha e está há tanto tempo desempenhando papel de vilão que se tornou um na vida real. Finalmente, há alguns meses, resolvi ir embora, mas Lenda me convenceu a ficar e dar a ele outra chance.

– Então você o conhece mesmo?

O rapaz abriu a boca, como se quisesse dizer alguma coisa e as palavras não quisessem sair. Lançou um olhar sugestivo para Scarlett e indagou:

– Lembra do que você acabou de me perguntar sobre Lenda?

– Se você é parente dele?

Julian fez que sim, mas não comentou mais nada. As folhas reluzentes do salgueiro-chorão farfalhavam enquanto ele ia explicando, baixinho:

– Lenda me mandou uma carta, pedindo para eu me apresentar em um último jogo. Alegou que estava tentando se redimir. E eu queria acreditar nele.

O rapaz respirou fundo antes de prosseguir.

– Era para eu apenas ter trazido você e Tella para a ilha. Mas, sempre que eu tentava me afastar de você, não conseguia. Você era diferente do que eu esperava. A maioria das pessoas só se preocupa com o próprio prazer durante o Caraval. Mas você se preocupava tanto com sua irmã que me fez lembrar do que sempre senti pelo meu próprio irmão.

Os olhos de caramelo de Julian miraram nos olhos de Scarlett quando terminou de falar. E, de repente, uma ideia ocorreu à garota.

– Lenda é seu irmão?

Um sorriso irônico se esboçou nos lábios de Julian.

– Eu estava torcendo para você descobrir isso sozinha.

– Mas...

Depois dessa, Scarlett ficou sem saber o que dizer, porque ainda estava tentando entender.

Aquilo explicava por que Julian tivera tanta dificuldade para sair do jogo. Ela sabia como era difícil dar as costas para um irmão, mesmo se esse irmão fizesse coisas que causassem tristeza. E os outros artistas tinham *mesmo* tratado Julian de um jeito diferente.

Desde que descobriu que Caspar apenas havia se passado por Lenda e que Julian estava vivo, a garota imaginou mais de uma vez que o rapaz poderia, na verdade, ser o Mestre do Caraval. Mas, talvez, Scarlett só tenha pensado isso porque os dois eram parentes próximos.

– Mas como isso é possível? Você é tão jovem.

– Enquanto for um dos artistas de Lenda, não envelheço. Mas já estava disposto a amadurecer quando resolvi ir embora.

– Então por que você acabou ficando e jogando?

Julian olhou para Scarlett, quase nervoso, como se, agora, ela é que tivesse o poder de partir seu coração.

– Fiquei porque comecei a gostar de você. Lenda nem sempre segue as regras à risca, e eu queria tentar te ajudar. Mas sabia que, se a gente se aproximasse, e você descobrisse a verdade, ficaria magoada. Então, no começo, tentei te dar motivos para me odiar. Mas aí ficou mais difícil me afastar de você. Eu sofria toda vez que tinha que mentir. Esse jogo faz aflorar o lado mais egoísta de muita gente, mas teve o efeito contrário em você. Te conhecer me fez voltar a acreditar que o Caraval poderia ser o que eu achava que era. E que meu irmão poderia ser uma pessoa boa novamente.

A voz de Julian estava repleta de emoção quando ele suplicou:

– Sei que te magoei. Mas, por favor, me dê mais uma chance.

Parecia que Julian queria abraçar Scarlett. E, em parte, a garota queria que o rapaz fizesse isso, mas era muita coisa para processar de uma vez só. Se Julian fosse Lenda, teria sido mais fácil odiá-lo, por tê-la feito passar por tanta coisa. Mas descobrir que Lenda, na verdade, era irmão de Julian, deixou Scarlett completamente dividida.

Antes que o rapaz pudesse abraçá-la, ela se afastou.

Julian espremeu os lábios. Estava magoado, mas disfarçou. Pôs a mão no rosto e ficou passando embaixo do queixo. Ao contrário da maior parte do jogo, estava bem barbeado, parecia mais jovem, com exceção...

Logo que Scarlett o viu, não reparou que a marca deixada pelo seu pai ainda estava ali: uma cicatriz fina e saliente, que ia do maxilar até o canto do olho. Ela havia pensado que, como Julian podia morrer e voltar à vida, a cicatriz desapareceria, e seria como se aquela noite terrível jamais tivesse acontecido.

O rapaz percebeu que a garota estava olhando para ele e respondeu à pergunta que Scarlett não chegou a fazer.

— Posso até não morrer ao longo do jogo, mas todos os ferimentos que eu tiver durante o Caraval deixam cicatriz.

— Eu não sabia disso — murmurou Scarlett.

Estava com medo de ver Julian, porque temia que o jogo não tivesse sido tão real para o rapaz quanto fora para ela. Mas, quem sabe, Tella tivesse razão quando falou que "há sempre um pouco de realidade misturada em tudo".

— Mil desculpas por meu pai ter feito isso com você.

— Eu sabia dos riscos que estava correndo. Não peça desculpas nem se sinta mal, a menos que seja por isso que você está se esforçando tanto para se afastar de mim.

Os olhos de Scarlett examinaram a cicatriz novamente. Sempre achara Julian bonito. Mas aquela cicatriz muito real em seu rosto o tornava arrasador. A marca a fazia lembrar da bravura do rapaz, de seu altruísmo e de como Julian despertou nela mais sentimentos do que qualquer pessoa que a garota já conhecera na vida. Talvez aquele não fosse exatamente o mesmo rapaz que Scarlett conheceu durante o jogo. Mas Julian não lhe parecia um desconhecido. E havia feito tudo aquilo para ajudar o irmão. Como ela, justo ela, poderia recriminá-lo por isso?

— Se é para achar alguma coisa, acho que essa cicatriz é a coisa mais linda que já vi na minha vida.

Julian arregalou os olhos e perguntou:

— Isso quer dizer que você me perdoa?

Scarlett ficou em dúvida. Aquela era a sua chance de dar as costas para aquele rapaz. Donatella havia dito que, se Scarlett quisesse, as duas poderiam esquecer completamente do Caraval depois da festa. Scarlett e Tella poderiam começar uma vida nova em outra ilha ou até em algum dos continentes. Até então, Scarlett tinha medo de não ser capaz de cuidar de si mesma. Só que, agora, estava empolgada com esse desafio. Ela e a irmã poderiam fazer o que quisessem da vida.

Mas, ao olhar para Julian, não conseguia negar que ainda queria estar com ele também. Recordou de todos os motivos para ter se apaixonado por aquele rapaz. Não era só por causa de seu belo rosto nem porque o sorriso do rapaz lhe dava um frio na barriga. Era o fato de ele sempre insistir para Scarlett não desistir e por causa dos sacrifícios que Julian havia feito. Scarlett podia até não conhecê-lo tão bem quanto gostaria, mas tinha quase certeza de que ainda estava apaixonada por ele. Sabia que podia ir embora, mas já desperdiçara tempo demais na vida temendo os riscos que sempre acompanhavam as coisas que mais queria.

Respondendo à pergunta do rapaz, ela levantou a mão e foi lentamente aproximando os dedos do rosto de Julian. A pele de Scarlett formigou quando encostou nele: o braço ficou todo arrepiado quando passou o dedo naquela linha fina, que ia do canto dos lábios entreabertos de Julian até o canto do olho.

– Eu te perdoo – sussurrou ela.

O rapaz fechou os olhos por alguns instantes e ficou roçando os cílios nas pontas dos dedos de Scarlett.

– Desta vez, prometo, de verdade, que nunca mais vou mentir para você.

– Mas não existem regras que proíbem você de se *envolver* com pessoas que não fazem parte da trupe do Caraval?

– Não estou muito preocupado com essas regras.

Julian passou o dedo gelado nas clavículas de Scarlett e se aproximou dela, segurando seu pescoço com a outra mão.

O coração da garota bateu mais rápido com a promessa de sentir os lábios de Julian nos seus, com a sensação de suas carícias e com a lembrança de um beijo, tão perfeito e tão impulsivo.

Scarlett não soube dizer quem beijou quem primeiro. Os lábios dos dois estavam quase se encostando e então os lábios macios de Julian estavam pressionando os dela. O beijo tinha gosto do instante antes de a noite dar luz à manhã: era o fim de algo e o começo de outra coisa, tudo ao mesmo tempo.

Julian a beijou como se jamais tivesse encostado nos lábios de Scarlett, selando a promessa que acabara de fazer, puxando-a para junto de seu peito, enroscando os dedos compridos nas fitas do vestido dela.

Scarlett entrelaçou os dedos no cabelo acetinado de Julian. De certa forma, ainda tinha a sensação de que ele era tão misterioso e insondável quanto da primeira vez que o viu. Mas, naquele momento, suas dúvidas não tinham importância. Tinha a sensação de que sua história poderia terminar ali, naquele emaranhado de lábios, e mãos, e fitas coloridas.

Epílogo

Enquanto as estrelas se aproximavam de leve da Terra e observavam Scarlett e Julian na esperança de testemunhar um beijo tão mágico quanto o Caraval, Donatella começou a dançar debaixo da copa das árvores curiosas, desejando também ter alguém para beijar.

Ela foi rodopiando, de parceiro em parceiro de dança, seus sapatinhos mal encostando no chão, como se o champanhe que havia bebido tivesse pedaços de estrelas que sustentavam os pés de Donatella flutuando logo acima da grama. Pensou que, pela manhã, provavelmente se arrependeria por ter bebido tanto, mas gostava da sensação de estar flutuando – e, depois de tudo o que havia passado, precisava se alienar por uma noite.

Tella continuou comendo bolos licorosos e esvaziando taças de cristal cheias do néctar alcoólico até que a cabeça começou a girar com o restante do corpo. Praticamente caiu nos braços do último parceiro de dança. Ele a puxou mais para perto de si do que os outros haviam puxado. Suas mãos grandes serpentearam, determinadas, em volta da garota, provocando uma nova onda de prazer. Donatella gostou do jeito confiante como aquele rapaz a tocou. Ele a levou para longe da festa, afastando-a das demais pessoas, e Tella imaginou a sensação de ter as mãos do rapaz em outros lugares que não apenas sua cintura. Quem sabe ele podia ajudá-la a parar de pensar em todas as coisas que tivera medo de contar para a irmã mais velha.

Donatella inclinou a cabeça para trás e sorriu para o céu. Mas a noite havia ficado um breu e sua visão estava borrada. O rapaz não se parecia com nenhum dos artistas do Caraval que ela conhecia. Quando ele se aproximou, só conseguiu ver um sorrisinho irônico e sombrio, enquanto o rapaz descia as mãos pelo seu corpo. Tella soltou um suspiro quando os dedos dele se enfiaram nas dobras do seu vestido, acariciando seus quadris e aí o rapaz...

sumiu.

Tudo aconteceu tão rápido que Tella cambaleou para trás.

Em um instante, o rapaz estava com os braços em volta dela, puxando-a para perto de si, como se fosse beijá-la. No outro, estava se afastando. Caminhava tão rápido que Donatella se arrependeu de ter bebido tanto. Antes que ela conseguisse dar mais do que dois passos, seu par desapareceu no meio das outras pessoas, deixando-a sozinha, com frio e – com uma coisa meio pesada no bolso.

Um arrepio percorreu os ombros nus de Tella. Ela podia até estar com a cabeça girando, mas sabia que o objeto que pesava em suas saias não estava ali antes. Por um instante, tentou elaborar a ideia de que era alguma espécie de chave: o desconhecido poderia estar esperando que a garota fosse atrás dele, até o quarto, para dar aquele beijo que não aconteceu. Mas Tella pensou que, se o rapaz quisesse isso mesmo, não teria fugido tão rápido.

– Acho que preciso de mais uma taça de champanhe – murmurou Donatella, sem se dirigir a nenhuma pessoa específica, enquanto se afastava dos demais convidados. Tirando o fato de estar embrulhado em papel, não conseguia distinguir o que era aquele objeto em seu bolso, mas ficou com um pressentimento de que não deveria mostrá-lo para ninguém.

A música da festa foi diminuindo à medida que ela se aproximava de uma árvore mais reservada, iluminada por velas suspensas que lançavam uma luz azul esbranquiçada.

Donatella colocou a mão no bolso. O objeto que tirou dele cabia na palma de sua mão. Alguém enrolara uma moeda grossa com um bilhete. Mas nunca vira aquela moeda, e olhe que Tella conhecia dinheiro de vários locais. A jovem enfiou a moeda de novo no bolso antes de desdobrar o bilhete.

A letra era caprichada e precisa.

Caríssima Donatella,

Parabéns por ter conseguido fugir de seu pai e por ter sobrevivido ao Caraval. Fico feliz que nosso plano tenha dado certo, ainda que eu não tivesse nenhuma dúvida de que você sobreviveria ao jogo.

Tenho certeza de que sua mãe ficará muito orgulhosa, e acredito que você logo poderá vê-la. Mas, antes, precisa cumprir sua parte do nosso trato. Espero que não tenha esquecido do que me deve em troca de tudo o que eu lhe contei.

Pretendo cobrar meu pagamento muito em breve.

Atenciosamente,
Um amigo

AGRADECIMENTOS

Obrigada, Deus, por ser fiel mesmo quando eu não tive fé, pelo seu amor e por todos os milagres que tornaram este livro possível. Quando comecei a escrever, não fazia ideia do quão difícil seria minha jornada até conseguir ser publicada. *Caraval* não foi o primeiro livro que escrevi. Nem o segundo nem o terceiro nem o quarto nem o quinto. Antes de terminar este livro, fui confrontada com mil e um motivos para desistir de ser escritora. Ainda bem que – em grande parte, por causa das pessoas que vou citar a seguir – isso não aconteceu.

Um "obrigada" muito especial para meus pais, que me ajudaram com o sustento e permitiram que eu fosse morar com eles para conseguir terminar este livro. Um "obrigada" ainda mais especial porque vocês dois acreditaram em todos os livros não publicados que vieram antes deste. Pai, mãe, amo tanto vocês!

Obrigada, Jenny Bent, minha incrível-maravilhosa-fantástica-intrépida agente, por todos os bons conselhos, por se esforçar tanto para que este livro criasse forma e por ter encontrado tantas editoras maravilhosas para ele. Aprendi tanto com você – e te acho muito divertida.

Sarah Dotts Barley, a gratidão que sinto por você não tem limites. Obrigada por ter sido uma editora e defensora tão extraordinária deste livro. É uma alegria constante trabalhar com você. Fico tão emocionada com o fato de ter se apaixonado por esta história e por ter me mostrado como levar este livro a lugares que eu jamais conseguiria levar sozinha. Foi maravilhoso trabalhar com você!

Obrigada, Amy Einhorn e Bob Miller, meus *publishers* brilhantes: me sinto muito honrada por *Caraval* fazer parte do catálogo da Flatiron. Amy, obrigada pela dedicação extra que você deu a este livro, principalmente no período em que Sarah estava em licença-maternidade. Também quero agradecer a Caroline Bleeke, por ter se disposto a ajudar e por ser sempre uma pessoa muito encantadora.

Também sou incrivelmente grata a todos da Macmillan que deixaram sua marca impressa nesta obra. Um "obrigada" para David Lott, Donna Noetzel, Liz Catalano, Vincent Stanley, Brenna Franzitta, Marlena Bittner, Patricia Cave, Liz Keenan e Molly Fonseca.

Obrigada, Erin Fitzsimmons e Ray Shappell, pela magia que emprestaram a este livro, com o belíssimo *design* de capa e as belíssimas ilustrações. E obrigada, Rhys Davies, por dar vida ao meu mundo de faz de conta com o incrível mapa que você fez do Caraval.

Obrigada, Pouya Shahbazian, minha fantástica agente de mídia, por ter encontrado uma casa extraordinária para *Caraval* na Twentieth Century Fox. Obrigada, Kira Goldberg, por ter amado *Caraval* ao ponto de convidá-lo para morar na Twentieth Century Fox: fico tão feliz por meu livro ter chegado às suas mãos. Obrigada, Nina Jacobson, por acreditar neste livro ao ponto de produzi-lo. E obrigada, Karl Austen, por ter entrado no páreo de última hora e ter ajudado a tornar o dia mais empolgante da minha vida ainda mais incrível.

Obrigada a todos da fenomenal Agência Bent, com um agradecimento especial para Victoria Lowes, por ter respondido minhas muitas perguntas e por fazer um milhão de coisas que, tenho certeza, nem fiquei sabendo que você fez. Molly Ker Hawn, mil "obrigadas" por ter encontrado uma casa tão maravilhosa para este livro no Reino Unido.

Continuo cheia de gratidão e maravilhamento pelo fato de *Caraval* também ser publicado ao redor do mundo. Um tremendo obrigada a todos os meus incríveis coagentes, *scouts* e editoras estrangeiras: Gutenberg (Brasil), BARD (Bulgária), Booky (China), Egmont (República Tcheca), Bayard (França), WSOY (Finlândia), Piper (Alemanha), Libri (Hungria), Noura (Indonésia), Miskal (Israel), RCS Libri (Itália), Kino Books (Japão), Sam & Parkers (Coreia), Luitingh- Sijthoff (Holanda), Aschehoug (Noruega), Znak (Polônia), Presença (Portugal), Editura RAO (Romênia), Atticus- Azbooka (Rússia), Planeta (Espanha), Faces (Taiwan), Dogan- Egmont (Turquia), Hodder & Stoughton (Reino

Unido e Commonwealth). Obrigada a todos por terem investido neste livro e possibilitado toda essa maravilha.

No fundo, *Caraval* é um livro sobre irmãs, e eu jamais poderia tê-lo escrito se não tivesse uma irmã tão incrível. Obrigada, Allison Moores, por ser minha melhor amiga e por sempre acreditar que, um dia, eu teria um livro publicado, por mais impossível que isso pudesse parecer e independentemente de quantas vezes eu perdi a fé nisso.

Matthew Garber, meu generoso irmão, sempre te admirei e sou muito grata pelos brilhantes conselhos que você me deu quando tive que tomar decisões tão difíceis em relação a este livro. Você esteve ao meu lado tantas vezes quando eu não tinha mais ninguém com quem conversar e sempre soube exatamente o que dizer.

Obrigada, Matt Moores, meu paciente cunhado, pelas lindas fotos de divulgação que tirou de mim e por ter feito o *design* do meu fantástico *site* (obrigada, Richard L. Press, por ter me deixado usar sua livraria).

Minha amiga querida e incrível leitora crítica Stacey Lee. Acho que nascemos para ser amigas. Obrigada por me ajudar a descobrir o que fazer com esse conceito, por ler a primeira versão do manuscrito em menos de 24 horas, por fazer revisão comigo pelo telefone, por estar do meu lado a cada reviravolta maluca.

Também quero agradecer aos meus outros leitores críticos e às pessoas que leram as primeiras versões deste livro. Obrigada, Mónica Bustamante Wagner, pela sua disposição de ler *Caraval* tantas e tantas vezes, e por ter feito eu trabalhar tanto naquela carta para apresentar o projeto às editoras. Obrigada, Elizabeth Briggs, por tudo o que você me ensinou sobre escrever. Sou tão grata ao programa de mentoria Pitch Wars por ter nos reunido. Obrigada, Amanda Roelofs, por sempre ler meus manuscritos e por aguentar todos os meus questionamentos. Obrigada, Jessica Taylor, por ficar do meu lado quando tudo estava horrível e pela sua empolgação quando eu contei sobre esse conceito vago pela primeira vez. Obrigada, Julie Dao, por me emprestar seus olhos quando precisei de um novo olhar para este livro. E um agradecimento especial para Anita Mumm, Ida Olsen e Amy Lipsky, por todos os comentários de valor inestimável.

Beth Hampson, não foram poucas as vezes em que me senti inútil por correr atrás de um sonho que parecia não retribuir o amor que eu tinha por ele, e você me incentivou e me fez sentir que o que eu estava fazendo realmente valia a pena. Obrigada, Portia Hopkins, por ter se oferecido para ler um livro meu, caso um dia eu escrevesse um e, depois disso, por apostar em uma professora que nunca tinha ensinado nada a ninguém. Jessica Negrón, apesar de você nunca ter lido este livro, a ajuda que você me deu com *Lost stars* me ensinou muita coisa.

Muito obrigada às talentosas e generosas escritoras que fizeram a grande gentileza de ler as provas deste livro e escrever comentários tão adoráveis para a quarta capa: Sabaa Tahir, Jodi Meadows, Kiersten White, Renée Ahdieh, Stacey Lee, Marie Rutkoski e Mackenzi Lee.

Também quero mandar um abração e um obrigada enorme para minhas queridas amigas Katie Nelson, Katie Zachariou, Katie Bucklein, Melody Marshall, Kati Bartkowski, Heidi Lang, Jenelle Maloy, Julie Eshbaugh, Roshani Chokshi, Jen White, Valerie Tejada, Richelle Latona, Denise Apgar, Alexis Bass, Jamie Schwartzkopf, a todos da Pub(lishing) Crawl, da Swanky Seventeens e da Sweet Sixteens: sou muito mais do que grata por conhecer todos vocês.

Este livro foi composto com tipografia Adobe Garamond Pro e
impresso em papel Off-White 70 g/m² na Formato Artes Gráficas.